"Los más grandes escritores cristian
poderosamente a sus lectores espirit
nosotros mismos, y de la gracia de nuestro Señor Jesucristo. Entre estos están Agustín, Calvino, Edwards, y el puritano John Owen, quien debería ser más conocido de lo que es. Lleno de la teología devocional clásica como *El Progreso del Peregrino* de John Bunyan, que necesita ser leída vez tras vez para apropiarse correctamente de sus enseñanzas. Tenemos en estos tratados de Owen una compañía para toda la vida."

J.I. Packer, Profesor de Teología, Regent College.

"El Dr. Lovelace, en su curso Dinámicas Básicas en Gordon-Conwell, nos hizo leer el libro *Sobre la tentación* y *La mortificación del pecado.* Fue así como descubrí a John Owen en 1972. No estaría en el ministerio el día de hoy si no lo hubiera leído, y definitivamente mi vida sería un naufragio si nunca hubiera leído a Owen".

Timothy Keller, Fundador de *Redeemer Presbyterian Church*, y del ministerio City to City.

"Owen es extraordinario. Owen es simplemente extraordinario. Él esta en una categoría diferente, como lo dice Packer, junto con Agustín, Lutero, Calvino y Edwards, esa muy inusual clase de pastores y pensadores que están entre los 10 mejores del mundo. John Owen conoce el alma, conoce a Cristo y conoce como tener comunión con Cristo como muy pocos"

John Piper, fundador del ministerio "Desiring God", y autor.

"El pecado es tenaz, pero por la gracia de Dios podemos odiarlo, y cazarlo. John Owen nos provee de una guía maestra para poder cazar el pecado. La sustancia de este libro es útil para nuestro entrenamiento espiritual, y el amor por las almas."

Mark Dever, pastor principal de Capitol Hill Baptist Church, Washington, D.C.

"Cuando tienes un volumen de Owen en tus manos te preguntas, "¿por que he pasado tanto tiempo leyendo cosas de mucho menos calidad?" Esto es cierto, y como el Dr. John Duncan dijo una vez, "si vas a leer esto, tienes que prepararte a ti mismo para el cuchillo". Pero ese cuchillo es el bisturí de uno de los más excelente cirujanos espirituales del alma en toda la historia de la Iglesia. Owen entendió, como muy pocos lo han hecho, la manera como el Evangelio nos renueva por completo."

Sinclair Ferguson, Senior Minister, First Presbyterian Church, Columbia, S.C.

"Los tres tratados de Owen sobre el pecado, la mortificación, y la tentación son un tesoro que no tiene precio. Leerlos es extraer puro oro de riqueza espiritual. Sin embargo, de la misma manera que en la búsqueda del oro, leer a John Owen ha sido un trabajo difícil. Cualquier persona que desea crecer en santidad persona tendrá gran ganancia de la lectura de este libro."

Jerry Bridges, Navigators Community Ministries Group

VICTORIA SOBRE EL PECADO Y LA TENTACIÓN

La Mortificación del Pecado, sus Causas y Curas

JOHN OWEN

Editor: Jaime Daniel Caballero
Impreso en Lima, Perú

VICTORIA SOBRE EL PECADO Y LA TENTACIÓN: LA MORTIFICACIÓN DEL PECADO, SUS CAUSAS Y CURAS

Autor:
©Jaime Daniel Caballero Vilchez
John Owen
Primera revisión de traducción: Elioth Fonseca.
Segunda revisión de traducción: Jaime Daniel Caballero.
Diseño de cubierta: Billy Jerry Gil Contreras
Revisión de estilo y lenguaje: Alex Dávila.
Serie: Colección John Owen - **Volumen:** 01
Titulo original:

John Owen, *Of the mortification of sinne in believers: the necessity, nature, and meanes of it* (Oxford, 1656).
John Owen, *Of temptation, the nature and power of it* (Oxford, 1658).

Editado por:
©TEOLOGIAPARAVIVIR.S.A.C
José de Rivadeneyra 610. Urb. Santa Catalina, La Victoria.
Lima, Perú.
ventas@teologiaparavivir.com
https://www.facebook.com/teologiaparavivir/
www.teologiaparavivir.com
Primera edición: Octubre de 2019
Tiraje: 1000 ejemplares

Hecho el Depósito Legal en la Biblioteca Nacional del Perú, N°: 2019-14125
ISBN: 978-612-47706-4-7

Se terminó de imprimir en Octubre de 2019 en:
ALEPH IMPRESIONES S.R.L.
Jr. Risso 580, Lince
Lima, Perú.

 Las citas bíblicas fueron tomadas de las Versión *Reina Valera* de 1960, y de la *Nueva Biblia de los Hispanos*, salvo indique lo contrario en alguna de ellas.

TABLA DE CONTENIDOS

DEDICATORIA

Benedict Bird,

Por animarme con su ejemplo y erudición a profundizar en los escritos de Owen

AGRADECIMIENTOS

Hay muchas personas que han hecho posible la publicación de este libro. No solo este libro no estaría disponible el día de hoy en español, sino tampoco la editorial Teología para Vivir, sino fuera porque un gran interés por las obras de los puritanos que fue despertado en mí años atrás.

Quisiera agradecer al Dr. Joel Beeke, quien a través de sus escritos me guió hacia el estudio y amor por los puritanos. Y, a través de su ejemplo y amistad me animó a la publicación de estos clásicos. A Crawford Gribben, un querido profesor, quien me enseñó a leer a Owen y ha realmente ser un historiador de la Iglesia. A Carl Trueman, quien a través de sus clases en Westminster despertó un amor inicial hacia Owen. A Garry Williams, mi supervisor de tesis, quien fue paciente hasta el extremo para tolerar las múltiples postergaciones, y por sus valiosas correcciones a mi pensamiento en innumerables conversaciones teológicas. A Benedict Bird, quien siempre ha estado un paso adelante de mí en estudios históricos Owenianos, y que con toda humildad corregía mis desviaciones, solamente con decir "Impresionante Daniel, es una teoría interesante, pero has considerado…". A Timothy Laurence, con quien pase decenas, quizá cientos de horas hablando de las implicancias de la teología del Pacto, y refinando nuestras posturas Bauti-Prebisteriana. Puedo ver la mano del Señor poniendo a hombres de un intelecto increíble, pero con una piedad aún más grande en mi camino a lo largo de los años para guiar a un pobre joven peruano estudiante de teología e historia. Mi cariño y respeto sincero.

Quisiera agradecer al equipo de traducción y edición de la editorial Teología para Vivir. El éxito de esta obra es suyo. En especial a Elioth Fonseca por la revisión de la traducción, a Billy Jerry José Gil Contreras por el diseño de la portada, y ha Jean Paul Gotopo por la construcción de la página web. A todo el equipo de traductores de Teología para Vivir que colaboraron en la traducción de este proyecto. La traducción del libro original de Owen fue un reto gigante. Los traductores, y el editor, pasaron decenas, y en algunos casos centenas de horas preparando este proyecto. Este proyecto es suyo!: (en orden alfabético): Cristina Accolla, Sergio Bardalez, Manuel Bento, Juan Chero, Elioth Fonseca, Cesar Garrido-Lecca, Samuel Nontol, Pamela Morales y Ubi Rodriguez. Muchas gracias, queridos hermanos.

Agradezco a mi familia por haberme apoyado continuamente y animado en el desarrollo de este proyecto. A mis padres y hermanas: Mi más sincera gratitud.

Quisiera agradecer a mis hermanos en Irlanda por habernos recibido con los brazos abiertos y por darnos múltiples oportunidades para ministrar juntos. A Bryce Carlaw, y a toda su familia, y a los ancianos y la congregación de Douglas Baptist Church, en Cork, Irlanda.

Esta sección no estaría completa sin un agradecimiento especial a mi querida esposa Ellie. Que dulce suena la frase "pacto de amor" cuando es contigo.

Por último, a Aquel de quien proceden todas las cosas, quien rige en Su Soberana voluntad el Universo, al mediador del Nuevo Pacto, quien entro en un Pacto de Amor eterno con el Padre y el Espíritu para nuestra salvación: a mi Señor y tierno Salvador, Cristo Jesús.
Soli Deo Gloria.

Jaime Daniel Caballero

Cork, Irlanda,

Viernes, 18 de Octubre, 2019

UNA INTRODUCCIÓN A VICTORIA SOBRE EL PECADO Y LA TENTACIÓN DE JOHN OWEN

Jaime D. Caballero

Bosquejo:

1. ¿Cómo era el mundo en la época de John Owen?
2. Relevancia para el contexto latinoamericano
3. Sobre la edición de la mortificación del pecado, y la tentación
4. Contexto histórico y teológico
    a. Contexto histórico
    b. Contexto teológico
5. Énfasis tomista, pactual y experiencial
    a. Énfasis tomista
    b. Coherencia pactual
    c. Literatura experiencial
6. Conclusión
7. Sobre este libro

John Owen es, en términos de la influencia de su teología, sin duda el más importante de todos los teólogos puritanos. Es conocido como "El príncipe de los teólogos los puritanos",[1] y ya en su tiempo era conocido por sus compañeros puritanos como "el Juan Calvino de Inglaterra".[2] Su popularidad hacia el final de su vida era tal, que se convirtió casi en una atracción turística, un punto de parada de profesores y estudiantes que visitaban Inglaterra.

Es difícil sobre enfatizar la importancia de John Owen, no solo por sus contribuciones teológicas, sino también por el rol protagónico que tuvo como líder del movimiento puritano, más que cualquier otro teólogo puritano en la historia. Carl Trueman ha dicho sobre él:

> [John Owen] fue uno de los mejores teólogos europeos de su tiempo, y es muy posible que fuera la mente teológica más brillante que Inglaterra jamás ha producido.[3]

Como líder teológico indiscutible del partido calvinista inglés del siglo XVII,[4] es virtualmente imposible entender la era histórica que siguió a la Reforma conocida como la 'Alta Ortodoxia' sin estar familiarizado con el trabajo de Owen.

Sin embargo, como ya ha sido mencionado, la importancia de Owen no solo se encuentra en el campo teológico, sino también en su rol histórico en el gobierno de transición inglés. John Owen fue consejero personal de Oliver Cromwell, el mismo que lideró las fuerzas del ejército republicano inglés en contra del ejército real; también fue el líder de la Asamblea de Savoy, la misma que tuvo un rol fundamental en la formación del independentismo evangélico e identidad Bautista.

---

[1] Joel R. Beeke and Mark Jones, *A Puritan Theology: Doctrine for Life* (Grand Rapids, MI: Reformation Heritage Books, 2012), 712.

[2] Peter Toon, *God's Statesman: The Life and Work of John Owen* (Exeter: Paternoster Press, 1971), 173.

[3] C. R. Trueman, "Owen, John," in *Biographical Dictionary of Evangelicals,* ed. Timothy Larsen et al., (Leicester, England; Downers Grove, IL: InterVarsity Press, 2003), 494.

[4] Joel R. Beeke and Randall J. Pederson, *Meet the Puritans: With a Guide to Modern Reprints* (Grand Rapids, MI: Reformation Heritage Books, 2006), 455.

Sin embargo, su influencia abarca aún más, como Rector de la Universidad de Oxford tuvo a su cargo la formación de toda una generación de intelectuales en Inglaterra que más adelante afectarían con sus ideas al mundo entero. Y en adición a todo esto fue pastor, predicador oficial del Parlamento Inglés, parlamentario, teólogo, y escritor de innumerables libros, los mismos que han sido compilados en 23 gruesos volúmenes de teología.[5] Y esto solo para nombrar algunos de sus logros.

La amplitud de su conocimiento teológico es sin parangón. Educado en las mejores instituciones académicas de su tiempo, Owen dominaba lo mejor de su tiempo en términos de filología, historia, patrística, teología escolástica medieval, literatura europea contemporánea, idiomas bíblicos, lógica, gramática y filosofía, y esto solo para nombrar algunas de las cualidades de la amplitud de su erudición.[6]

Sin embargo, ha sido mencionado de manera correcta, que los escritos de Owen no están entre los más fáciles de leer entre los puritanos. Él mismo menciona que no estaba preocupado con el ornamento y elegancia de estos, sino con el contenido. Andrew Thompson, el biógrafo de Owen del siglo XIX menciona que Owen aborda los temas que escribe con el mismo tacto con "que un elefante al caminar".[7] Esto es cierto. Owen escribe con la misma gracia con la que un elefante bailaría ballet.

1. ¿Cómo era el mundo en la época de John Owen?

Owen vivió en uno de los tiempos de mayor cambio en la historia de la humanidad, el periodo transicional entre la edad media y el modernismo, un tiempo de guerras, nuevos descubrimientos, un tiempo de cambios. Para el momento de su nacimiento en 1616, James I era Rey de Inglaterra,

---

[5] Carl R. Trueman, *The Claims of Truth: John Owen's Trinitarian Theology* (Carlisle, Cumbria: Paternoster Press, 1998), 1-3.

[6] Crawford Gribben, "John Owen, Renaissance Man? The Evidence Of Edward Millington's Bibliotheca Oweniana (1684)," *Westminster Theological Journal* 72, no. 2 (2010): 322.

[7] Andrew Thompson, "Life of Dr. John Owen", en *The Works of John Owen*, ed. William H. Goold, vol. 1 (Edinburgh: T&T Clark, n.d.), xxxviii.

Oliver Cromwell era un adolescente un año mayor que el hijo del Rey y futuro enemigo de Cromwell, Charles I. Para el momento que Owen nació, en el continente europeo, Galileo estaba publicando sus descubrimientos en ciencia, como la invención del telescopio, Kepler estaba escribiendo sobre el movimiento de los planetas, y en otras áreas del saber, importantes obras estaban siendo publicadas como por ejemplo las obras de Francis Bacon en filosofía, y las obras de Robert Keyes, y Cornelius Jansen en teología habían sido recientemente publicadas. A nivel internacional, la 'Compañía británica de las Indias Orientales' había sido recientemente inaugurada en 1600, incrementando así el comercio entre las naciones, el desarrollo de estas, así como la explotación, abuso y codicia: La era del colonialismo mercantilista había comenzado.

Mientras tanto, nuestras naciones latinoamericanas se encontraban en medio de una turbulencia económica y social. Por un lado, mientras que el norte de Europa se volvía cada vez más protestante, y las migraciones de los mismos al Norte de América había comenzado; por otro lado, Latinoamérica se consolidaba cada vez más al Catolicismo Romano, el mismo que encontró terreno fértil para su crecimiento en uno de los tiempos más tristes para nuestras naciones latinas. Justo Gonzales menciona sobre el mismo:

> Es una historia triste. Triste, por cuanto en aquel encuentro se destruyeron poblaciones enteras y ricas culturas. Triste, por cuanto, quienes tal hicieron, no parecen haberse percatado siquiera del enorme crimen que se cometía. Y triste sobretodo, porque esto se hizo en nombre de la cruz de Cristo.[8]

Era un tiempo de nuevas ideas, nuevos descubrimientos, nuevas oportunidades, y Owen se encontraba viviendo justo en el medio de ellas jugando un rol de suma importancia. La Inglaterra en la que Owen nació estuvo marcado por el sectarismo religioso, desde hacía ya unos años las semillas de lo que desencadenaría en una guerra civil uno años más tarde en 1638, estaban siendo sembradas. Por un lado, una parte de la población

---

[8] Justo L. González, *Historia Del Cristianismo: Tomo 2*, vol. 2 (Miami, FL: Editorial Unilit, 2003), 250–251.

quería una reforma aún más completa, mientras que, por otro lado, algunos otros pensaban que la reforma ya había ido demasiado lejos.

Las tensiones políticas, económicas y sociales solamente se iban acrecentando con los años. Para el momento en que James I de Inglaterra, o James VI de Escocia, llegó al poder en 1603 las tensiones entre el partido puritano y el royalista estaban cada vez más en aumento.[9]

2. Relevancia para el contexto latinoamericano

Pocas cosas son más escasas en la Iglesia Evangélica actual que una vida en santidad y pureza. El pecado sexual destruye la vida de nuestros jóvenes. La pornografía se esta volviendo tan común dentro de la Iglesia como fuera. La codicia por dinero y poder corrompe día a día la vida de nuestros líderes. Debemos matar el pecado, o este nos matará a nosotros. Vivimos en una sociedad hiper-saturada de mundanalidad, de tal manera que podemos llegar a pensar que lo que vemos es normal. Mas aún, las pocas veces que se aborda el tema de la santidad en nuestras iglesias se hace desde una perspectiva moralista en el mejor de los casos, y legalista en el peor de ellos. La moralidad es quizá la falsificación satánica de mayor éxito para llevar a las personas al infierno. La moralidad se mira a sí misma y se compara con otros, mientras que la santidad a Cristo y se compara con él. La moralidad se enfoca más en lo que debo hacer, la santidad en lo que Cristo ya ha hecho por mí. La moralidad es la consecuencia de la santidad, y nunca la causa de ella. Las palabras que el profeta Jeremías pronunció en contra del pueblo de Israel son tan relevantes para nosotros como cuando por primera vez fueron dichas:

> **Jeremías 6.13–16** "Porque desde el menor hasta el mayor, Todos ellos codician ganancias, Y desde el profeta hasta el sacerdote, Todos practican el engaño. Curan a la ligera el quebranto de Mi pueblo, Diciendo: 'Paz, paz,' Pero no hay paz. ¿Se han avergonzado de la abominación que han

[9] John Craig, "The growth of English Puritanism," en *The Cambridge companion to Puritanism*, eds. John Coffey y Paul C.H. Lim, (Cambridge: Cambridge University Press, 2008), 34-47.

> cometido? Ciertamente no se han avergonzado, Ni aún han sabido ruborizarse; Por tanto caerán entre los que caigan; En la hora que Yo los castigue serán derribados," dice el Señor. Así dice el Señor: "Párense en los caminos y miren, Y pregunten por los senderos antiguos, Cuál es el buen camino, y anden por él; Y hallarán descanso para sus almas.

Cuando al pecado le llamamos falta de autoestima, estamos diciendo 'Paz, paz', ¡pero no hay paz! Cuando minimizamos la lujuria dentro de nuestros clubes de jóvenes porque no queremos asustarlos innecesariamente, estamos predicando 'Paz, paz', ¡pero no hay paz! Cuando consentimos el pecado sexual y las faltas en nuestro liderazgo, y en lugar de hacer un arrepentimiento publico, las escondemos debajo del tapete, estamos declarando 'Paz, paz', ¡pero no hay paz! Donde Dios es pequeño, el hombre es grande; y donde el hombre es grande el pecado es grande, pero se considera como algo pequeño.

Si lo que estas buscando es un libro que te diga 'Paz, paz', donde no hay paz, este libro no es para ti. Si estas buscando un libro que te haga sentir bien contigo mismo diciéndote que Dios no puede vivir sin ti y que eres un príncipe y una princesa del Reino, este libro no es para ti. Si lo que buscas es una técnica sobre como ser más disciplinado, o como dejar de ver pornografía, este libro no es para ti. Sin embargo, si lo que estas buscando es un libro que descubra las llagas supurantes de tu pecado, y te muestre lo horrible que estas son delante Dios, este libro es para ti. Si lo que estas buscando es reconocer como tu identidad completa, lo que eres y lo que haces, se encuentra en Cristo Jesús, este libro es para ti. Si lo que buscas es amar a Cristo, y como consecuencia de esto no alimentar los deseos podridos de tu carne, este libro es para ti.

Este libro esta diseñado para ser una compañía para toda la vida, y no simplemente un libro que se lea y luego se deje dormir en un estante. Es un libro que debe ser visitado vez tras vez, año tras año para poder comprender y aplicar sus conceptos plenamente. Los puritanos fueron gigantes espirituales. Donde nosotros somos débiles, ellos eran fuertes. Donde nosotros construimos castillos de naipes, ellos edificaron fortalezas. Sin embargo, quizá la mayor diferencia entre ellos y nosotros pueda ser resumida en una palabra: madurez. Me dirijo aquí especialmente a los varones, aunque también se aplica de igual manera a las mujeres: No puedes estar en comunión con Cristo mientras al mismo tiempo satisfaces los placeres de tu carne. No puedes ver a Cristo radiante como es, con los mismos ojos con los que alimentas tu lujuria. Cuando cambias el ver la belleza del Salvador que derramó su sangre por ti, por el ver imágenes pornográficas en el internet, no estas en comunión con Dios, y el pecado te matara pronto. ¡Sin santidad nadie, nadie, nadie sin excepción, vera a Dios! No puede haber comunión con Cristo sin mortificación del pecado. ¡Mortifica el pecado, o este te matara a ti! Seamos hombres de carácter, virilidad y fortaleza, y no niños fluctuantes.

3. Sobre la edición de *La Mortificación del Pecado*, y *La Tentación*

John Owen (1616-1683) escribió tres obras relacionadas con la mortificación del pecado: *La Mortificación del Pecado en los Creyentes* (1656), *La Tentación: Su naturaleza y poder* (1658); y *El Pecado Remanente en los Creyentes* (1667). Sin embargo, algo que debemos notar es que las dos primeras de estas obras *La Mortificación del Pecado* (1656), y *La Tentación* (1658), fueron originalmente una serie de sermones predicados a los estudiantes de la Universidad de Oxford, estudiantes entre 15 a 19 años. Sin embargo, aunque fueron predicadas al mismo tiempo, probablemente entre Junio y Agosto de 1655, no fueron publicadas sino hasta varios años después debido a las múltiples obligaciones políticas y eclesiásticas de Owen. Estas dos obras contienen temas estrechamente relacionados entre sí y deben leerse como dos partes de una misma obra. La tercera obra de Owen sobre este tópico, que lleva el título *El Pecado Remanente en los Creyentes* (1667), pertenece a una era diferente en la vida de autor. Este es un punto importante que debemos tomar en cuenta a fin de comprender correctamente el pensamiento de Owen, pues, aunque los temas de estas tres obras son similares, el contexto y propósito de las dos primeras obras es diferente a la tercera. Hemos tomado en cuenta este factor al momento de decidir agrupar las obras de Owen para su publicación.

Quizá la edición más conocida de las obras de Owen fue compilada en el siglo XIX por William Goold. William Goold (1815-1897) fue un ministro presbiteriano escocés encargado de editar y republicar las obras de John Owen. El trabajo de edición de William Goold sobre John Owen ha llegado a ser la edición clásica de estudios sobre Owen, conocida como la edición de Goold. Esta edición contiene 17 volúmenes de sus obras generales, y 7 volúmenes de su comentario de Hebreos. La masiva obra de edición de Goold tiene muchos puntos encomiables, como por ejemplo el hecho de que trajo de regreso a Owen en un formato más accesible, corrigió tipografías y errores de transcripción en el manuscrito original, produjo un muy útil índice de autores y textos bíblicos, entre otras cosas. Esta edición es la que ha sido republicada en ingles por casi todas las editoriales, incluidas The Banner of Truth, Crossway, Christian Focus Publication, etc.

Sin embargo, el arreglo de las obras de Owen en la edición de Goold sigue una división en tres áreas: doctrinal, práctica y controversial, es decir sigue un arreglo temático en lugar de cronológico.[10] En otras palabras, cada volumen contiene un número de obras de Owen agrupadas de acuerdo con temas similares entre sí, en lugar de seguir el orden de publicación original de dichas obras. Si bien es cierto esto facilita la lectura de las obras de Owen, desde un punto de vista académico no ayuda, sino que de hecho puede ser engañoso y hasta crear dificultades para comprender el pensamiento de Owen. Esto por dos razones:

1. ***Owen cambio algunas de sus posturas teológicas con el tiempo.*** Por ejemplo, Owen comenzó su carrera como teólogo siendo presbiteriano al inicio de sus veintes, sin embargo, hacia el final de sus veintes cambio su postura al congregacionalismo. Hay otros puntos en los que probablemente cambio su postura. Por ejemplo, el uso de los sacramentos, la eficacia del Bautismo, la necesidad de la expiación de Cristo, desarrollo en la teología del pacto, entre otros. Solo una lectura cronológica de las obras de Owen muestra claramente la progresión de su pensamiento, y sobre todo permite comprender de que manera su contexto histórico y teológico

[10] Joel R. Beeke, "Reading the Puritans," *Puritan Reformed Journal Volume 3*, no. 2 (2011): 221-222.

afectaron sus pensamiento y composición teológica. Todo esto queda oscurecido con una lectura temática de sus obras.

2. ***Owen fue un teólogo polemista y no de escritorio.*** Esto es sumamente importante para comprender el pensamiento de Owen. Salvo con algunas notables excepciones, las obras de Owen surgieron como consecuencia de una necesidad específica para un tiempo específico, y a menos que se conozca el contexto en el cual fueron escritas, será difícil apreciar correctamente lo que el autor esta diciendo. Déjeme ponerle un ejemplo. Imagine que usted es un parlamentario en su respectivo país de origen, y como tal, escribe un tratado de política de gobierno a inicios de sus veintes, otro tratado cuando cumple los cincuenta años, y un último tratado cuando esta a mediados de los ochenta años. Aunque es cierto que van a haber puntos en común entre todos estos tratados, habrá también diferencias grandes entre ellos, por su madurez, contexto y agenda política respectiva. Owen fue un teólogo y pastor, pero también fue uno de los políticos más importantes de su tiempo, un tiempo en el cual la religión y la teología estaban estrechamente ligados.

Por estas y otras razones, las obras que publicaremos en la editorial Teología para Vivir no seguirán el mismo orden de las obras publicadas en la edición en ingles, es decir, la edición de Goold del siglo XIX. La publicación de las obras de Owen en nuestra edición seguirá un arreglo cronológico. ¿Por qué? Porque solo de esta manera podremos introducir al lector de una manera más sólida a los temas y contexto respectivo de Owen, y los puritanos, así como poder observar claramente el desarrollo de su pensamiento teológico, y las influencias teológicas que tuvo en un momento respectivo.

En la edición de Goold estas tres obras, *La Mortificación del Pecado en los Creyentes* (1656), *La Tentación: Su naturaleza y poder* (1658); y *El Pecado Remanente en los Creyentes* (1667) fueron publicadas en un solo volumen. Sin embargo, en la edición de Teología para Vivir, serán publicadas en dos volúmenes diferentes. El primer volumen, que es el que el lector tiene en sus manos, corresponde a las dos primeras obras: *La Mortificación del Pecado en los Creyentes* (1656) y *La Tentación: Su naturaleza y poder* (1658); mientras que en un segundo volumen se publicará *El Pecado Remanente en los Creyentes* (1667) como una obra independiente.

4. Contexto histórico y teológico

Owen fue enviado a estudiar a Queen's College, en la Universidad de Oxford en 1628 a los 12 años. Esta era la edad promedio en la que los jóvenes normalmente iban a la Universidad.[11] Owen terminó sus estudios en la Universidad de Oxford en 1632 obteniendo un BA, y más adelante una Maestría en 1635, siendo ordenado como diácono en la Iglesia Anglicana inmediatamente después.[12] Después de varios años de estar alejado de las aulas, Owen fue nombrado decano de una de las escuelas universitarias que conforman la Universidad de Oxford, y más adelante rector de la Universidad.

a. Contexto histórico

Para el momento en el que *La Mortificación del Pecado en los Creyentes* (1656) y *La Tentación: Su naturaleza y poder* (1658) fueron publicados, Owen ya era un teólogo bien conocido en Inglaterra. Para ese entonces ya había publicado 25 libros,[13] estaba en la cumbre de su carrera, era un

---

[11] Crawford Gribben, *John Owen and English Puritanism: Experiences of Defeat*. Oxford Studies in Historical Theology. (New York, NY: Oxford University Press, 2016), 30.

[12] Carl R. Trueman, *John Owen: Reformed Catholic, Renaissance Man*. Great Theologians Series. (Aldershot, England: Ashgate, 2007), 2.

[13] Entre los libros publicados por Owen para 1658 tenemos: A *Display of Arminianism (1642), The Duty of Pastors and People Distinguished (1643), Two Short Catechisms (1645), Vision of Unchangeable Free Mercy, a Sermon (1646), Eshcol: a Cluster of the Fruit of Canaan (1647), Salus Electorum, Sanguis Jesu [Death of Death in the Death of Christ] (1647), Ebenezer: A Memorial of the Deliverance in Essex: Two Sermons (1648), Righteous Zeal: A Sermon with an Essay on Toleration (1649), Shaking of Heaven and Earth: A Sermon (1649), Advantage of the Kingdom of God: A Sermon (1650), Branch of the Lord: Two Sermons (1650), Death of Christ (1650), Steadfastness of the Promises: A Sermon (1650), Labouring Saint's Dismission to Rest: A Sermon (1651), Christ's Kingdom and the Magistrate's Power: A Sermon (1652), Humble Proposals for the Propagation of the Gospel [with others] (1652), De Divina Justitia Diatriba [A Dissertation on Divine Justice] (1653), Proposals for the Propagation of the Gospel...Also Some Principles of Christian Religion [with others] (1653), Doctrine of the Saints' Perseverance Explained and Confirmed (1654), Vindiciae Evangelicae [Mystery of the Gospel Vindicated] (1655), God's Presence with His People: A Sermon (1656), The True Nature Of Schism (1656), God's Work in Founding Zion: A Sermon (1656), Mortification of Sin in Believers (1656), Review of the Annotations of Grotius (1656).*

predicador regular del Parlamento Británico, había sido nombrado decano de *Christ Church* en Oxford en1651, nombrado rector de la Universidad en 1652, y poco tiempo después sería elegido como parlamentario Británico.[14] Desde un punto de vista terrenal, Owen era un hombre poderoso para mediados de 1650.

Sabemos que para 1649, sus sermones se imprimían y circulaban masivamente por toda Inglaterra e incluso Escocia.[15] En menos de una década Owen había pasado de ser "un pastor de una pequeña congregación rural... a ser una figura de importancia nacional".[16] Para el tiempo de la publicación de *La Mortificación del Pecado en los Creyentes* (1656) y *La Tentación: Su naturaleza y poder* (1658); Owen era considerado como "el principal vocero del nuevo régimen puritano, el profeta del nuevo orden establecido". [17]

Los sermones de *La Mortificación del Pecado*, y *La Tentación* tuvieron lugar mientras Owen fue decano de la escuela de Oxford, Christ Church. El 13 de marzo de 1651 Owen predicó un poderoso sermón en el Parlamento Británico, que para ese entonces se encontraba en la búsqueda de un nuevo decano en Oxford. El siguiente día después de que Owen predicara en el Parlamento fue elegido como el nuevo decano de Christ Church. Dos meses después, el 9 de mayo de 1651, Owen se mudaría a Oxford.[18] Owen comenta sobre este evento dos años después en 1653:

> Unos dos años atrás, el Parlamento y el gobierno mancomunado me promovieron, mientras conducía mis labores de manera muy diligente, de acuerdo con la medida de los dones que me han sido dados en la predicación del Evangelio. Esto lo hicieron de acuerdo a su autoridad e influencia y a

---

[14] Blair Worden, "Politics, piety, and learning: Cromwellian Oxford," in *God's instruments: Political conduct in the England of Oliver Cromwell* (Oxford: Oxford University Press, 2012), 118-119.

[15] R. Scott Spurlock, *Cromwell and Scotland: Conquest and religion, 1650–1660* (Edinburgh: John Donald, 2007), 46.

[16] Sarah Cook, "A political biography of a religious Independent: John Owen, 1616-1683", (unpublished PhD thesis, Harvard University, 1972), 70.

[17] Crawford Gribben, *John Owen and English Puritanism: Experiences of Defeat.* Oxford Studies in Historical Theology. (New York, NY: Oxford University Press, 2016), 104.

[18] "Deans of Christ Church, Oxford," *Fasti Ecclesiae Anglicanae, 1541–1857,* vol. 8: *Bristol, Gloucester, Oxford and Peterborough dioceses,* ed. Joyce M. Horn (London: Institute for Historical Research, 1996), 80–83.

pesar de la renuencia de mi parte, a ocupar la silla de la decania de la muy famosa Universidad de Oxford. [19]

Ahora bien, las responsabilidades de Owen en la Universidad de Oxford no eran solamente pedagógicas, sino también políticas. Este aspecto político se incrementó mucho más un año más tarde en 1652 cuando fue nombrado Rector principal de la Universidad por Oliver Cromwell.[20]

Durante su tiempo en Oxford, Owen estuvo trabajando de manera muy cercana con otra de las mentes más brillantes del Puritanismo, Thomas Goodwin, quien era decano de la escuela Magdalen de la Universidad de Oxford. Ambos, Owen y Goodwin, formaron parte del proyecto iniciado por Oliver Cromwell para la reforma de las Universidades en Inglaterra, Escocia e Irlanda.[21] Owen se consideraba a sí mismo insuficiente y con pocos dones para dicha tarea. Sus dones eran más de teólogo y escritor, que de reformador y administrador como el mismo lo dice.[22]

Un punto importante que debemos tener en cuenta es que la ciudad de Oxford es muy pequeña y que la mayoría de la población pertenecía a la Universidad. Debemos tener en mente también que la Universidad de Oxford había sido uno de los bastiones del recientemente derrotado ejercito real, y que aún tenía una mayoría arminiana en favor del Rey entre sus filas. Oxford era una ciudad militarizada, en la cuál el ejercito republicano puritano dirigido por Cromwell había desplegado un regimentó de soldados para evitar disturbios.[23] Por lo cual Owen, un puritano con convicciones republicanas, debía ser muy cuidadoso en las

---

[19] John Owen, "A Dissertation on Divine Justice", in *The Works of John Owen*, ed. William H. Goold, vol. 10 (Edinburgh: T&T Clark, 1862), 492.

[20] Peter Toon, *God's Statesman: The Life and Work of John Owen* (Exeter: Paternoster Press, 1971), 50.

[21] Blair Worden, "Politics, piety, and learning: Cromwellian Oxford," in *God's instruments: Political conduct in the England of Oliver Cromwell* (Oxford: Oxford University Press, 2012), 123.

[22] John Owen, "A Dissertation on Divine Justice", in *The Works of John Owen*, ed. William H. Goold, vol. 10 (Edinburgh: T&T Clark, 1862), 492.

[23] Blair Worden, "Cromwellian Oxford" in *The history of the University of Oxford,* vol. 4: *The seventeenth century,* ed. Nicholas Tyacke (Oxford: Oxford University Press, 1997), 733.

reformas que implementaría en la Universidad para evitar disturbios innecesarios.

Owen se encontraba bajo gran presión en la Universidad de Oxford. Por un lado, el parlamento republicano quería "purgar Oxford de todos los simpatizantes realistas, llenarla de nuevos profesores y tutores", [24] y por otro lado el partido real, aunque derrotado, aún era muy fuerte en Oxford. La tensiones y enfrentamientos parecían inevitables. Sobre este punto el historiador Blair Worden ha escrito:

> La universidad estaba abarrotada de profesores a favor de la corona Real, siervos del Rey, y conspiradores en favor del partido Real. En los pueblos y villas cercanas, los señores dueños de las tierras apoyaban de manera mayoritaria al partido Real. La importancia de Oxford no podía desestimarse, porque, aunque se había rendido al ejercito parlamentario, aún permanecía como una pieza clave. Esto se puede ver cuando vez tras vez la ciudad fue el objetivo principal de las fuerzas reales, primero de Charles II en 1651, luego de Penruddock en 1655, y mas adelante de Monck y de Lambert en 1660.[25]

Siendo este el contexto de la ciudad y la Universidad, un ambiente completamente antagonista al partido puritano, no es de extrañarse que el joven nuevo rector no recibiera una calurosa bienvenida.[26] Owen se encontraba en una situación complicada.

Pocos meses antes de que Owen se mudara a Oxford para asumir su nuevo cargo en mayo de 1651, las tropas del ejercito republicado de Cromwell se habían retirado de la ciudad, dejándola aún más vulnerable a amenazas de insurgencias y revueltas.[27] La vida espiritual de los

---

[24] John Owen, *The Oxford Orations of John Owen,* ed. Peter Toon (Callington, Cornwall, UK: Gospel Communications, 1971), 2.

[25] Blair Worden, "Cromwellian Oxford" in *The history of the University of Oxford,* vol. 4: *The seventeenth century,* ed. Nicholas Tyacke (Oxford: Oxford University Press, 1997), 733.

[26] Crawford Gribben, *John Owen and English Puritanism: Experiences of Defeat.* Oxford Studies in Historical Theology. (New York, NY: Oxford University Press, 2016), 129.

[27] Henry Reece, *The army in Cromwellian England, 1649–1660* (Oxford: Oxford University Press, 2013), 132.

estudiantes estaba por los suelos. Casi al mismo tiempo de la llegada de Owen a Oxford, y casi inmediatamente después del retiro de las tropas de la ciudad, disturbios se desataron por parte de estudiantes. Owen describe vívidamente su primera impresión de los estudiantes a su llegada a Oxford:

> A los estudiantes no les importa la autoridad sagrada de la ley, tampoco muestran el respeto que deben a sus superiores, y mucho menos están en guardia en contra de sus deseos malvados. Les importa poco las lágrimas y los ruegos de sus tutores en nuestra alma mater, poniendo de esta manera en peligro de daño eterno el buen nombre de nuestra comunidad, y también causando un gran daño a todo el cuerpo académico. ¡Esta detestable audacia y vidas licenciosas son dignas de un epicúreo! Y, lamentablemente, una gran porción de los estudiantes está sin rumbo, y viven más allá de todos los límites de la modestia y piedad. [28]

Owen continúa escribiendo sobre el estado de los estudiantes en la Universidad de Oxford a su llegada:

> Todos ellos son ociosos, borrachos, mujeriegos, hacedores de bromas sucias, timadores, irrespetuosos, maleducados para con sus superiores, quebrantadores de la ley, trasnochadores, corruptores de la juventud, enemigos de bien, menospreciadores de la religión verdadera, y todo tipo de canceres malignos.[29]

Sin embargo, la respuesta de Owen a las tensiones políticas y sociales, y a el decaimiento espiritual de los estudiantes no fue imponer una ley marcial, o reglas más estrictas. Tampoco fue perseguir o encarcelar a sus enemigos políticos. Sino que, por el contrario, su respuesta fue predicar una serie de sermones sobre el cultivo de la verdadera espiritualidad y la comunión con Dios. Owen estaba convencido de que solamente a través

---

[28] John Owen, *The Oxford Orations of John Owen,* ed. Peter Toon (Callington, Cornwall, UK: Gospel Communications, 1971), 5.

[29] Ibid., 7.

del cultivo de una verdadera espiritualidad reformada se podrían trascender las barreras políticas y sociales que dividían al país.[30]

Fue de esta serie de sermones que los más ricos volúmenes de teología sobre espiritualidad cristiana fueron producidos. Owen tocó dos temas de vital importancia: ¿Cómo cultivar una comunión con el Dios Trino: Padre, Hijo y Espíritu Santo?, y ¿Cómo puedo mortificar el pecado en mí? De la primera serie de sermones se publicó el libro *Comunión con el Dios Trino* en 1657, y de la segunda serie se publicaron los libros *La Mortificación del Pecado en los Creyentes* en 1656,[31] y *La Tentación: Su naturaleza y poder* en 1658.[32]

¿Por qué es todo esto importante? Porque para Owen, el poder y la motivación para la mortificación del pecado surge de una comunión con Dios. La serie de sermones predicados en 1651 y que más tarde fueron plasmados en el libro *Comunión con el Dios Trino,* es una combinación de los atributos distintivos de cada una de las personas de las trinidad, Padre, Hijo y Espíritu, y la manera como el creyente se relaciona en amor con cada uno de ellos de manera distintiva y particular. La mortificación del pecado solo es posible como una consecuencia de la contemplación de quien es Dios, y lo que él ha hecho por nosotros en la persona de Cristo Jesús. Owen predicó la serie de sermones sobre la mortificación del pecado y la tentación entre Junio y Agosto de 1655 al grupo de estudiantes de bachiller de la Universidad de Oxford, jóvenes que tenían en promedio 15 a 19 años, mientras editaba los sermones sobre comunión con Dios, y que dos años más tarde, en 1657, serían publicados bajo el título *Comunión con el Dios Trino.*[33]

---

[30] Crawford Gribben, *John Owen and English Puritanism: Experiences of Defeat.* Oxford Studies in Historical Theology. (New York, NY: Oxford University Press, 2016), 129-130.

[31] John Owen, 'Of the Mortification of Sin in Believers', in *The Works of John Owen*, ed. William H. Goold, vol. 6 (Edinburgh: T&T Clark, 1862), 1-86.

[32] John Owen, 'Of Temptation', in *The Works of John Owen*, ed. William H. Goold, vol. 6 (Edinburgh: T&T Clark, 1862), 87-151.

[33] Crawford Gribben, *John Owen and English Puritanism: Experiences of Defeat.* Oxford Studies in Historical Theology. (New York, NY: Oxford University Press, 2016), 165.

Aunque el libro *Comunión con el Dios Trino* (1657) fue publicado un año después que el libro *La Mortificación del Pecado en los Creyentes* (1656), la predicación de los sermones que conforman este libro no solo precede cronológicamente al libro *La Mortificación del Pecado,* y al libro *La Tentación*, sino que sienta las bases y presuposiciones teológicas bajo las cuales estos dos libros deben ser leídos. Hay un total de 68 referencias en los libros *La Mortificación del Pecado,* y *La Tentación* a los conceptos delineados en *Comunión con el Dios Trino*. Este es un hecho de vital importancia que casi todas las ediciones en ingles han pasado por alto. A menos que comprendamos los conceptos de la mortificación del pecado a la luz de la teología de la comunión con Dios, se corre el riesgo de caer en una lectura legalista de la mortificación del pecado y lucha contra la tentación.

b. Contexto teológico

La fuente para la mortificación del pecado en la vida del creyente radica en la comunión con Cristo.[34] El pecado en su esencia misma es lo que destruye nuestra comunión con Dios.[35] Es solamente la comunión en amor con la persona del Señor Jesucristo lo que fortalece el alma por el Espíritu Santo para llevar a cabo la mortificación del pecado.[36] Por lo tanto, la esencia de la tentación esta estrechamente relacionada con el intento de la ruptura de la comunión con Dios en la vida del creyente.[37] El poder para la mortificación del pecado y la tentación fluye un amor hacia Cristo.[38] Esta comunión del creyente con Dios, que hace posible la mortificación del Pecado, es una consecuencia del amor trinitario de Dios por Su Pueblo. Para Owen, en última instancia es el Pacto intratrinitario de amor,

---

[34] John Owen, 'Of the Mortification of Sin in Believers', in *The Works of John Owen*, ed. William H. Goold, vol. 6 (Edinburgh: T&T Clark, 1862), 19.

[35] Ibid, 11, 22.

[36] Ibid, 24.

[37] John Owen, 'Of Temptation', in *The Works of John Owen*, ed. William H. Goold, vol. 6 (Edinburgh: T&T Clark, 1862), 96.

[38] John Owen, 'Of the Mortification of Sin in Believers', in *The Works of John Owen*, ed. William H. Goold, vol. 6 (Edinburgh: T&T Clark, 1862), 58.

es decir el Pacto de la Redención o *pactum salutis,* lo que hace posible la mortificación del pecado. Exploraremos esto en mas detalle más adelante.

Lo que le preocupaba a Owen no era primariamente que los estudiantes tuvieran una conducta más moral, o que fueran más educados, sino que pudieran realmente tener una comunión con Dios, moralidad y modales serían una consecuencia de esta comunión con Dios. La mortificación del pecado no es un fin en sí mismo, sino un medio y una consecuencia. La mortificación es un medio para preservar nuestra comunión con Dios, pero al mismo tiempo es la consecuencia de una vida en comunión con él.

Mas aún, la mortificación del pecado solamente es posible cuando se tiene una idea correcta acerca de Dios. Owen escribe "cuan pocos son los creyentes que conocen por experiencia este privilegio de disfrutar comunión en amor con el Padre",[39] y en lugar de eso lo consideran como alguien distante, duro, sombrío, como alguien que esta enojado y furioso con ellos.[40] Es a partir de un concepto equivocado de quien Dios y lo que ha hecho por nosotros que errores relacionados con la seguridad de salvación, la adoración y el proceso de la santificación tienen lugar. [41]

Owen considera que el antídoto para esta falta de mortificación del pecado en los creyentes no se encuentra en desarrollar una serie de reglas estrictas para prevenir el pecado, si bien es cierto que estas pueden ser de

---

[39] *Works,* 2:32.

[40] *Works,* 2:35.

[41] Este punto ha sido señalado por varios estudiosos del pensamiento de Owen. Por ejemplo, Joel Beeke y Sinclair Ferguson han señalado correctamente como para Owen el tener un adecuado concepto de Dios, de sus atributos, esta directamente ligado con el desarrollo de una piedad bíblica y el cultivo de nuestra comunión con Dios. Ver: Joel Beeke, *The Quest for Full Assurance: The Legacy of Calvin and his Successors* (Edinburgh: The Banner of Truth Trust, 1999), 173-186; y también Sinclair B. Ferguson, *John Owen on the Christian Life* (Edinburgh: Banner of Truth Trust, 1987), 77-78; 122-124. El tema ha sido desarrollado en años recientes por Ryan M. McGraw, quien menciona que el concepto del pacto de la redención es la medula misma del pensamiento trinitario de Owen, y el concepto teológico a través del cual se deriva el esquema de comunión con Dios y santificación en la vida cristiana, particularmente relacionado con la adoración como un medio para la mortificación. Ver: Ryan M. McGraw, *A Heavenly Directory: Trinitarian Piety, Public Worship and a Reassessment of John Owen's Theology,* ed. Herman J. Selderhuis, Reformed Historical Theology 29 (Bristol, CT: Vandenhoeck & Ruprecht, 2014), 69-139.

ayuda, sino que más bien en conocer por experiencia a Dios. Es por esta razón que antes de abordar el tema de la mortificación de pecado, Owen pasó casi dos años predicando y enseñando exclusivamente sobre los atributos de Dios, y el obrar distintivo de cada una de las personas de la trinidad, y la manera como el creyente puede desarrollar una comunión íntima con cada una de ellas de manera particular y distintiva. Para Owen, la efectividad en la mortificación del pecado en la vida del creyente esta directamente ligada de su conocimiento experiencial de Dios.

Sin embargo, para Owen, este conocimiento experiencial de Dios no esta relacionado con una experiencia subjetiva y casi mística de él, sino a través de los medios ordenados para la santificación, esto es, los medios de gracia, a veces también llamados sacramentos. Por otro lado, este conocimiento experiencial de Dios no es de ninguna manera puramente intelectual, sino también emocional. No podemos conocer a Dios de manera experiencial solamente por leer un libro sobre los atributos de Dios, o por participar de los medios de gracia de manera mecánica. Conocemos a Dios de manera experiencial al hacer uso de los medios de gracia, y este conocimiento tiene un profundo impacto en nuestros afectos.

5. Énfasis tomista, pactual y experiencial

a. Énfasis tomista

Con énfasis tomista nos referimos simplemente al método escolástico usado por Owen, y por experiencial nos referimos a algo que no se conoce de manera verdadera sino hasta que tiene un impacto en los afectos. Los escritos de Owen a partir de la década de 1650 son fuertemente tomistas en su método,[42] y distintivamente experienciales en su naturaleza.[43] La

---

[42] Carl R. Trueman, *The Claims of Truth: John Owen's Trinitarian Theology* (Carlisle, Cumbria: Paternoster Press, 1998), 112-113.

[43] Crawford Gribben, *John Owen and English Puritanism: Experiences of Defeat*. Oxford Studies in Historical Theology. (New York, NY: Oxford University Press, 2016), 131.

noción de que el escolasticismo reformado de la post-reforma produjo escritos puramente cerebrales desprovistos de toda emoción y deseo por Dios, francamente a la luz de la evidencia no tiene sentido.

Owen hace uso de un método escolástico en el desarrollo de su teología de la mortificación del pecado, y de la necesidad de un conocimiento de Dios por experiencia. La combinación de estos dos le llevó a desarrollar una teología de la santificación que es distintivamente trinitaria y doxológica, es decir, orientaba a la adoración. Christopher Cleveland ha escrito sobre este punto:

> Es cierto que Owen desarrolla una teología especulativa haciendo fuerte uso de principios e ideas Tomistas [escolásticas], pero con el propósito final de transmitir un conocimiento correcto del Dios Trino cuyo resultado práctico necesariamente es la verdadera adoración.[44]

Para Owen, la mortificación del pecado esta directamente relacionada con nuestro conocimiento experiencial de Dios. Sin embargo, la consecuencia necesaria de este conocimiento experiencial de Dios es la comunión en amor con Dios, lo cual resulta necesariamente en adoración. Adoramos aquellos que amamos, y amamos aquello que conocemos. No se puede adorar a Dios y gratificar los deseos de la carne de manera simultanea. Sino que la verdadera adoración, en espíritu y en verdad, brota y alimenta nuestra comunión con el Dios Trino.

La adoración es el combustible, la sangre, que mueve al cristiano hacia la mortificación. Ahora bien, esta adoración es Trinitaria, y surge de un adecuado conocimiento y entendimiento de la naturaleza deplorable y sin esperanza del creyente sin Cristo, y simultáneamente de lo que cada una de las personas de la Trinidad; Padre, Hijo y Espíritu, han contribuido de manera distintiva y particular a nuestra salvación.[45] No hay mortificación sin comunión, pero la primera evidencia de la una verdadera

---

[44] Christopher Cleveland, *Thomism in John Owen* (Burlington, VT: Ashgate, 2013), 155.

[45] Brian Kay. *Trinitarian Spirituality: John Owen and the Doctrine of God in Western Devotion*. Studies in Christian History and Thought. (Eugene, Or.: Wipf & Stock, 2008), 6-7.

comunión es adoración. En otras palabras, para Owen, toda mortificación es doxológica. La mortificación del pecado es, en sí mismo, el más sublime acto de adoración a Dios. Sin mortificación no puede haber adoración.

b. Coherencia pactual

La relación del Pacto de la Redención (Pactum Salutis), y la mortificación del pecado

El Pacto de la Redención se refiere al arreglo o al acuerdo en amor entre las personas de la Trinidad, hecho antes de la fundación del mundo, y que concierte a todos los aspectos relacionados con la redención del hombre. El Pacto de la Redención es la médula misma del decreto de Dios.[46]

Para inicios de 1650 el concepto del Pacto de la Redención comenzó a tomar un papel preponderante en la teología reformada.[47] Fue también durante esta década que Owen desarrollo sus posturas maduras sobre la mortificación del pecado y la comunión con Dios. Durante los años en los que Owen predicó sus sermones sobre comunión con Dios, la mortificación del pecado y la tentación, se vio envuelto en dos controversias principales, en contra del socinianismo y el arminianismo.

Owen estaba preocupado por el crecimiento de la influencia del socinianismo. El socinianismo fue una versión temprana del deísmo y el liberalismo teológico, negaban la doctrina de la Trinidad y eran unitarios. El socinianismo ganaba cada vez más terreno en círculos académicos a mediados del siglo XVII. Para el socinianismo la mortificación del pecado y la seguridad de salvación estaban directamente relacionados con una

---

[46] Por Decreto de Dios, nos referimos al decreto hecho por Dios antes de la fundación del mundo por el cual todas las cosas tienen lugar. El decreto incluye la creación del hombre, la muerte de Cristo, con quien me casaré, etc. La parte de este decreto relacionada con la actividad trinitaria de la redención del hombre es el Pacto de la Redención. Existe un debate en la teología reformada sobre si el Pacto de la Redención es un sinónimo del Decreto de Dios, o solo una parte del mismo.

[47] J.V. Fesko, *The Covenant of Redemption: Origins, Development, and Reception*, ed. Herman J. Selderhuis, Reformed Historical Theology 35 (Bristol, CT: Vandenhoeck & Ruprecht, 2016), 16-17.

transformación o reforma moral de la persona.[48] El énfasis del socinianismo era primariamente moral y externo. Para los socinianos, es la mortificación la que produce la comunión. Owen respondió enseñando lo opuesto, es decir, que la comunión con Dios precede y es la base de la mortificación. Por otro lado, el esquema de seguridad de salvación y mortificación arminiano tendía al sinergismo, es decir a una cooperación entre Dios y el hombre, pero sin una clara definición sobre cual es la causa final para la salvación, es decir, es la voluntad del hombre o de Dios.

Las reacciones teológicas a estos dos movimientos, el sociniano y el arminiano, durante el siglo XVII tendían hacia el antinomianismo y nomismo.[49] Tanto el antinomianismo como el nomismo se relacionan con el rol de la ley en la vida cristiana, y no primariamente con el hecho de que una persona sea inmoral o moral. Por un lado, el antinomianismo enseñaba que la ley de Dios no tiene ningún rol como guía para santificación del creyente del Nuevo Pacto. Por otro lado, el nomismo añadía leyes a las que había sido dadas por Dios para promover la piedad. De esta manera el nomismo era fuertemente legalista en su estructura. El socinianismo tendía por un lado al antinomianismo, mientras que el armianismo hacia el legalismo. Es en este contexto y bajo estas dos enseñanzas opuestas que Owen desarrolla entre 1640 y 1670 una teología de la santificación y mortificación del pecado distintivamente reformada, enraizada en la unión que el creyente goza con Cristo.[50]

---

[48] Matthew Barrett and Michael Haykin, *Owen on the Christian Life: Living for the Glory of God in Christ* (Wheaton, IL: Crossway, 2015), 168.

[49] Sobre la relación cercana entre el Antinomianismo y el Nomismo en el siglo XVII, puede ver: David D. Hall, ed., *The Antinomian Controversy, 1636–38: A Documentary History* (Durham: Duke University Press, 1990); Theodore Dwight Bozeman, *The Precisianist Strain: Disciplinary Religion and Antinomian Backlash in Puritanism to 1638* (Chapel Hill: University of North Carolina Press, 2003); David R. Como, *Blown by the Spirit: Puritanism and the Emergence of an Antinomian Underground in Pre-Civil-War England* (Stanford, CA: Stanford University Press, 2004).

[50] J.V. Fesko, *The Trinity and the Covenant of Redemption* (Ross-shire, Great Britain: Mentor, 2016), 19; J.V. Fesko, "John Owen", in *Beyond Calvin: Union with Christ and Justification in Early Modern Reformed Theology (1517-1700),* ed. Herman J. Selderhuis, Reformed Historical Theology 20 (Bristol, CT: Vandenhoeck & Ruprecht, 2012), 286.

El esquema de santificación socinianista y hasta cierto extremo también el arminiano, enfatizaban primariamente una reforma moralista externa, mientras que el esquema de santificación de Owen enfatizó en primer lugar una renovación interna de la naturaleza del creyente.[51] Para el socinianismo y el arminianismo, la regeneración es una consecuencia de una reforma moral, expresada en el arrepentimiento y la fe del hombre, mientras que para Owen, y la teología reformada en general, la regeneración es la causa del arrepentimiento y la fe, y no la consecuencia.[52] Para Owen, la regeneración del creyente se encuentra enraizada no en una decisión humana, sino en una premisa divina, diseñada y expresada en el Pacto de la Redención (*pactum salutis*). De esta manera la base para la seguridad de salvación, crecimiento en santificación, comunión con Dios, adoración a Dios, entre otros, hayan su origen totalmente en Dios, y en particular en el Pacto de la Redención.[53] El esquema de santificación y mortificación del pecado de Owen no puede ser entendido fuera de una estructura pactual, y como la consecuencia lógica y necesaria de esta.[54]

¿Cuál es primero, comunión o mortificación del pecado?

Uno de los puntos centrales de la inclusión del Pacto de la Redención en el esquema de la santificación de Owen fue justamente este punto: ¿Cuál de estos dos tiene prioridad en la santificación del hombre, el obrar de la

---

[51] Matthew Barrett and Michael Haykin, *Owen on the Christian Life: Living for the Glory of God in Christ* (Wheaton, IL: Crossway, 2015), 168-170; cf. John Owen, "A Discourse Concerning The Holy Spirit", in *The Works of John Owen*, ed. William H. Goold, vol. 3 (Edinburgh: T&T Clark, n.d.), 218-220.

[52] Joel R. Beeke and Mark Jones, *A Puritan Theology: Doctrine for Life* (Grand Rapids, MI: Reformation Heritage Books, 2012), 467-469.

[53] J.V. Fesko, "John Owen", in *Beyond Calvin: Union with Christ and Justification in Early Modern Reformed Theology (1517-1700),* ed. Herman J. Selderhuis, Reformed Historical Theology 20 (Bristol, CT: Vandenhoeck & Ruprecht, 2012), 287-298.

[54] Sebastian Rehnman, *Divine Discourse: The Theological Methodology of John Owen*, Texts and Studies in Reformation and Post-Reformation Thought (Grand Rapids: Baker Book House, 2002), 155-156.

gracia de Dios o la actividad humana?[55] En otras palabras, ¿recibimos la gracia de Dios como consecuencia de la mortificación de nuestro pecado, o es la mortificación de nuestro pecado una consecuencia de haber recibido la gracia de Dios? Esto es de central importancia al momento de examinar la teología de la santificación y mortificación del pecado de Owen. Como escribe J.V. Fesko, Owen "antepone la justificación a la santificación, y coloca estas dos como una consecuencia de la doctrina de la unión del creyente con Cristo". [56]

Es decir, la base de nuestra santificación se encuentra en nuestra justificación, y ambas son consecuencias de la unión del creyente con Cristo. Es nuestra unión con Cristo lo que nos capacita para recibir la gracia de Dios necesaria para la mortificación del pecado, y no viceversa. Todos los beneficios del *ordo salutis* (justificación, santificación, glorificación, etc.), fluyen como consecuencia de nuestra unión con Cristo, y la unión del creyente con Cristo es una consecuencia del Pacto de la Redención (*pactum salutis*).

En otras palabras, para Owen, los beneficios del Pacto de la Gracia fluyen como consecuencia del Pacto de la Redención en Cristo, pues "Cristo mismo es la base del Pacto de la Gracia, siendo él mismo destinado y dado libremente para hacer obtener toda gracia para [los suyos]".[57] En otras palabras, para Owen no solo la doctrina de la santificación, sino la totalidad del *ordo salutis* tiene como base el *pactum salutis*.[58] Debido a que el Pacto de la Redención tiene su base en la eternidad, entonces no hay razón por la cual el creyente se adjudique ninguna obra en su santificación porque la gracia que recibe de Dios es una gracia que le ha sido dado no por lo que es, sino a pesar de lo que es.

---

[55] David Dickson, 'Arminianism Discussed,' in *Records of the Kirk of Scotland, Containing the Acts and Proceedings of the General Assemblies, from the Year 1638 Downwards*, ed. Alexander Peterkin (Edinburg: Peter Brown, 1845), 156-158.

[56] J.V. Fesko, "John Owen", in *Beyond Calvin: Union with Christ and Justification in Early Modern Reformed Theology (1517-1700),* ed. Herman J. Selderhuis, Reformed Historical Theology 20 (Bristol, CT: Vandenhoeck & Ruprecht, 2012), 287.

[57] *Works,* 2:199.

[58] John Owen, 'The Doctrine of Justification by Faith, through The Imputation Of The Righteousness Of Christ', in *The Works of John Owen*, ed. William H. Goold, vol. 5 (Edinburgh: T&T Clark, n.d.), 257-259.

Es una gracia dada por los méritos del mediador del Nuevo Pacto, Cristo Jesús. De esta manera el esquema de santificación de Owen marca una diferencia radical con el esquema arminiano de tendencia legalista.

Por otro lado, el hecho de que el *pactum salutis*, tiene necesariamente su ejecución en la historia destruye la idea de una pasividad del cristiano. Si, el creyente ha sido predestinado para ser justificado, pero no será justificado hasta que crea y se arrepienta. Tiene que haber una respuesta en el hombre. Si, el creyente recibe gracia solo por los méritos de Cristo Jesús en la Cruz del Calvario, pero debe responder a dicha gracia en una relación activa en comunión con Dios a través de los medios de gracia, y en el Espíritu Santo, para que pueda crecer en santidad. De esta manera el esquema de santificación de Owen marca una diferencia radical con el socinianismo de tendencia antinomianista.

c. Literatura experiencial

Se ha dicho, de manera correcta, que la característica principal de la literatura producida en la reforma y post reforma es el énfasis experiencial o casuístico.[59] Esto es particularmente cierto de la literatura producida por el puritanismo ingles del siglo XVII, y la teología producida por la reforma holandesa, especialmente de lo que se conoce como la segunda reforma holandesa.[60] Los escritos experienciales o casuísticos puritanos poseen tres características distintivas en cuanto a su propósito:

a. Tienen el propósito primario de promover la piedad, en lugar de solamente ser un ejercicio meramente académico, a través de la obra del Espíritu Santo en la vida del creyente. Poseen un fuerte énfasis en la obra y rol del Espíritu Santo.

---

[59] Joseph A. Pipa Jr., "Puritan Preaching," in *The Practical Calvinist: An Introduction to the Presbyterian and Reformed Heritage*, ed. Peter A. Lillback (Fearn, Ross-shire, UK: Christian Focus Publications, 2002), 174.

[60] Joel R. Beeke, "Reading the Puritans," ed. Stephen J. Wellum, *Southern Baptist Journal of Theology Volume 14*, no. 4 (2010): 29.

b. Tienen el propósito de ser usados por las Iglesia local en la enseñanza y la predicación, en lugar de ser usados en salones de seminarios o en círculos puramente académicos.
c. Tienen el propósito de buscar una adoración simple y bíblica, basadas en los mandamientos expresos de las Escrituras. [61]

De esta manera la obra *Victoria contra la tentación y el pecado* de John Owen, es una obra clásica de literatura casuística puritana. Esto es a lo que el teólogo John Murray le llama "piedad inteligente".[62] Sin embargo, no debe confundirse este énfasis experiencial, y la obra del Espíritu Santo, y las realidades de la guerra espiritual, con la teología experiencial casi mística y basada primariamente en experiencias subjetivas que a menudo se encuentra en escritos de carácter pentecostal y carismático.[63] Sobre este punto Joel Beeke ha escrito:

> Los teólogos [puritanos] no estaban primariamente preocupados con una experiencia religiosa como un fin en sí mismo (lo cual es a menudo la preocupación en mucho del pietismo negativo), sino que más bien su preocupación principal era con una experiencia religiosa como una revelación de Dios y su abundante gracia (es decir, un pietismo positivo).[64]

Esto es de vital importancia para nuestro contexto latino saturado de la búsqueda de experiencias místicas, pues aunque la teología de Owen es profundamente experiencial y práctica, y llama a una conexión y experiencia del Espíritu Santo, es muy diferente a lo que la teología

---

[61] Peter Lewis, *The Genius of Puritanism* (Grand Rapids, MI: Reformation Heritage Books, 2008), 11.

[62] Joel R. Beeke, "Toward A Reformed Marriage of Knowledge and Piety: The Contribution Of Gisbertus Voetius," ed. John H. Armstrong, *Reformation and Revival* 10, no. 1 (2001): 149.

[63] Edmund J. Rybarczyk, *Beyond Salvation: Eastern Orthodoxy and Classical Pentecostalism on Becoming Like Christ* (Eugene, OR: Wipf and Stock Publishers, 2004), 257.

[64] Joel Beeke, *The Quest for Full Assurance: The Legacy of Calvin and his Successors* (Edinburgh: The Banner of Truth Trust, 1999), 174.

carismática y pentecostal entiende por experiencial.[65] La diferencia principal se encuentra en que la experiencia del Espíritu para Owen se da en el contexto de los medios dados por Dios para la misma, es decir, los medios de gracia (sacramentos u ordenanzas, dependiendo de la traducción que use), como la Predicación de la Palabra de Dios, la Cena del Señor, la adoración congregacional regida por el principio regulador, entre otras. Por ejemplo, Owen escribe,

> El predicador debe experimentar el poder de la verdad que predica en y sobre su propia alma. Sin esta experiencia, no tendrán vida ni alma para llevar a cabo su trabajo, y sus labores en la mayor parte no tendrá ningún fruto para con otros."[66]

Dios obra a través de los medios que él ha establecido, pero su obrar a través de estos medios ordinarios, es verdaderamente extraordinario. ¿Por qué es importante estudiar *Victoria contra el pecado y la tentación* a la luz del énfasis experiencial de la teología de Owen? Porque *Victoria contra el pecado y la tentación* no es primariamente un tratado sobre la teología del Pacto, el Sacerdocio de Cristo o Justificación solamente por la Fe, sino acerca de como el creyente puede tener una comunión más profunda con la Trinidad a través de la mortificación del pecado.[67] Sin embargo, una correcta apreciación y aplicación de la teología experiencial de Owen con relación a la mortificación del pecado solo tiene lugar cuando esta se aprecia a la luz de los grandes temas que permean su teología. No podemos aislar la doctrina experiencial de Owen de los otros grandes temas teológicos dentro de su teología.

6. Conclusión

---

[65] Sinclair B. Ferguson, *John Owen on the Christian Life* (Edinburgh: Banner of Truth Trust, 1987), 11.

[66] John Owen, 'The True Nature of a Gospel Church and its Government', in *The Works of John Owen*, ed. William H. Goold, vol. 16 (Edinburgh: T&T Clark, n.d.), 76.

[67] *Works,* 2:116.

Victoria sobre el pecado y la tentación es una de las obras experienciales más importantes de John Owen. Su propósito es que el creyente pueda experimentar una comunión más profunda con Dios a través del Espíritu Santo. Sin embargo, si el lector se acerca a esta obra solamente con el propósito de vivir una vida más moral, el propósito de Owen se vera frustrado. Este no es un libro sobre como ser más moral, sino sobre como amar más y mejor a Cristo Jesús.

Mortificación es una consecuencia de comunión, y comunión con Dios es una consecuencia de unión con Cristo y unión con Cristo es una elección soberana de Dios hecha en el Pacto de la Redención. De esta manera para Owen, los eventos que tienen lugar en el *ordo salutis,* como la santificación del creyente, deben ser vistos a la luz del calvario, es decir la *historia salutis* (historia de la redención). Esta *historia salutis* es el desarrollo progresivo de los eventos ordenados por Dios en el *pactum salutis*. Solamente esta noción de santificación, de completa soberanía de Dios, pero al mismo tiempo completa responsabilidad del hombre, es la receta para combatir una noción legalista de santificación, obrando como si todo dependiera de mí, y una noción antinomianista, en la cual se menosprecian las enseñanzas morales de las Escrituras.

El poder para mortificar el pecado, y perseverar, no se encuentra en un método, sino en la dependencia del poder del Espíritu Santo. Haríamos bien en recordar las palabras del apóstol Pablo:

> **Gálatas 5.13–16** Porque ustedes, hermanos, a libertad fueron llamados; sólo que no *usen* la libertad como pretexto para la carne, sino sírvanse por amor los unos a los otros. Porque toda la Ley en una palabra se cumple en el *precepto:* "Amaras a tu prójimo como a ti mismo." Pero si ustedes se muerden y se devoran unos a otros, tengan cuidado, no sea que se consuman unos a otros. Digo, pues: anden por el Espíritu, y no cumplirán el deseo de la carne.

Que el Señor nos ayude, y traiga bendición a nuestras iglesias.

Sobre este libro

Hay algunos puntos que deben tenerse en cuenta al momento de leer esta obra:

El libro ha sido traducido de la versión original en inglés. No ha sido abreviado de ninguna manera y contiene el prólogo, introducción, y comentarios originales de John Owen.

La edición en inglés que se ha usado es la siguiente:

- John Owen, *Of the Mortification of Sin in Believers; the Necessity, Nature, and Means of it*, en The works of John Owen, ed. William H. Goold, vol. 6 (Edinburgh: T&T Clark, 1857), 1-86.
- John Owen, *Of Temptation; The Nature and Power of it; The Danger of Entering into it; and the Means of Preventing that Danger,* en The works of John Owen, ed. William H. Goold, vol. 6 (Edinburgh: T&T Clark, 1857), 87-151.

En algunas instancias cuando se ha creído apropiado, se ha citado de manera completa el texto de las Escrituras en los casos cuando Owen solo citaba una parte de este o solo las palabras iniciales, a fin de proveer una mayor comodidad a la lectura del texto, y por la convicción del editor de que las Escrituras tienen poder en sí mismas.

La versión electrónica corresponde exactamente a la versión impresa de este libro.

Todas las citas en griego, hebreo y latín, que se encuentran en el manuscrito original de Owen, han sido traducidas al español por el editor, y el texto original ha sido dejado en un pie de notas.

Cuando se ha considerado apropiado, se han añadido las referencias bíblicas mencionadas por Owen. Los subtítulos han sido añadidos por el editor, así como el bosquejo general de la obra, que no están en el texto original de Owen, pero que han sido añadidos para una mayor facilidad en la lectura.

Un llamado de ayuda:

La publicación de este libro ha sido posible gracias al trabajo de un grupo de voluntarios. Esta obra ha sido netamente autofinanciada. Pedimos pues a los lectores que nos ayuden comprando nuestros libros con el fin de seguir publicando más obras clásicas, de lo contrario nos será imposible seguir publicando libros de calidad.

Entre las obras que tenemos proyectadas a traducir en los próximos dos años están: *El Arte de Predicar*, por William Perkins; *La Caña Golpeada,* por Richard Sibbes; *Cartas,* por Samuel Rutherford; *Sobre el Objeto y la Manera de la Justificación por Fe,* por Thomas Goodwin; *El Pastor Renovado,* por Richard Baxter; *Comunión con Dios,* por John Owen; *El Progreso del Peregrino,* por John Bunyan; *La Naturaleza Humana en sus Cuatro Estados,* por Thomas Boston, *Afectos Religiosos* de Jonathan Edwards, entre muchos otros.

Todas serán las obras originales, sin abreviar, en español contemporáneo y siguiendo altos estándares académicos. Tenemos como meta publicar los cien volúmenes más importantes, tanto literatura primaria como secundaria, de la teología puritana y reformada en los próximos diez años. Si desea contribuir con esta obra, ore por nosotros, compre nuestros libros, y si desea, también puede contribuir económicamente. Muchas gracias.

LA MORTIFICACIÓN DEL PECADO EN LOS CREYENTES

Su necesidad, naturaleza y medios.
Con la resolución de varios casos de conciencia que se derivan de mortificar el pecado.

JOHN OWEN, D. D.
Siervo de Jesucristo en la obra del evangelio

PREFACIO

LECTOR CRISTIANO

Quisiera expresarte en pocas palabras las razones que lograron mi consentimiento para publicar el siguiente discurso. La principal de ellas es la consideración del estado y condición actuales de la mayoría de los profesantes.[1] Las evidencias visibles de la condición de sus corazones y espíritus manifiestan una gran incapacidad a la hora de lidiar con las tentaciones con las que son envueltos, como se presenta en la paz que tienen con el mundo y las divisiones existentes entre sí.

Estoy seguro de que esto es de tan gran importancia, que si por este medio hago que otros presionen con más eficacia la conciencia de los hombres en lo que respecta a la labor de considerar sus caminos y de dar una dirección más clara para conseguir la mortificación del pecado, estimaré que mi parte en este esfuerzo habrá merecido la pena.

La segunda razón para publicar [este escrito] se debe a que he observado los peligrosos errores de algunos hombres que últimamente han tomado el cargo de dar indicaciones para la mortificación del pecado y que —siendo conocedores del misterio del evangelio y la eficacia de la muerte de Cristo— han puesto de nuevo un yugo de mortificación obrada por sus propias fuerzas sobre los cuellos de sus discípulos, lo cual ni ellos ni sus padres han podido llevar (*cf.* Hch. 15:10).

---

[1] Aquellos que hacen una confesión religiosa —los que afirman ser cristianos. Aquellos que profesan ser creyentes.

> **Hechos de los Apóstoles 15.10** "Ahora pues, ¿por qué tientan a Dios poniendo sobre el cuello de los discípulos un yugo que ni nuestros padres (antepasados) ni nosotros hemos podido llevar?

La mortificación que proclaman y promueven no es adecuada al evangelio ni en su naturaleza, objeto, causas, medios o efectos, ya que produce constantemente el deplorable resultado de supersticiones, fariseísmo y ansiedad de conciencia en aquellos que toman sobre sí la carga que se les impone.

Lo que aquí en debilidad propongo, espero humildemente que responda al espíritu y letra del evangelio, junto con la experiencia de aquellos que saben lo que es caminar con Dios de acuerdo al tenor del Pacto de Gracia. Y si no es esto, ciertamente algo de este tipo resulta muy necesario en esta época, de forma que se promueva y avance la obra de la mortificación por medio del evangelio en los corazones de los creyentes, y que la dirección de sus caminos sea segura, y en ello puedan hallar descanso para sus almas.

Algo he de añadir en cuanto a lo que particularmente a mí mismo se refiere: Habiendo predicado sobre este tema con algo de reconfortante éxito por la gracia de Aquel que da semilla al que siembra, me vi apremiado por distintas personas en cuyos corazones están los caminos de Dios, a publicar lo que había enseñado, junto con las adiciones y alteraciones que considerase necesarias. Inducido por sus deseos, recordé la deuda en la que he permanecido durante algunos años con varios nobles y dignos amigos cristianos en lo que respecta a un tratado sobre la *Comunión con Dios,* que les prometí hace algún tiempo.[2] Y en esto entendí que si no podía en este momento cumplir con la deuda mayor, puede que aun fuese posible brindarles este discurso *sobre el conflicto*[3] *con ellos mismos* como interés por su paciencia con aquella otra obra sobre *la paz y la comunión con Dio*s.

---

[2] Véase *Communion with God,* de John Owen en *The Works of John Owen,* vol. 2, ed. William H. Goold (1850–1855; reimpreso en Edinburgh: Banner of Truth, 1965–1968). *Communion with God* fue publicado en 1657, un año después de la publicación de *La mortificación del pecado en los creyentes.*

[3] Batalla del creyente en su interior con su pecado.

Además, he observado que he sido involucrado providencialmente en el debate público de varias controversias en materia de religión, que parecieran afirmar algo en otra especie de uso más general, como resultado de elección y no de necesidad. Por estos y otros motivos semejantes, traigo este corto discurso a la vista pública, y ahora te lo presento a ti.

Confieso con sinceridad que es el deseo de mi corazón para con Dios y el principal objetivo de mi vida en el lugar en el que la buena providencia de Dios me ha colocado, que esa mortificación y santidad universal pueda promoverse para la gloria de Dios en los corazones y caminos de otros así como en el mío, de modo que el evangelio de nuestro Señor y Salvador Jesucristo sea adornado en todas las cosas. Si este pequeño discurso (de cuya publicación esto es todo el relato que daré) puede ser útil en algo al menor de los santos para el cumplimiento de este objetivo, lo veré como la respuesta de las débiles oraciones con la que este indigno autor ha sido atendido.

John Owen

PARTE 1: LA NECESIDAD DE LA MORTIFICACIÓN

CAPÍTULO 1: EXPLICACIÓN DE ROMANOS 8:13

Porque si vivís conforme a la carne, moriréis; pero si por el Espíritu vosotros mortificáis las obras del cuerpo, viviréis.
Romanos 8:13

1. La base textual acerca de la mortificación: Romanos 8:13
2. La condicionalidad: conexión entre la mortificación y la vida
3. Las personas a quienes este deber es prescrito: los creyentes
4. La causa o medio para la ejecución de este deber: el espíritu santo
5. El deber que se prescribe: "mortificad las obras del cuerpo"
    a. Qué se entiende por "el cuerpo"
    b. Qué se entiende por "las obras del cuerpo"
    c. Qué se entiende por "mortificarlas"
6. La promesa anexa a ese deber: "viviréis"

1. La base textual acerca de la mortificación: Romanos 8:13

Para que mi contribución de instrucciones para la obra de mortificación en los creyentes pueda ser ordenada y clara, estableceré su fundamento en las palabras del apóstol: "Si por el Espíritu vosotros mortificáis las obras de la carne, viviréis" (Ro. 8:13). Y reduciré todo a la aplicación o exposición de la gran verdad evangélica y el misterio contenido en ellas.

El apóstol, habiendo recapitulado su doctrina de la justificación por fe, y el bendito estado y condición de aquellos que por gracia son hechos partícipes de ella (vv. 1-3), procede a aplicarla para que los creyentes vivan en santidad y sean consolados.

> **Romanos 8.1–3** Por tanto, ahora no hay condenación para los que están en Cristo Jesús, los que no andan conforme a la carne sino conforme al Espíritu. Porque la ley del Espíritu de vida en Cristo Jesús te ha libertado de la ley del pecado y de la muerte. Pues lo que la Ley no pudo hacer, ya que era débil por causa de la carne, Dios *lo hizo*: enviando a Su propio Hijo en semejanza de carne de pecado y *como ofrenda* por el pecado, condenó al pecado en la carne.

Entre sus argumentos y motivos para la santidad, el versículo mencionado contiene uno de los resultados y efectos contrarios entre la santidad y el pecado: "Si vivís conforme a la carne, moriréis". En qué consiste "vivir conforme a la carne" y lo que es "morir", solamente diré que el sentido recae en las últimas palabras del versículo, como se dijo anteriormente, ya que no es mi objetivo y ocupación actual.

En las palabras especialmente designadas para formar la base del discurso con que continuaremos, existe:

1. El deber que se prescribe: "[Mortificad] las obras del cuerpo".
2. Las personas a las que se dirige esta prescripción: "Vosotros"—"Si vosotros mortificáis".
3. La promesa anexa a ese deber: "Viviréis".
4. La causa o medio para la ejecución de este deber es el Espíritu: "Si por el Espíritu".
5. La condición de la proposición completa, en la cual están contenidos el deber, el medio y la promesa: "Si vosotros", etc.

2. La condicionalidad: Conexión entre la mortificación y la vida

Lo primero que sucede en las palabras tal como están en la proposición completa es la expresión condicional: "*Eí dé*"[1] [Pero si]. Los condicionales en este tipo de proposiciones pueden indicar dos cosas:

a. *La incertidumbre del resultado o cosa que se promete* con respecto a quien se prescribe el deber.
Y esto tiene lugar donde la condición es completamente necesaria para el resultado, y no depende en sí misma de ninguna causa determinada que sea conocida para aquel a quien se indica. De esta manera decimos: "Si vivimos, haremos tal cosa". Esta no puede ser la intención de la expresión condicional en este lugar. Se dice acerca de las personas a quienes se dirigen estas palabras que "no hay condenación para ellos" (Ro. 8:1).

b. *La certeza de la coherencia y conexión* que existe entre aquellas cosas de las que se habla, tal y como decimos de un hombre enfermo.
"Si tomas este brebaje medicinal o usas este remedio, estarás bien". La única cosa que intentamos expresar es la certeza de la conexión entre el brebaje medicinal o remedio y la salud. Y ese es el uso que se hace aquí. Esta partícula condicional da a entender la certeza de la conexión que existe entre la *mortificación* de las obras de la carne y *la vida.*

Ahora bien, puesto que la conexión y coherencia de las cosas puede ser múltiple —como de causa y efecto o de medio y fin—, la conexión que existe entre la mortificación y la vida no es una de causa y efecto estricta y propiamente dicha, ya que la "dádiva de Dios es vida eterna en Cristo Jesús" (Ro. 6:23). La conexión es más bien una de medio y fin. Dios ha designado este medio para alcanzar ese fin que ha prometido libremente.

El medio, aun siendo necesario, tiene una justa subordinación a todo el fin que es prometido libremente. Es inconsistente que se de un regalo y

---

[1] Griego: εἰ δὲ.

que en aquel que lo recibe exista una causa que lo procure. Por tanto, la intención de esta proposición condicional es que *existe una conexión infalible y una coherencia entre la verdadera mortificación y la vida eterna:* Si utilizas este medio, obtendrás ese fin; si mortificas, vivirás. Y en esto descansa la principal motivación y obligación para el deber que se indica.

3. Las personas a quienes este deber es prescrito: Los creyentes

Lo siguiente con lo que nos encontramos en las palabras [de Romanos 8:13] son las personas a las que se dirige este deber, y que se expresan en la palabra "*vosotros*", incluida en el verbo en el original: "*Thanatoúte*"[2] [Si vosotros mortificáis]. Esto es, vosotros *creyentes* —vosotros para quienes "no hay condenación" (v. 1); vosotros que "no vivís según la carne, sino según el Espíritu" (v. 9); que sois "vivificados por el Espíritu de Cristo" (vv. 10-11); a vosotros es que se asigna este deber. Instar este deber a cualquier otra persona de forma inmediata es un destacado fruto de la superstición y fariseísmo del que está lleno el mundo —la gran obra e invención de hombres devotos que son ignorantes del evangelio (*cf.* Ro. 10:3-4; Jn. 15:5).

> **Romanos 8.10–11** Y si Cristo está en ustedes, aunque el cuerpo esté muerto a causa del pecado, sin embargo, el espíritu está vivo (es vida) a causa de la justicia. Pero si el Espíritu de Aquél que resucitó a Jesús de entre los muertos habita en ustedes, el *mismo* que resucitó a Cristo Jesús de entre los muertos, también dará vida a sus cuerpos mortales por medio de Su Espíritu que habita en ustedes.

Por lo tanto, esta descripción de las personas, junto con la prescripción del deber, es la base principal del consiguiente discurso, ya que descansa sobre esta proposición o tesis:

---

[2] Griego: θανατοῦτε.

Los mejores creyentes, a quienes se asegura que están libres del poder condenatorio del pecado, aún deben convertir en su ocupación diaria el mortificar el poder del pecado remanente.

4. La causa o medio para la ejecución de este deber: El Espíritu Santo

La causa eficiente principal[3] de la ejecución de este deber es el Espíritu: "*Ei dé pneúmatic*"[4] [Si por el Espíritu]. El Espíritu aquí es el mismo mencionado en Romanos 8:11 —el Espíritu de Cristo, el Espíritu "que mora en nosotros" (v. 9), que nos "vivifica" (v. 11), "el Espíritu de Dios" (v. 14), el "Espíritu de adopción" (v. 15), el Espíritu que "intercede por nosotros" (v. 26).

Todo otro medio de mortificación es vano y toda otra ayuda nos deja desamparados. Debe hacerse por medio del Espíritu. Como nos dice el apóstol (*cf.* Ro. 9:30-32), las personas pueden tratar de realizar esta obra basándose en otros principios, utilizando medios y ventajas administradas de otra forma, como siempre han hecho y todavía hacen. Pero él nos dice: "Esta es la obra del Espíritu; solo por Él puede hacerse, y no puede realizarse mediante ningún otro poder".

> **Romanos 9.30–32** ¿Qué diremos entonces? Que los Gentiles, que no iban tras la justicia, alcanzaron justicia, es decir, la justicia que es por fe; pero Israel, que iba tras una ley de justicia, no alcanzó *esa* ley. ¿Por qué? Porque no *iban tras ella* por fe, sino como por obras. Tropezaron en la piedra de tropiezo.

La mortificación realizada por nuestras propias fuerzas y continuada por medio de nuestras propias inventivas hasta el fin de considerarnos justos

---

[3]Aristóteles (384–322 a.C.) clasificó cuatro tipos de causas distintas, que resolvían cada una de ellas una pregunta diferente: (1) *Causa material* (¿De qué está hecho?). (2) *Causa formal* (¿Cuál es su forma o esencia?). (3) *Causa eficiente* (¿Quién lo hizo?). (4) *Causa final* (¿Con qué propósito?).

[4] Griego: εἰ δὲ πνεύματι.

a nuestros ojos, es el alma y sustancia de todas las religiones falsas del mundo. Y este es el segundo principio de mi consiguiente discurso.

5. El deber que se prescribe: "Mortificad las obras del cuerpo"

Lo siguiente a destacar es el deber en sí mismo: "Mortificad las obras del cuerpo". En esto se han de considerar tres cosas: a. Qué se entiende por "el cuerpo". b. Qué se entiende por "las obras del cuerpo". c. Qué se entiende por "mortificarlas".

a. Qué se entiende por "el cuerpo"

"*El cuerpo*" al final de este versículo es lo mismo que "la carne" al principio de este: "Si vivís conforme a la *carne*, moriréis; pero si [...] mortificáis las obras del *cuerpo*" —es decir, la carne. Es aquello de lo que el apóstol ha estado hablando todo el tiempo bajo el nombre de "la carne", lo cual es evidente a partir de su énfasis sobre el contraste entre el Espíritu y la carne, tanto antes como después.

"El cuerpo" significa entonces esa corrupción y depravación de nuestras naturalezas de las que el cuerpo en gran parte es sede e instrumento. Tal corrupción convierte los mismos miembros del cuerpo en siervos a la injusticia (*cf.* Ro. 6:19).

> **Romanos 6.19** Hablo en términos humanos, por causa de la debilidad de su carne. Porque de la manera que ustedes presentaron sus miembros *como* esclavos a la impureza y a la iniquidad, para iniquidad, así ahora presenten sus miembros *como* esclavos a la justicia, para santificación.

Lo que se da a entender por "el cuerpo" es *el pecado remanente, la carne o deseos corrompidos*. Se pueden ofrecer muchas razones para esta expresión metonímica[5] en las cuales no voy a insistir. "El cuerpo" en este

[5] Una expresión metonímica es una figura retórica en que un término se sustituye por otro con el que está estrechamente asociado. Por ejemplo, podemos decir "ruedas"

texto es lo mismo que "*palaiós ándsropos*"[6] [el viejo hombre] y "*sóma tes jamartía*"[7] [el cuerpo del pecado] (Ro. 6:6); o también puede, mediante sinécdoque,[8] expresar a la persona por completo, considerándola corrupta y sede de los deseos y afectos desordenados.

b. Qué se entiende por "las obras del cuerpo"

"*Las obras del cuerpo*". La palabra en el original es "*práxeis*",[9] la cual ciertamente denota principalmente las acciones externas, "*tá érga tes sarkós*"[10] [las obras de la carne], como son llamadas en Gálatas 5:19. En ese verso se dice que son "manifiestas" y luego son enumeradas. Ahora bien, aunque aquí solamente se expresan las obras externas, las causas internas y más cercanas son las que principalmente se quieren indicar. El "hacha está puesta a la raíz del árbol" (Mt. 3:10).

Las obras de la carne deben ser mortificadas en sus causas, desde las cuales brotan. El apóstol las llama "*obras*" porque toda concupiscencia tiende a ellas. Aunque solo se conciba y acabe siendo abortivo, su objetivo es dar a luz un pecado completo (*cf.* Stg. 1:15).

> **Santiago 1.15** Después, cuando la pasión ha concebido, da a luz el pecado; y cuando el pecado es consumado, engendra la muerte.

Habiendo tratado acerca de la concupiscencia y el pecado remanente como fuente y principio de toda acción pecaminosa tanto en el capítulo séptimo como al principio de este, el apóstol menciona aquí su destrucción bajo el nombre de los efectos que produce. "*Práxeis toú*

---

para referirnos a un automóvil, "corona" para referirnos a una monarquía, o "Washington" para referirnos al gobierno de Estados Unidos.

[6] Griego: παλαιὸς ἄνθρωπος.

[7] Griego: σῶμα τῆς ἁμαρτίας.

[8] De manera similar a una expresión metonímica, una sinécdoque es una figura retórica en la cual (entre otros usos) la parte representa al todo o el todo a la parte. En este caso Owen sugiere que el "cuerpo" representa a la persona por completo.

[9] Griego: πράξεις.

[10] Griego: τὰ ἔργα τῆς σαρκός.

sómatos"[11] [las obras del cuerpo] son "la sabiduría de la carne" tanto como "*frónema tes sarkós*"[12] [la mente carnal] (Ro. 8:6), por metonimia de la misma naturaleza con la anterior; o como "*pathemata*"[13] [las pasiones] y "*epithumíai*"[14] [los deseos] de la carne (*cf.* Gá. 5:24), de los que nacen las obras y los frutos.

> **Gálatas 5.24** Pues los que son de Cristo Jesús han crucificado la carne con sus pasiones y deseos.

Y en este sentido es que se utiliza la palabra "cuerpo" en Romanos 8:10: "El cuerpo está muerto a causa del pecado".

c. Qué se entiende por "mortificarlas"

"*Mortificar*". "*Eí thanatoúte*"[15] [Si hacéis morir], es una expresión metafórica tomada del hacer morir a cualquier cosa viviente. Matar a un hombre o cualquier otro ser viviente es arrebatar el principio de toda su fuerza, vigor y poder, de manera que no pueda actuar, ejercer o realizar alguna acción de manera adecuada por sí mismo. Y así mismo es en este caso.

El pecado remanente es comparado con una persona viva llamada "el viejo hombre", con sus facultades y propiedades, su sabiduría, astucias, sutileza y fuerza. El apóstol dice que debemos matarlo, hacerlo morir, mortificarlo —es decir, hacer que el Espíritu se lleve el poder, vida, vigor y fuerza que producen sus efectos.

Ciertamente es *meritoria* y *ejemplarmente* mortificado y muerto al completo en la cruz de Cristo. Y es por eso que se dice que el "viejo hombre" está "crucificado con Cristo" (Ro. 6:6) y que nosotros estamos "muertos" con Él (Ro. 6:8). Y es *real* e inicialmente mortificado en la

---

[11] Griego: πράξεις τοῦ σώματος.
[12] Griego: φρόνημα τῆς σαρκὸς.
[13] Griego: παθήματα.
[14] Griego: ἐπιθυμίαι.
[15] Griego: εἰ θανατοῦτε.

regeneración (*cf.* Ro. 6:3-5), cuando un principio contrario y destructivo para él es plantado en nuestros corazones (*cf.* Gá. 5:17).

> **Romanos 6.3–5** ¿O no saben ustedes que todos los que hemos sido bautizados en Cristo Jesús, hemos sido bautizados en Su muerte? Por tanto, hemos sido sepultados con El por medio del bautismo para muerte, a fin de que como Cristo resucitó de entre los muertos por la gloria del Padre, así también nosotros andemos en novedad de vida. Porque si hemos sido unidos *a Cristo* en la semejanza de Su muerte, ciertamente lo seremos también *en la semejanza* de Su resurrección.

Pero la obra completa se lleva a cabo gradualmente en toda nuestra vida hasta la perfección. Sobre esto hablaremos más conforme avancemos en este discurso. La intención del apóstol al prescribir el deber mencionado es el siguiente:

> ***La mortificación del pecado remanente que habita en nuestros cuerpos mortales es el deber constante de los creyentes, a fin de que no tenga vida ni poder para dar a luz las obras o hechos de la carne.***

6. La promesa anexa a ese deber: "Viviréis".

La promesa anexa a este deber es la *vida*: "Viviréis". La vida que se promete se opone a la muerte con la que se amenazó en la cláusula anterior: "Si vivís conforme a la carne, moriréis" —lo cual el mismo apóstol expresa: "De la carne segará corrupción" (Gá. 6:8) o destrucción de parte de Dios.

Ahora bien, quizás esta palabra pueda no solo expresar la vida eterna, sino también la vida espiritual en Cristo que tenemos aquí en esta vida; no refiriéndose a la esencia y naturaleza de esta —que los creyentes ya disfrutan—, sino al gozo, consuelo y vigor de esta. Esto es como el apóstol dice en otro caso: "Ahora vivimos, si vosotros estáis firmes" (1 Ts. 3:8) —es decir: "Ahora mi vida me hará bien; tendré gozo y consuelo en mi vida". "Viviréis" —es decir: "Llevaréis una vida espiritual buena, vigorosa y con bienestar mientras estáis aquí, y obtendréis la vida eterna después".

Suponiendo lo antes dicho sobre la conexión entre la mortificación y la vida eterna como medio y fin, solo añadiré como segundo motivo para el deber que aquí se prescribe lo siguiente:

El vigor, poder y consuelo de nuestra vida espiritual depende de la mortificación de las obras de la carne.

CAPÍTULO 2: LOS CREYENTES DEBEN HACER DE LA MORTIFICACIÓN DEL PECADO REMANENTE SU OCUPACIÓN DIARIA

1. El primer principio para la mortificación: Debe ser continua
2. Razones por las que la mortificación debe ser continua
    a. El pecado remanente siempre permanece en nosotros
    b. El pecado remanente continúa actuando
    c. El pecado remanente producirá pecados destructores en el alma si no es mortificado
    d. El espíritu y la nueva naturaleza dados para contender contra el pecado
    e. Los resultados de descuidar la mortificación del pecado remanente
    f. Es nuestro deber perfeccionar la santidad en el temor de dios y crecer en gracia cada día
3. La lamentable ausencia de la mortificación
    a. El mal de la falta de mortificación en los que profesan ser cristianos

b. La mala influencia de la falta de mortificación sobre los incrédulos

1. El primer principio para la mortificación: Debe ser continua

Habiendo puesto este fundamento, una breve confirmación de las conclusiones principales antes mencionadas, me lleva al tema central, a saber:

> ***Principio 1: Los mejores creyentes, a quienes se asegura que están libres del poder condenatorio del pecado, aún deben convertir en su ocupación diaria el mortificar el poder del pecado remanente.***

Así dice el apóstol: "Haced morir, pues, lo terrenal en vosotros" (Col. 3:5). ¿A quiénes habla? A aquellos que han sido "resucitados con Cristo" (v. 1); a aquellos que han "muerto" con Él (v. 3); a aquellos que tienen a Cristo como su vida y se manifestarán "con Él en gloria" (v.4).

> **Colosenses 3.1–4** Si ustedes, pues, han resucitado con Cristo, busquen las cosas de arriba, donde está Cristo sentado a la diestra de Dios. Pongan la mira (la mente) en las cosas de arriba, no en las de la tierra. Porque ustedes han muerto, y su vida está escondida con Cristo en Dios. Cuando Cristo, nuestra vida, sea manifestado, entonces ustedes también serán manifestados con El en gloria.

¡Mortifica tu pecado! ¡Hazlo tu dedicación diaria! Mantente en ello mientras vivas y no omitas esta obra ni un día. ***¡Mata el pecado o el pecado te matará a ti!*** El que estés virtualmente muerto junto con Cristo, el que estés resucitado con Él, no te excusa de esta obra (*cf.* Ro. 6:3-4).

Nuestro Salvador nos dice cómo Su Padre trata todo pámpano que en Él lleva fruto, todo pámpano vivo y verdadero: "Lo [limpia], para que lleve más fruto" (Jn. 15:2). Lo limpia, y no solo durante un día o dos, sino todo el tiempo que el pámpano se encuentre en este mundo. Y el apóstol nos dice cuál fue su práctica: "Golpeo mi cuerpo, y lo pongo en servidumbre" (1 Co. 9:27).

Es como si hubiera dicho: "Lo hago diariamente; es la ocupación de mi vida. No lo omito; es a lo que me dedico". Y si este era el trabajo y ocupación de Pablo, quien estaba tan incomparablemente exaltado en gracia, revelaciones, disfrutes, privilegios y consuelos por encima de la medida ordinaria de los creyentes, ¿en qué podemos basarnos para eximirnos de ese trabajo y deber mientras estamos en este mundo? A continuación, se dará una breve lista de las razones para esto.

2. Razones por las que la mortificación debe ser continua

a. El pecado remanente siempre permanece en nosotros

El pecado remanente siempre permanece mientras estamos en este mundo, por lo que siempre ha de mortificarse. No me inmiscuiré en las disputas vanas, necias e ignorantes de los hombres acerca de guardar perfectamente los mandamientos de Dios, de la perfección en esta vida y de estar completa y perfectamente muertos al pecado.

Es más que probable que los hombres que sostienen esas abominaciones nunca hayan conocido en qué consiste guardar alguno de los mandamientos de Dios. Están tantos grados por debajo de la perfección que nunca la han alcanzado con sinceridad, ya sea en obediencia parcial u obediencia universal.[1] Por tanto, muchos de los que en nuestros días han hablado de la perfección han sido más sabios y han afirmado que consiste en no reconocer diferencia alguna entre el bien y el mal.

No que sean perfectos en las cosas que llamamos buenas, sino que todo es igual para ellos. La cúspide de la impiedad es su perfección. Otros han encontrado un nuevo camino a la perfección negando el pecado original y remanente, y modificando la espiritualidad de la ley de Dios para los corazones carnales de los hombres. Han mostrado

[1] Completa.

suficientemente que son ignorantes de la vida de Cristo y de su poder en los creyentes, de modo que han inventado una nueva justicia de la que nada habla el evangelio, vanamente hinchados por su propia mente carnal (*cf.* Col. 2:18).

> **Colosenses 2.18** Nadie los defraude de su premio deleitándose en la humillación de sí mismo y en la adoración de los ángeles, basándose en las *visiones* que ha visto, envanecido sin causa por su mente carnal.

Pero nosotros —que no osamos ser más sabios de lo que está escrito, ni nos jactamos como otros hombres de lo que Dios no ha hecho— decimos que el pecado remanente vive en nosotros en cierta medida y grado mientras estamos en este mundo. No nos atrevemos a hablar como "si lo hubiéramos alcanzado ya, o como si fuéramos ya perfectos" (Fil. 3:12). Nuestro "hombre interior se renueva día a día" mientras vivimos aquí (2 Co. 4:16). Y en virtud de las renovaciones del nuevo son las grietas y la decadencia del viejo. Mientras estamos aquí "conocemos en parte" (1 Co. 13:2), teniendo unas tinieblas remanentes que son gradualmente eliminadas por nuestro "crecimiento en la gracia y el conocimiento de nuestro Señor Jesucristo" (2 P. 3:18). "El deseo de la carne es contra el Espíritu [...], para que no hagáis lo que quisiereis" (Gá. 5:17). Por tanto, somos deficientes tanto en nuestra obediencia como en nuestra luz (*cf.* 1 Jn. 1:8). Tenemos un "cuerpo de muerte" (Ro. 7:24), del cual no somos librados sino por la muerte de nuestros cuerpos (*cf.* Fil. 3:21).

> **Romanos 7.24** ¡Miserable de mí! ¿Quién me libertará de este cuerpo de muerte?
> **Filipenses 3.20–21** Porque nuestra ciudadanía (patria) está en los cielos, de donde también ansiosamente esperamos a un Salvador, el Señor Jesucristo, el cual transformará el cuerpo de nuestro estado de humillación en conformidad al cuerpo de Su gloria, por el ejercicio del poder que tiene aun para sujetar todas las cosas a El mismo.

Siendo entonces nuestro deber mortificar o matar el pecado mientras todavía está en nosotros, debemos estar manos a la obra. Al que se le asigna matar un enemigo, si para de golpear antes que el otro deje de vivir, no hace más que la mitad de su trabajo (*cf.* Gá. 6:9; He. 12:1; 2 Co. 7:1).

b. El pecado remanente continúa actuando

El pecado no solo permanece en nosotros, sino que sigue actuando, esforzándose en producir las obras de la carne. Cuando el pecado nos deje en paz, podemos dejarlo en paz; pero ya que el pecado nunca está menos en calma que cuando parece estar más tranquilo y dado que sus aguas son en su mayoría profundas cuando está en reposo, nuestras estrategias contra él han de ser vigorosas en todo tiempo y condición, incluso cuando tenemos menos sospechas.

El pecado no solo permanece en nosotros, sino que "la ley de los miembros continúa rebelándose contra la ley de la mente" (Ro. 7:23); y "el espíritu que mora en nosotros codicia para envidia" (Stg. 4:5). Es siempre una obra continua: "El deseo de la carne es contra el Espíritu" (Gá. 5:17); la concupiscencia sigue tentando y concibiendo pecado (*cf.* Stg. 1:14).

> **Santiago 1.14–16** Sino que cada uno es tentado cuando es llevado y seducido por su propia pasión. Después, cuando la pasión ha concebido, da a luz el pecado; y cuando el pecado es consumado, engendra la muerte. Amados hermanos míos, no se engañen.

En cada acción moral el pecado siempre está inclinándonos al mal, obstaculizándonos de aquello que es bueno o indisponiendo el espíritu para la comunión con Dios. *Nos inclina hacia el mal*: "El mal que no quiero, eso hago" dice el apóstol (Ro. 7:19). ¿De dónde proviene eso? De que "en mí [esto es, en mi carne] no mora el bien" (7:18). E *impide hacer lo bueno*: "No hago el bien que quiero" (v. 19) —es decir: "Debido a lo mismo, o bien no lo hago, o no lo hago como debería, estando todas mis cosas santas contaminadas por este pecado". "El deseo de la carne es contra el Espíritu […], para que no hagáis lo que quisiereis" (Gá. 5:17). E *indispone nuestro espíritu*, de ahí que sea llamado "el pecado que tan fácilmente nos asedia" (He. 12:1), y de ahí las dolorosas quejas que el apóstol realiza sobre él (*cf.* Ro. 7). Así pues, el pecado siempre está activo, siempre concibiendo, siempre seduciendo y tentando.

¿Quién puede decir que nunca el pecado remanente ha puesto su mano para corromper esa acción que se ha tenido que hacer con Dios o para Dios? Y el pecado continuará esta práctica más o menos durante toda nuestra vida. Si el pecado entonces siempre está actuando, y nosotros no estamos siempre mortificando, seremos criaturas perdidas. Aquel que permanece quieto y permite que sus enemigos redoblen los golpes sobre él sin resistencia, sin duda acabará siendo vencido. Si el pecado es sutil, vigilante, fuerte y siempre está operando con el cometido de matar nuestras almas, y si somos perezosos, negligentes y necios a la hora de proceder a su destrucción, ¿podemos esperar un buen resultado? Diariamente el pecado frustra o lo frustramos, prevalece o prevalecemos sobre él. Y esto será así mientras vivamos en este mundo.

Eximiré de este deber a aquel que pueda llevar al pecado a una tregua —a una suspensión de las armas en esta guerra. Si el pecado lo deja en paz en cada día y en cada deber (siempre y cuando sea una persona que sabe de la espiritualidad de la obediencia y de la sutileza del pecado), esa persona puede decir a su alma en cuanto a su deber: "Alma, repósate". Los santos —cuyas almas anhelan ser liberadas de su desconcertante rebelión [es decir, la del pecado]— saben que la única protección contra el pecado es la lucha constante.

c. El pecado remanente producirá pecados destructores en el alma si no es mortificado

El pecado no solo estará esforzándose, actuando, rebelándose, atribulando e intranquilizando, sino que, si se le deja en paz, si no se mortifica continuamente, producirá pecados enormes, malditos y escandalosos que destruirán el alma. El apóstol nos relata cuales son las obras y frutos de este:

> **Gálatas 5.19–21** Ahora bien, las obras de la carne son evidentes, las cuales son: inmoralidad, impureza, sensualidad, idolatría, hechicería, enemistades, pleitos, celos, enojos, rivalidades, disensiones, herejías, envidias, borracheras, orgías y cosas semejantes, contra las cuales les advierto, como ya se lo he dicho antes, que los que practican tales cosas no heredarán el reino de Dios.

Ustedes saben lo que hicieron en David y en muchos otros. El pecado siempre apunta a lo más alto: Cada vez que se levanta a tentar o seducir, si pudiese seguir su curso, llegaría hasta el máximo pecado de ese tipo. Cada mirada o pensamiento impuro sería adulterio; cada deseo codicioso sería opresión; cada pensamiento de incredulidad sería ateísmo, si pudiera desarrollarse completamente.

Los hombres pueden llegar al punto en que el pecado no pueda ser escuchado hablando palabras escandalosas en sus corazones —es decir, sin que los provoque a algún gran pecado con escándalo en su boca—, pero cada vez que la lujuria se levanta, si se la dejase seguir su curso, llegaría a lo más alto de la vileza. Es como el sepulcro que nunca se sacia (*cf.* Pr. 30:15-16). Y en esto yace una parte no pequeña del engaño del pecado mediante la cual prevalece para endurecer a los hombres hasta destruirlos (*cf.* He. 3:13).

> **Hebreos 3.13** Antes, exhórtense los unos a los otros cada día, mientras *todavía* se dice: "Hoy;" no sea que alguno de ustedes sea endurecido por el engaño del pecado.

Es modesto, por así decirlo, en sus primeros acercamientos y propuestas, pero una vez que ha conseguido una posición en el corazón de los hombres, constantemente aprovecha su ventaja y los empuja a grados mayores del mismo tipo. Este nuevo actuar y empuje hace que el alma preste poca atención a la separación de Dios que ya se ha iniciado. Piensa que todo estará bien si no hay un progreso mayor. Y en la medida en que el alma se vuelve insensible a cualquier pecado —es decir, en cuanto a tal sentido que el evangelio requiere—, también se verá endurecido. Pero el pecado sigue presionando hacia delante, y esto es así porque no tiene límite alguno salvo hacer que se renuncie a Dios totalmente y el oponerse a Él.

El hecho de que avance hasta estas alturas gradualmente, aprovechando la posición que ha obtenido endureciendo el corazón, no se debe a su naturaleza, sino a su engaño. Nada puede evitar entonces esto sino la mortificación. La mortificación marchita la raíz y golpea la cabeza del pecado cada momento, de tal manera que sea donde quiera que este apunte, este se verá frustrado. Alguien puede ser el mejor santo del mundo, pero si abandona este deber, caerá en tantos pecados malditos como cualquier otro de su especie.

d. El Espíritu y la nueva naturaleza dados para contender contra el pecado

Existe una razón principal por la que el Espíritu y la nueva naturaleza nos son dadas: Para que podamos tener un principio en nuestro interior con el cual oponernos al pecado y la concupiscencia. "El deseo de la carne es contra el Espíritu". Bueno, ¿y qué entonces? Pues, "[el deseo del] Espíritu [también] es contra la carne" (Gál. 5:17). Hay una propensión en el Espíritu y en la nueva naturaleza espiritual para actuar en contra de la carne, así como en la carne la hay para actuar en contra del Espíritu. Es nuestra participación de la naturaleza divina la que nos proporciona escapatoria de las corrupciones que hay en el mundo a causa de la concupiscencia (*cf.* 2 P. 1:4-5).

> **2 Pedro 1.4–5** Por ellas El nos ha concedido Sus preciosas y maravillosas promesas, a fin de que ustedes lleguen a ser partícipes de *la* naturaleza divina, habiendo escapado de la corrupción que hay en el mundo por *causa de los* malos deseos. Por esta razón también, obrando con toda diligencia, añadan a su fe, virtud, y a la virtud, conocimiento;

Hay una ley de la mente, así como hay una ley de los miembros (*cf.* Ro. 7:23). En primer lugar, esta es entonces la cosa más injusta e irrazonable del mundo: Cuando se atrapa a dos combatientes, atar a uno y evitar que haga todo lo que puede, y dejar el otro en libertad para que hiera según le plazca. En segundo lugar, esta es la cosa más necia en el mundo: Atar a Aquel que lucha por defender nuestra condición eterna, y dejar tranquilo a aquel que busca e intenta con violencia nuestra ruina eterna. La contienda es por nuestras vidas y almas.

El no emplear diariamente el Espíritu y la nueva naturaleza para mortificar el pecado es descuidar ese excelente socorro que Dios nos ha dado contra nuestro mayor enemigo. Si descuidamos el hacer uso de lo que hemos recibido, Dios justamente puede retener Su mano de darnos más. Sus gracias, así como Sus dones, son derramados sobre nosotros para ser utilizados, ejercitados y operar con ellos. No mortificar el pecado diariamente es pecar contra la bondad, benignidad, sabiduría, gracia y amor de Dios, quien nos ha equipado con el principio para hacerlo.

e. Los resultados de descuidar la mortificación del pecado remanente

La negligencia en este deber arroja el alma en una condición que es perfectamente contraria a aquella que el apóstol afirma que era la suya: "Aunque este nuestro hombre exterior se va desgastando, el interior no obstante se renueva de día en día" (2 Co. 4:16). En esta condición el hombre interior perece y el exterior se renueva día a día. El pecado se vuelve como la casa de David, y la gracia como la casa de Saúl. El *ejercicio* y el *éxito* son los que principalmente cuidan la gracia en el corazón. Cuando se permite que esta permanezca tranquila, se marchita y decae. Las cosas relativas a ella se disponen a morir (*cf.* Ap. 3:2), y el pecado gana terreno hacia el endurecimiento del corazón (*cf.* He. 3:13).

> **Apocalipsis 3.2** "Ponte en vela y afirma las cosas que quedan, que estaban a punto de morir, porque no he hallado completas tus obras delante de Mi Dios.

Lo que quiero decir es que por la omisión de este deber la gracia se marchita, la concupiscencia florece y el estado del corazón se empeora cada vez más. Y el Señor sabe los resultados aterradores y desesperantes que esto ha tenido en muchos. Donde el pecado consigue una victoria considerable por medio del descuido de la mortificación, quebranta los huesos del alma (*cf.* Sal. 31:10; 51:8) y debilita, enferma y dispone para la muerte al hombre (*cf.* Sal. 38:3-5), de tal modo que no puede mirar hacia arriba (*cf.* Sal. 40:12; Is. 33:24).

> **Salmo 38.3–5** Nada hay sano en mi carne a causa de Tu indignación; En mis huesos no hay salud a causa de mi pecado. Porque mis iniquidades han sobrepasado mi cabeza; Como pesada carga, pesan mucho para mí. Mis llagas huelen mal *y* supuran A causa de mi necedad.
> **Salmo 31.10** Pues mi vida se gasta en tristeza Y mis años en suspiros; Mis fuerzas se agotan a causa de mi iniquidad, Y se ha consumido mi cuerpo.

Cuando las pobres criaturas reciben un golpe tras otro, una herida tras otra, una derrota tras otra, y nunca se levantan para realizar una oposición vigorosa, no pueden esperar otra cosa que verse endurecidos "por el engaño del pecado" (He. 3:13) y contemplar cómo sus almas se desangran hasta la muerte (*cf.* 2 Jn. 1:8).

Ciertamente es triste considerar las temibles consecuencias de este descuido, las cuales podemos ver con nuestros ojos a diario. ¿Acaso no hemos visto a aquellos que sabíamos que eran cristianos —humildes, dulces, de corazón quebrantado, tiernos y que temían ofender, celosos por Dios y de todos Sus caminos, guardando Sus días de reposo y ordenanzas— volverse terrenales, carnales, fríos, iracundos, siguiendo la gente y las cosas del mundo por descuidar este deber, para escándalo de la religión y la temible tentación de aquellos que los conocen? La verdad es que entre colocar la mortificación en una disposición de espíritu rígida y obstinada —que en su mayor parte es terrenal, legalista, censuradora, parcial, consistente con la ira, envidia, malicia y orgullo— por un lado, y las pretensiones de libertad, gracia y no sé qué más en el otro lado, la verdadera mortificación evangélica casi se ha perdido entre nosotros, de lo cual trataremos más adelante.

f. Es nuestro deber perfeccionar la santidad en el temor de Dios y crecer en gracia cada día

Es nuestro deber perfeccionar "la santidad en el temor de Dios" (2 Co. 7:1), "crecer en gracia" cada día (*cf.* 1 P. 2:2; 2 P. 3:18), que "nuestro hombre interior se renueve día a día" (2 Co. 4:16).

> **1 Pedro 2.2** deseen como niños recién nacidos, la leche pura de la palabra, para que por ella crezcan para salvación.
> **2 Pedro 3.18** Antes bien, crezcan en la gracia y el conocimiento de nuestro Señor y Salvador Jesucristo. A El *sea* la gloria ahora y hasta el día de la eternidad. Amén.

Esto entonces no puede lograrse sin la mortificación diaria del pecado. El pecado pone resistencia contra cada acto de santidad y contra cada grado de nuestro crecimiento. Que nadie piense que hace algún progreso en la santidad si no camina sobre los cuerpos muertos de sus concupiscencias. El que no mata el pecado que se coloca en su camino, no está dando pasos que lo acerquen al fin de su viaje. Aquel que no encuentra oposición del pecado y que no se dispone a mortificarlo en cada oportunidad, está en paz con él y no está muriendo al mismo.

Este es entonces el *primer principio general* de nuestro discurso: A pesar de la meritoria mortificación (si puede llamarse así) de todos los pecados en la cruz de Cristo; a pesar de que la base real de la mortificación universal fue establecida en nuestra primera conversión por medio de la convicción de pecado, humillación por el pecado y la implantación de un nuevo principio opuesto y destructor del mismo —aun así, *el pecado permanece, actúa y obra de tal forma en el mejor de los creyentes mientras viven en este mundo, de modo que la mortificación diaria y constante del mismo todos los días es obligatoria para ellos.*

3. La lamentable ausencia de la mortificación

Antes de proceder a la consideración del siguiente principio, no puedo sino protestar contra muchos profesantes de estos días, quienes en lugar de producir los frutos tan maravillosos y evidentes de la mortificación como se espera de ellos, apenas muestran algunas hojas.

Ciertamente existe una amplia luz que ha recaído sobre los hombres de esta generación, y junto con ella muchos dones espirituales han sido comunicados, que, unidos a algunas otras consideraciones, han ampliado maravillosamente el número de los profesantes y la profesión, habiéndose visto ambos sobremanera multiplicados e incrementados. De ahí que haya cierto clamor de religión, deberes religiosos en cada rincón y predicación en abundancia —y esto no de manera vacía, ligera, trivial y vana como antiguamente, sino conforme a una buena proporción de un don espiritual—, de tal forma que, si se midiese el número de creyentes por la luz, dones y profesión, la iglesia podría tener motivos para decir: "¿Quién me ha engendrado éstos?" (Is. 49:21).

Sin embargo, si tomamos la medida de ellos por esta gran y distinguida gracia de los cristianos —[es decir, la mortificación del pecado]—, quizás encontrarás que su número no ha se multiplicado tanto. ¿Dónde se encuentra ese profesante que debe su conversión a estos días de luz —que habla y profesa un grado de espiritualidad tal con el que pocos en días pasados estaban familiarizados en cierta medida (no los juzgaré, pero quizás se jactan de lo que el Señor ha hecho en ellos)— y que no da evidencias de un corazón miserablemente no mortificado? Si el pasar el tiempo de forma vana, la ociosidad, la falta de productividad en lugares de hombres, la envidia, rencillas, desacuerdos, el fingimiento, el enojo, el orgullo, la mundanalidad y el egoísmo (*cf.* 1 Co. 1) son medallas de los cristianos, las tenemos sobre nosotros y entre nosotros en abundancia. Y si es de esta manera con aquellos que tienen mucha luz (y que, esperamos, sea luz salvadora), ¿qué diremos de algunos que son considerados religiosos y, sin embargo, desprecian la luz del evangelio? ¿Qué diremos de aquellos que creen que el deber que tenemos entre manos consiste en que los hombres se nieguen disfrutes externos de vez en cuando (lo cual no es sino una de las ramificaciones más externas de ello) y que aun así rara vez practican? ¡Quiera el buen Señor enviar un espíritu de mortificación para sanar nuestras enfermedades,[2] o estaremos en una lamentable condición!

Hay dos males que ciertamente acompañan a cada persona no mortificada que profesa ser cristiana: El primero se encuentra en el profesante mismo y el otro se encuentra con respecto a los demás.

a. El mal de la falta de mortificación en los que profesan ser cristianos

En el profesante mismo. Puede pretender lo que quiera, pero tiene *pensamientos superficiales acerca del pecado,* al menos de los pecados de la debilidad diaria. La raíz de un caminar sin mortificación es el ser capaz de digerir el pecado sin amargura en el corazón. Cuando alguien ha conformado su imaginación a un entendimiento de la gracia y la misericordia que le permite engullir y digerir sin amargura los pecados diarios, esa persona está al borde de convertir la gracia de Dios en libertinaje y de verse endurecida por el engaño del pecado (*cf.* Jud. 1:4; He. 3:13).

> **Judas 4** Pues algunos hombres se han infiltrado encubiertamente, los cuales desde mucho antes estaban marcados para esta condenación, impíos que convierten la gracia de nuestro Dios en libertinaje, y niegan a nuestro único Soberano y Señor, Jesucristo.
> **Hebreos 3.13** Antes, exhórtense los unos a los otros cada día, mientras *todavía* se dice: "Hoy;" no sea que alguno de ustedes sea endurecido por el engaño del pecado.

No existe en el mundo una evidencia mayor de un corazón falso y podrido que el caminar en tal condición. Utilizar la sangre de Cristo, que se nos ha dado para *limpiarnos* (*cf.* 1 Jn. 1:7; Tit. 2:14); usar la exaltación de Cristo, que se nos da para *arrepentimiento* (*cf.* Hch. 5:31); utilizar la doctrina de la gracia, que nos enseña a *renunciar a toda impiedad* (*cf.* Tit. 2:11-12) —con el propósito de aprobar el pecado, es una rebelión que en su fin quebrantará los huesos.

---

[2] Inclinaciones pecaminosas.

> **Tito 2.11–12** Porque la gracia de Dios se ha manifestado, trayendo salvación a todos los hombres, enseñándonos, que negando la impiedad y los deseos mundanos, vivamos en este mundo sobria, justa y piadosamente.

Por esa puerta se han marchado de nosotros la mayoría de los que decían ser cristianos y han apostatado en los días en que vivimos. Durante un tiempo, la mayoría de ellos estaban bajo convicciones que los suscitaban a sus deberes y los trajeron a su confesión de fe, de forma que habían "escapado de las contaminaciones del mundo, por el conocimiento del Señor y Salvador Jesucristo" (2 P. 2:20). Pero habiendo tenido solamente conocimiento de la doctrina del evangelio y habiéndose fatigado del deber (a causa de no tener raíz), comenzaron a permitirse muchos descuidos de la doctrina de la gracia. Luego, una vez que el mal les había atrapado, se precipitaron velozmente a la perdición.

b. La mala influencia de la falta de mortificación sobre los incrédulos

Con respecto a los demás. La mala influencia sobre ellos es doble:

1) *Esta mala influencia los endurece* convenciéndolos de que son tan buenos en su condición como los mejores profesantes.[3] Todo lo que ven en tales profesantes está tan contaminado por la falta de mortificación que no tiene valor para ellos. Tienen celo por la religión, pero está acompañado con la falta de abstención y rectitud en general. Niegan la prodigalidad,[4] pero viven de manera mundana. Se separan del mundo, pero viven completamente para sí mismos, sin preocuparse de ejercitar la bondad amorosa en la tierra. Hablan de forma espiritual, pero viven vanamente. Mencionan la comunión con Dios, pero están en toda forma conformados con el mundo. Se jactan del perdón de pecados, pero nunca

---

[3] Profesantes, es la palabra que usa Owen para referirse a todos aquellos que han hecho una profesión de fe por Cristo. Es decir, aquellos que profesan creen en Cristo como Señor y Salvador.

[4] Extravagancia imprudente, especialmente en lo que respecta al dinero.

perdonan a otros. Y con tales consideraciones las pobres criaturas no regeneradas endurecen sus corazones.

2) *Esta mala influencia los engaña* al hacerles creer que si pueden llegar a la misma condición del profesante les irá bien. Y de esta forma los incrédulos son fácilmente tentados a esforzarse por obtener cierta reputación en la religión, cuando [en realidad] podrían ir mucho más allá de lo que ven en tales profesantes en la religión externa y, sin embargo, no alcanzar la vida eterna.

Pero todas estas cosas y todos los males de una vida sin la mortificación, los consideraremos más adelante.

CAPÍTULO 3: EL ESPÍRITU SANTO ES LA GRAN CAUSA SOBERANA DE LA MORTIFICACIÓN DEL PECADO REMANENTE

1. El segundo principio para la mortificación: el Espíritu es la causa eficiente
    a. Otros remedios vanos
    b. Razones por las que son vanos
2. Razones por las que la mortificación es la obra del Espíritu
3. Cómo el Espíritu mortifica el pecado
    a. Maneras en las que el Espíritu mortifica el pecado
    b. Nuestra parte en la mortificación

1. El segundo principio para la mortificación: El Espíritu es la causa eficiente

El siguiente principio para la mortificación tiene que ver con la gran causa soberana de la mortificación, que —en las palabras puestas como fundamento de este discurso (Ro. 8:13)— se dice que es el Espíritu, es decir, el Espíritu Santo, como se ha demostrado anteriormente.

Principio 2: Solo el Espíritu Santo es suficiente para la obra de la mortificación. Todas las formas y medios sin Él son como nada. Él es la gran causa eficiente de ella. Él obra en nosotros como le place.

a. Otros remedios vanos

En vano los hombres buscan otros remedios; no serán sanados por ellos. Las demás formas prescritas para que el pecado sea mortificado son conocidas.

1) *El catolicismo romano*. La mayor parte de la religión papista, de lo que se parece más a la religión en su profesión, consiste en formas y medios de mortificación erróneos. Esta es la pretensión de sus mantos vellosos con los que engañan.[1] Sus votos, órdenes, ayunos y penitencias están todos construidos sobre esta base: Todos ellos son para la mortificación del pecado. Sus predicaciones, sermones y libros de devoción están todos orientados para este fin. De ahí que aquellos que interpretan que las langostas que salieron del pozo sin fondo (*cf.* Ap. 9:3) son los frailes de la iglesia romana[2] —de quienes se dice que atormentan a los hombres para que busquen la muerte, pero no la hallen (*cf.* Ap. 9:6)—, piensen que los frailes han atormentado a los hombres con sus punzantes sermones mediante los cuales los han convencido de pecado. Pero al no poder descubrir el remedio para curarlo y mortificarlo, mantenían a estas personas en una angustia y terror tan perpetuos y tanta tribulación en sus conciencias, que deseaban morir. Digo que esto es la sustancia y la gloria de su religión. Pero tal gloria es su vergüenza (*cf.* Fil. 3:19).

Filipenses 3.18–19 Porque muchos andan como les he dicho muchas veces, y ahora se lo digo aun llorando, *que son* enemigos de la cruz de Cristo, cuyo

---

[1] Una alusión a Zacarías 13:4, en donde se dice que los falsos profetas usaban engañosamente mantos vellosos para engañar a las personas y hacerles creer que eran verdaderos profetas.

[2] De o referente a la Iglesia Católica Romana.

fin es perdición, cuyo dios es *su* apetito y *cuya* gloria está en su vergüenza, los cuales piensan sólo en las cosas terrenales.

Se esfuerzan por mortificar los pecados de las criaturas muertas, siendo ignorantes de la naturaleza y el propósito de la obra de la mortificación. Mezclan veneno con esta obra al tratar de persuadirnos de su mérito, sí, la *supererogación.*[3] ¡Cómo diseñan su mérito innecesario con un título orgulloso y bárbaro! Pero de ellos y su mortificación se verá más adelante en el capítulo 7.

2) *Protestantes profesantes*. Se sabe que las formas y los medios que los Católicos Romanos inventaron para mortificar el pecado siguen siendo insistidos y prescritos para el mismo fin por algunos que deberían tener más luz y conocimiento del evangelio. Últimamente tales instrucciones para este propósito han sido dadas por algunos —y son acogidas con avidez por otros que profesan ser protestantes— que podrían haberse convertido en devotos papistas hace tres o cuatrocientos años.

Tales esfuerzos externos, tales ejercicios corporales, tales comportamientos, tales deberes meramente legalistas y orgullosos, sin la menor mención de Cristo o Su Espíritu, están barnizados con palabras infladas y vanas como los únicos medios y recursos para la mortificación del pecado. Tales cosas revelan una profunda falta de conocimiento del poder de Dios y el misterio del evangelio. Esta consideración fue un motivo para la publicación de este claro discurso.

b. Razones por las que son vanos

[3] Según la doctrina católica de la *opera supererogationis*, los actos supererogatorios —es decir, las acciones que van más allá del llamamiento del deber y los requisitos para la salvación— producen una superabundancia de méritos que se depositan en un tesoro espiritual de la Iglesia y que pueden ser utilizados por los pecadores comunes para la remisión de sus pecados.

Algunas razones entre otras entonces por las cuales los papistas[4] [y estos otros] nunca pueden verdaderamente mortificar un pecado con todos sus esfuerzos son:

1) *Porque muchas de las formas y medios que usan e insisten nunca fueron establecidos por Dios para ese propósito.* Entonces, no hay nada en la religión que tenga alguna eficacia a menos que haya sido establecido por Dios para ese propósito. Ejemplos de estos son sus mantos vellosos, sus votos, sus penitencias, sus disciplinas, su estilo de vida monástica y cosas similares. Con respecto a todas estas cosas Dios dirá:

> **Isaías 1.12** Cuando vienen a presentarse delante de Mí, ¿Quién demanda esto de ustedes, de que pisoteen Mis atrios?
> **Mateo 5.19** "Cualquiera, pues, que anule uno solo de estos mandamientos, *aun* de los más pequeños, y así *lo* enseñe a otros, será llamado muy pequeño en el reino de los cielos; pero cualquiera que *los* guarde y *los* enseñe, éste será llamado grande en el reino de los cielos.

De la misma naturaleza son las diversas autoflagelaciones en las que otros insisten.

2) *Porque las cosas que Dios establece como medios no son utilizadas por ellos en su debido lugar y orden*, como orar, ayunar, vigilar, meditar y cosas similares. Estas cosas tienen su uso en el tema en cuestión. Pero mientras que deben ser vistas como arroyos, ellos las ven como la fuente. Estas cosas efectúan y alcanzan el fin únicamente como medios subordinados al Espíritu y la fe, pero ellos buscan hacerlas en virtud de la obra hecha. Si ayunan mucho, oran mucho y mantienen sus rutinas y horarios, la obra está hecha. Como dice el apóstol de algunos en otro caso:

> **2 Timoteo 3.7** que siempre están aprendiendo, pero nunca pueden llegar al pleno conocimiento de la verdad.

---

[4] Etiqueta negativa para los católicos romanos, relacionada con la creencia en la supremacía papal. Del latín *papa*.

Así que siempre están mortificando, pero nunca llegan a ninguna mortificación verdadera. En resumen, tienen diversos medios para mortificar al hombre natural —en cuanto a la vida natural que llevamos aquí—, pero ninguno para mortificar la concupiscencia o la corrupción.

Este es el error general de los hombres que ignoran el evangelio en relación con esto. Yace en el corazón de mucha de esa superstición y culto a la voluntad que ha sido traída al mundo. ¡Qué horribles autoflagelaciones fueron practicadas por algunos de los antiguos autores de la devoción monástica! ¡Qué violencia efectuaron a lo natural! ¡A qué extremo de sufrimientos se pusieron ellos mismos! Busca en sus formas y principios profundamente, y encontrarás que tienen este error: A saber, que al intentar una mortificación rígida, lo hacían sobre el hombre natural en lugar del viejo hombre corrupto, sobre el cuerpo en el que vivimos en lugar "del cuerpo de muerte".

3) *Tampoco tendrán efecto las prácticas papistas que están en otros.* Los hombres son asediados con la culpa de un pecado que ha prevalecido sobre ellos; al instante se prometen a sí mismos y a Dios que no volverán a hacerlo. Se cuidan y oran por un tiempo hasta que este calor se enfría y la sensación de pecado se desvanece, y así también la mortificación se va y el pecado regresa a su antiguo dominio.

Los deberes son comida excelente para el alma enfermiza, pero no son medicina para el alma enferma. El que convierte su comida en su medicina no debe esperar un gran cambio. Los hombres espiritualmente enfermos no pueden sudar su enfermedad con trabajo. Pero esta es la forma en la que los hombres engañan a sus propias almas, como veremos después.

Es evidente que ninguno de estos caminos es suficiente por la naturaleza de la obra misma que debe realizarse. Es una obra que requiere tantos actos concurrentes que ningún esfuerzo personal puede alcanzar. Y es del tipo que una energía todopoderosa es necesaria para su realización, como se manifestará después.

2. Razones por las que la mortificación es la obra del Espíritu

La mortificación del pecado es entonces la obra del Espíritu porque:

a. *Dios ha prometido dárnoslo para hacer esta obra.* Quitar el corazón de piedra —es decir, el corazón obstinado, orgulloso, rebelde e incrédulo— es en general la obra de mortificación que estamos tratamos. Aun ahora, esta obra se promete realizar por el Espíritu: "Les daré mi Espíritu y quitaré el corazón de piedra" (*cf.* Ez. 11:19; 36:26). Esta obra es hecha por el Espíritu de Dios cuando todos los medios fallan (*cf.* Is. 57:17-18).

> **Isaías 57.17–18** A causa de la iniquidad de su codicia, Me enojé y lo herí. Escondí *Mi rostro* y Me indigné, Y él siguió desviándose por el camino de su corazón. He visto sus caminos, pero lo sanaré. Lo guiaré y le daré consuelo a él y a los que con él lloran.

b. *Recibimos toda nuestra mortificación del don de Cristo, y todos los dones de Cristo nos son comunicados y dados por el Espíritu de Cristo:* Sin Cristo nada pueden hacer (*cf.* Jn. 15:5).

> **Juan 15.5** "Yo soy la vid, ustedes los sarmientos; el que permanece en Mí y Yo en él, ése da mucho fruto, porque separados de Mí nada pueden hacer.

Toda comunicación de suministros y alivios —en los inicios, aumentos y actos de cualquier gracia, de Cristo— son por medio del Espíritu, por quien Él solo obra en y sobre los creyentes. De Él tenemos nuestra mortificación: Él es exaltado y hecho "Príncipe y Salvador, para darnos arrepentimiento" (Hch. 5:31); y nuestra mortificación no es una pequeña porción de nuestro arrepentimiento. ¿Cómo lo hace? "Habiendo recibido [...] la promesa del Espíritu Santo", lo derrama para ese fin (Hch. 2:33). Conocen las múltiples promesas que Cristo hizo de enviar el Espíritu —como habla Tertuliano: "Realizar la obra en su favor"[5]— para hacer las obras que Él se propuso a cumplir en nosotros.

---

[5] Latín: *Vicariam navare operam.* Esta cita también se encuentra en "*Communion with God*" de Owen (*Works*, 2:148). Owen puede estar citando "*De Praescriptionibus Haereticos*" de Tertuliano, encontrado en *Anti-Nicene Fathers*: *Volumen 3* (Peabody, Mass: Hendrickson, 2004), 249. Para usos similares de "vicariam" en relación con

3. Cómo el Espíritu mortifica el pecado

La respuesta de una o dos preguntas ahora me llevará más cerca de mi principal objetivo.

a. Maneras en las que el Espíritu mortifica el pecado

La primera [pregunta] es: ¿Cómo el Espíritu mortifica el pecado? Respondo, en general, de tres maneras.

1) *Al hacer que nuestros corazones abunden en la gracia y en los frutos que son contrarios a los frutos y principios de la carne.* De ahí que el apóstol oponga los frutos de la carne y los del Espíritu: "Las obras de la carne —dice— son [tal y tal]" (Gá. 5:19-21), "pero —dice él— el fruto del Espíritu" es completamente contrario y de otro tipo (vv. 22-23).

> **Gálatas 5.19–23** Ahora bien, las obras de la carne son evidentes, las cuales son: inmoralidad, impureza, sensualidad, idolatría, hechicería, enemistades, pleitos, celos, enojos, rivalidades, disensiones, herejías, envidias, borracheras, orgías y cosas semejantes, contra las cuales les advierto, como ya se lo he dicho antes, que los que practican tales cosas no heredarán el reino de Dios. Pero el fruto del Espíritu es amor, gozo, paz, paciencia, benignidad, bondad, fidelidad, mansedumbre, dominio propio; contra tales cosas no hay ley.

Pero si estos están en nosotros y abundan, ¿no podrían abundar también los otros? No, dice él: "Los que son de Cristo han crucificado la carne con sus pasiones y deseos" (v. 24). ¿Pero cómo? Pues, viviendo en el Espíritu y andando en el Espíritu (v. 25) —es decir, por la abundancia de estas gracias del Espíritu en nosotros y el caminar de acuerdo con ellas. Porque,

---

Tertuliano y el Espíritu Santo, véase *The Practical Works of Richard Baxter* de Richard Baxter (Londres, 1838), 2:266; y *Eighteen Sermons on the Second Chapter of the Second Epistle to the Thessalonians* de Thomas Manton (Aquiles, 1842 [1679]), 49.

dice el apóstol: "Estos se oponen entre sí" (v. 17), de modo que ambos no pueden coexistir en la misma persona en ningún grado intenso o alto.

> **Gálatas 5.17** Porque el deseo de la carne es contra el Espíritu, y el *del* Espíritu *es* contra la carne, pues éstos se oponen el uno al otro, de manera que ustedes no pueden hacer lo que deseen.

Esta "renovación [de nosotros] en el Espíritu Santo" —como es llamada en Tito 3:5— es una gran forma de mortificación. Él nos hace crecer, prosperar, florecer y abundar en esas gracias que son contrarias, opuestas y destructivas para todos los frutos de la carne y para la tranquilidad o la prosperidad del pecado remanente.

2) *Por una verdadera eficiencia física en la raíz y el hábito del pecado, debilitándolo, destruyéndolo y eliminándolo.* Por eso Él es llamado "espíritu de juicio y [...] abrasador" (Is. 4:4), realmente consumiendo y destruyendo nuestras concupiscencias. Él quita el corazón de piedra por una eficacia todopoderosa. Así como comienza este tipo de obra, así mismo Él la lleva a cabo según sus grados. Él es el fuego que quema la raíz misma de la concupiscencia.

3) *Él lleva la cruz de Cristo al corazón del pecador por la fe, y nos da comunión con Cristo en Su muerte y participación en Sus sufrimientos.* Esta manera se detallará más adelante.

b. Nuestra parte en la mortificación

En segundo lugar, si esta es la obra solo del Espíritu, ¿cómo es que somos exhortados a ella? Considerando que el Espíritu de Dios únicamente puede hacerlo, permita que la obra sea dejada totalmente a Él.

1) La obra del Espíritu en la mortificación no es diferente de todas las gracias y buenas obras que están en nosotros, que son Suyas. Él "produce [en nosotros] el querer como el hacer, por Su buena voluntad" (Fil. 2:13). Él hace "en nosotros todas nuestras obras" (Is. 26:12). Él cumple "toda obra de fe con Su poder" (2 Ts. 1:11; Col. 2:12). Nos hace orar y es un

Espíritu de súplica (Ro. 8:26; Zc. 12:10). Y, sin embargo, somos exhortados, y debemos ser exhortados, a todo esto.

> **Zacarías 12.10** "Y derramaré sobre la casa de David y sobre los habitantes de Jerusalén, el Espíritu de gracia y de súplica, y Me mirarán a Mí, a quien han traspasado. Y se lamentarán por El, como quien se lamenta por un hijo único, y llorarán por El, como se llora por un primogénito.

2) Él no obra nuestra mortificación de manera que no la mantenga como un acto de nuestra obediencia. El Espíritu Santo obra en nosotros y sobre nosotros de manera que seamos capaces de obrar en y sobre —es decir, de una manera que preserva nuestra propia libertad y libre obediencia. Él obra sobre nuestros entendimientos, voluntades, conciencias y afectos de acuerdo con sus propias naturalezas. Obra en nosotros y con nosotros, no contra nosotros o sin nosotros. De modo que Su asistencia es un estímulo para facilitar la obra, y no es motivo de abandono de la obra en sí.

Ciertamente aquí podría lamentar el trabajo interminable e insensato de las pobres almas que —convencidas del pecado y no capaces de resistir el poder de sus convicciones— se imponen innumerables formas y deberes desconcertantes para dominar el pecado, pero todo es en vano al ser extraños al Espíritu de Dios. Combaten sin victoria, tienen guerra sin paz y están en esclavitud todos sus días. Gastan su fuerza en aquello que no es pan, y su trabajo en aquello que no beneficia (*cf.* Is. 55:2).

> **Isaías 55.1–2** "Todos los sedientos, vengan a las aguas; Y los que no tengan dinero, vengan, compren y coman. Vengan, compren vino y leche Sin dinero y sin costo alguno. ¿Por qué gastan dinero en lo que no es pan, Y su salario en lo que no sacia? Escúchenme atentamente, y coman lo que es bueno, Y se deleitará su alma en la abundancia.

Esta es la guerra más triste en la que puede participar cualquier pobre criatura. Un alma bajo el poder de la convicción de la ley es presionada para luchar contra el pecado, pero no tiene fuerza para el combate. No pueden hacer nada más que luchar, pero nunca pueden vencer. Son como hombres que se abalanzan a las espadas de los enemigos con el propósito de ser asesinados.

La ley los impulsa, y el pecado los derrota. No hay duda de que algunas veces piensan que han frustrado el pecado, cuando solo han levantado un polvo que no ven —es decir, alteran sus afecciones naturales de miedo, tristeza y angustia, de modo que les hace creer que el pecado es vencido cuando no es tocado. Para cuando deban volver a la batalla, se paralizarán. La pasión que pensaban que estaba muerta parece no haber tenido ninguna herida.

Y si el caso es así de triste con los que trabajan y se esfuerzan, pero que no entrarán en el reino, ¡cuánto más es la condición de aquellos que desprecian todo esto! ¡De aquellos que están perpetuamente bajo el poder y dominio del pecado y aman estar así, y que únicamente les preocupa que no puedan proveer suficiente para satisfacer los deseos de la carne (*cf.* Ro. 13:14)!

Romanos 13.13–14 Andemos decentemente, como de día, no en orgías y borracheras, no en promiscuidad sexual y lujurias, no en pleitos y envidias. Antes bien, vístanse del Señor Jesucristo, y no piensen en proveer para las lujurias de la carne.

CAPÍTULO 4: LA UTILIDAD DE LA MORTIFICACIÓN

1. El tercer principio para la mortificación: la vida y el consuelo dependen de ella
    a. La vida, el vigor y el consuelo no están necesariamente relacionados con la mortificación
    b. La adopción y la justificación, no la mortificación, son las causas inmediatas de la vida, el vigor y el consuelo
    c. En la relación ordinaria con dios, el vigor y el consuelo de nuestras vidas espirituales dependen mucho de nuestra mortificación del pecado
2. Razones por las que la vida y el consuelo dependen de la mortificación
    a. Solamente la mortificación evitará que el pecado nos prive de estas bendiciones
    b. La mortificación corta todas las malezas de las pasiones y hace espacio para que las gracias de dios florezcan en nuestros corazones.
    c. La mortificación sinceramente aplicada produce paz

1. El tercer principio para la mortificación: La vida y el consuelo dependen de ella

El último principio en el que insistiré (omitiendo, primero, la necesidad de la mortificación para vida y, segundo, la certeza de la vida basada en la mortificación) es el siguiente:

Principio 3: La vida, vigor y consuelo de nuestra vida espiritual dependen mucho de nuestra mortificación del pecado.

La fuerza, consuelo, poder y paz en nuestro caminar con Dios son objetos de nuestros deseos. Si a alguno de nosotros se le preguntara seriamente qué es lo que nos preocupa, debemos referirlo a una de estas razones: Que nos preocupa que carezcamos de fuerza y poder, vigor y vida, en nuestra obediencia o en nuestro caminar con Dios; o que carezcamos de paz, consuelo y alivio en ello. Todo lo que pueda encontrar el creyente que no pertenezca a una de estas dos razones, no merece ser mencionado en los días de nuestras quejas.

Todo esto entonces depende mucho de un curso constante de mortificación, sobre el cual se observa lo siguiente:

a. La vida, el vigor y el consuelo no están necesariamente relacionados con la mortificación

No digo que proceden de ella, aunque estuvieran necesariamente vinculados a ella. Un hombre puede llevar un curso constante de mortificación todos sus días y, sin embargo, tal vez nunca pueda disfrutar de un buen día de paz y consuelo. Así fue con Etán (*cf.* Sal. 88). Su vida fue una vida de perpetua mortificación y andar con Dios, pero terrores y heridas fueron su porción todos sus días. Pero Dios eligió a Etán, un amigo selecto, para convertirlo en un ejemplo para aquellos que luego estarían en angustia. ¿Puedes quejarte si es contigo como fue con Etán, el eminente siervo de Dios? Y esta será su alabanza hasta el fin del mundo. Dios hace que sea Su prerrogativa hablar paz y consuelo. "Le sanaré —dice Dios— [...] le daré consuelo a él" (Is. 57:18). ¿Pero cómo? Por una obra inmediata de la nueva creación: "Produciré fruto de labios", dice Dios (v. 19).

> **Isaías 57.18–19** He visto sus caminos, pero lo sanaré. Lo guiaré y le daré consuelo a él y a los que con él lloran, Poniendo alabanza en los labios. Paz, paz al que está lejos y al que está cerca," Dice el Señor, "y Yo lo sanaré."

El *uso de los medios* para la obtención de la paz es nuestra responsabilidad; su *otorgamiento* es prerrogativa de Dios.

b. La adopción y la justificación, no la mortificación, son las causas inmediatas de la vida, el vigor y el consuelo

La mortificación no es una de las causas inmediatas instituidas por Dios para darnos vida, vigor, valor y consuelo. Estas cosas son los privilegios de nuestra adopción que se dan a conocer a nuestras almas. "El Espíritu mismo da testimonio a nuestro espíritu, de que somos hijos de Dios" (Ro. 8:16), dándonos un nombre nuevo y una piedra blanca (*cf.* Ap. 2:17). Nuestro sentido y seguridad de adopción y justificación entonces son las causas inmediatas (en la mano del Espíritu) de la vida, vigor, coraje y consuelo.

> **Apocalipsis 2.17** "El que tiene oído, oiga lo que el Espíritu dice a las iglesias. Al vencedor le daré del maná escondido y le daré una piedrecita blanca, y grabado en la piedrecita un nombre nuevo, el cual nadie conoce sino aquél que lo recibe." ' "

Pero esto digo:

c. En la relación ordinaria con Dios, el vigor y el consuelo de nuestras vidas espirituales dependen mucho de nuestra mortificación del pecado

En nuestro caminar ordinario con Dios y en el curso normal de Su trato con nosotros, el vigor y el consuelo de nuestras vidas espirituales dependen mucho de nuestra mortificación. La mortificación no solo es una "condición indispensable o necesaria",[1] sino algo que tiene una influencia efectiva. [Consideraremos ahora las razones de esto].

---

[1] Latín: Causa *sine qua non.* Es la causa necesaria para que un cierto efecto o consecuencia tenga lugar, de tal manera que el efecto o consecuente no podría existir o tener lugar sin la causa *sine qua non*. Cuando Owen dice que la mortificación es un *sine*

2. Razones por las que la vida y el consuelo dependen de la mortificación

a. Solamente la mortificación evitará que el pecado nos prive de estas bendiciones

Todo pecado no mortificado hará ciertamente dos cosas: 1) Debilitará el alma y la privará de su vigor. 2) Oscurecerá el alma y la privará de su consuelo y paz.

1) El pecado no mortificado debilita el alma y la priva de su fuerza

Cuando David durante un tiempo había albergado un deseo pecaminoso no mortificado en su corazón, este quebrantó todos sus huesos y no le dejó ninguna fortaleza espiritual. De ahí que se quejara de que estaba enfermo, débil, herido y desfallecido. "Nada hay —dice él— sano en mi" (Sal. 38:3); "estoy debilitado y molido" (v. 8), de modo que "no puedo levantar la vista" (Sal. 40:12).

> **Salmo 40.12–13** Porque me rodean males sin número; Mis iniquidades me han alcanzado, y no puedo ver [levantar el rostro]; Son más numerosas que los cabellos de mi cabeza, Y el corazón me falla. Ten a bien, oh Señor, libertarme; Apresúrate, Señor, a socorrerme.

El deseo pecaminoso no mortificado consumirá el espíritu y todo el vigor del alma, y la debilitará para todo deber. Pues:

a) *Desintoniza y desenfoca el corazón mismo al enredar sus afectos.* Desvía el corazón de la disposición espiritual que se requiere para una

---

qua non de la comunión con Dios, lo que quiere decir es que sin mortificación no puede haber comunión intima con Dios. Otro ejemplo seria por ejemplo la muerte de Cristo y el perdón de nuestros pecados. La muerte de Cristo es el sine qua non del perdón de pecados. Es moralmente imposible para Dios perdonar nuestros pecados aparte de la muerte de Cristo.

comunión vigorosa con Dios. El pecado no mortificado se apodera de los afectos, haciéndose a sí mismo amado y deseable, y expulsando así el amor del Padre (*cf.* 1 Jn. 2:15; 3:17).

> **1 Juan 2.15–16** No amen al mundo ni las cosas *que están* en el mundo. Si alguien ama al mundo, el amor del Padre no está en él. Porque todo lo que hay en el mundo, la pasión de la carne, la pasión de los ojos, y la arrogancia de la vida (las riquezas), no proviene del Padre, sino del mundo.

De modo que el alma no puede decirle a Dios con rectitud y sinceridad: "Tú eres mi porción" (*cf.* Sal. 119:57), teniendo algo más que ama. El temor, el deseo, la esperanza, que son los mejores afectos del alma y que deberían estar llenos de Dios, estarán de una manera u otra enredados con el deseo pecaminoso no mortificado.

b) *Llena los pensamientos con artificios al respecto.* Los pensamientos son los grandes proveedores del alma. Ellos brindan provisiones para satisfacer sus afectos. Y si el pecado permanece sin ser mortificado en el corazón, entonces los pensamientos siempre harán provisión para que la carne cumpla con los deseos de la carne (*cf.* Ro. 13:14). Ciertamente darán lustre, adornarán y vestirán los deseos de la carne, y los llevarán a casa para darles satisfacción. Son capaces de hacer esto más allá de toda expresión en el servicio de una imaginación contaminada.

c) *Evade y en realidad dificulta el deber.* El hombre ambicioso debe estar ideando, el mundano debe estar trabajando o tramando, y la persona sensual y vana debe estar entregándose a sí misma a la vanidad, cuando ellos deberían estar comprometidos en la adoración a Dios.

Si mi presente cometido fuera exponer las brechas, ruina, debilidad y desolaciones que una pasión no mortificada traerá sobre el alma, este discurso se extendería mucho más allá de mi intención.

2) El pecado no mortificado oscurece el alma y la priva de su consuelo y paz

Así como el pecado debilita el alma, así mismo lo oscurece. Es una nube, una nube espesa, que se extiende sobre la faz del alma e intercepta todos los rayos del amor y el favor de Dios. Quita todo sentido del privilegio de nuestra adopción. Y si el alma comienza a acumular pensamientos de consuelo, el pecado los dispersa rápidamente —de los cuales hablaré luego.

En este sentido entonces el vigor y el poder de nuestra vida espiritual dependen de nuestra mortificación. Es el único medio para eliminar el pecado no mortificado que no nos permitirá ni lo uno ni lo otro. Los hombres que están enfermos y heridos bajo el poder de una pasión hacen muchas solicitudes de ayuda. Claman y lloran delante de Dios cuando la perplejidad de sus pensamientos los abruma, pero no son liberados. En vano usan muchos remedios: "No serán curados". Del mismo modo que "Efraín vio su enfermedad y Judá vio su llaga" (Os. 5:13) e intentaron varios remedios. Nada servirá hasta que lleguen a reconocer "su pecado" (v. 15).

> **Oseas 5.14–15** Porque Yo *seré* como león para Efraín, Y como leoncillo para la casa de Judá. Yo, Yo mismo, desgarraré y me iré, Arrebataré y no habrá quien libre. Me iré *y* volveré a Mi lugar Hasta que reconozcan su culpa y busquen Mi rostro; En su angustia Me buscarán con diligencia.

Los hombres pueden ver su enfermedad y sus llagas, pero si no realizan las solicitudes debidas, su curación no se realizará.

b. La mortificación corta todas las malezas de las pasiones y hace espacio para que las gracias de Dios florezcan en nuestros corazones.

La vida y el vigor de nuestras vidas espirituales consisten en el vigor y el florecimiento de las plantas de gracia en nuestros corazones. Como se observa en un jardín, si una planta preciosa es sembrada en este, pero no se labra la tierra, entonces la maleza crecerá a su alrededor.

Quizás viva todavía, pero será una planta pobre, marchita e inútil. Debes buscarla diligentemente y en ocasiones es difícil encontrarla. Y cuando se encuentra, difícilmente se puede saber si es la planta que se busca o no. Supongamos que lo es, no podrás hacer uso de ella. Siembra otra planta del mismo tipo en el suelo, naturalmente tan estéril y mala como la anterior. Pero deshiérbala bien de todo lo que es nocivo y perjudicial para la planta, y esta florecerá y prosperará. Puedes verla a primera vista en el jardín y tenerla para tu uso cuando quieras.

Así es con las gracias del Espíritu que están plantadas en nuestros corazones. Es verdad que ellas aún viven en un corazón donde hay cierto abandono de la mortificación. Pero están listas para morir (*cf.* Ap. 3:2), se están marchitando y decayendo.

> **Apocalipsis 3.2–3** "Ponte en vela y afirma las cosas que quedan, que estaban a punto de morir, porque no he hallado completas tus obras delante de Mi Dios. "Acuérdate, pues, de lo que has recibido y oído; guárda*lo* y arrepiéntete. Por tanto, si no velas, vendré como ladrón, y no sabrás a qué hora vendré sobre ti.

El corazón es como el campo de los perezosos, tan lleno de maleza que apenas se puede ver el buen maíz. Tal hombre puede buscar la fe, el amor y el celo, y difícilmente es capaz de encontrar algo. Y si descubre que estas gracias todavía están vivas y sinceras, las encontrará tan débiles, tan obstruidas por las concupiscencias, que son de poca utilidad. Ciertamente permanecen, pero están listas para morir. Pero ahora deje que el corazón sea limpiado por la mortificación, deje que las malas hierbas de las pasiones constante y diariamente sean desarraigadas (porque es su naturaleza surgir diariamente), deje espacio para que la gracia prospere y florezca, ¡cómo cada gracia hará su parte y estará lista para cada uso y propósito!

c. La mortificación sinceramente aplicada produce paz

En cuanto a nuestra paz, así como no hay nada que tenga evidencia de sinceridad sin la mortificación, así mismo no conozco nada que tenga tal evidencia de sinceridad en sí misma como la hay en la mortificación —lo cual no es un fundamento pequeño de nuestra paz. La mortificación es la vigorosa oposición del alma a su propia voluntad, en donde la sinceridad es mucho más evidente.

PARTE 2: LA NATURALEZA DE LA MORTIFICACIÓN

CAPÍTULO 5: QUÉ NO ES LA MORTIFICACIÓN

1. La mortificación no es la destrucción total y la muerte del pecado
2. La mortificación no es la disimulación del pecado
3. La mortificación no es la mejora de una naturaleza tranquila y sosegada
4. La mortificación no es la desviación del pecado
5. La mortificación no es solo conquistas ocasionales sobre el pecado
    a. Cuando el pecado surge repentinamente
    b. Cuando hay tiempos de aflicción

Con estas premisas, llego a mi principal asunto, el cual es tratar algunas preguntas o casos prácticos que se presentan en este asunto de la mortificación del pecado en los creyentes.

El primero, que es el principal de todos los demás y en el que se reducen, puede considerarse que se encuentra bajo la siguiente propuesta:

Supongamos que un hombre es un verdadero creyente y, sin embargo, encuentra en sí mismo un poderoso pecado remanente que lo lleva cautivo a la ley de este, que consume su corazón con tribulación, que desconcierta sus pensamientos, que debilita su alma en cuanto a los deberes de comunión con Dios, que lo inquieta en cuanto a su paz, que quizás contamina su conciencia y que lo expone a endurecerse por el engaño del pecado. ¿Qué hará? ¿Qué rumbo tomará e insistirá para la mortificación de este pecado, pasión, enfermedad o corrupción? Aun cuando el pecado no sea completamente destruido, ¿cómo podrá continuar su contienda con él de tal manera que sea capaz de mantener el poder, la fuerza y la paz en su comunión con Dios?

En respuesta a esta importante pregunta, haré lo siguiente:

I. Mostrar lo que es mortificar cualquier pecado, tanto en forma negativa como positiva, para que no nos equivoquemos en el fundamento.[1]

II. Dar instrucciones generales sobre las cosas sin las cuales será absolutamente imposible que alguien consiga mortificar cualquier pecado de manera verdadera y espiritual.[2]

III. Delinear las particularidades mediante las cuales esto será logrado. En todo el proceso de esta consideración, no se trata de la doctrina de la mortificación en general que estoy tratando, sino solo en referencia al caso particular antes propuesto.[3]

¿QUÉ NO ES LA MORTIFICACIÓN?

1. La mortificación no es la destrucción total y la muerte del pecado

Mortificar el pecado no es matarlo por completo, eliminarlo y destruirlo, para que no tenga más control ni residencia en nuestros corazones. Es cierto que esto es lo que *se procura*, pero esto no será alcanzado en esta vida. Todo hombre que realmente se propone mortificar todo pecado, pretende, intenta y desea su destrucción absoluta, de manera que no deje raíces ni frutos en el corazón o en la vida. Él quiere matarlo de tal manera que nunca más se mueva ni se revuelva, llore o clame, seduzca o tiente, hasta la eternidad.

Su inexistencia es lo que se pretende. Aunque indudablemente puede lograrse un éxito maravilloso y una eminente victoria contra cualquier pecado por el Espíritu y la gracia de Cristo —de modo que un hombre

[1] Esta sección abarca el capítulo 5 y 6.

[2] Esta sección abarca el capítulo 7 y 8.

[3] Esta sección abarca el capítulo 9 hasta el capítulo 14. Esta sección de Instrucciones Particulares, Owen la divide en dos partes: Instrucciones preparatorias para obra de la mortificación (que abarca desde el capítulo 9 hasta el capítulo 13) e instrucciones para la obra misma de la mortificación (que abarca el capítulo 14).

puede tener un triunfo casi constante sobre él—, un completo asesinato y destrucción de él (el cual no se dará) no se puede esperar en esta vida. Esto nos asegura Pablo: "No que lo haya alcanzado ya, ni que ya sea perfecto" (Fil. 3:12). Él fue un *santo magnífico* y un ejemplo para los creyentes. Fue uno que en la fe, el amor y todos los frutos del Espíritu, no tenía igual en el mundo. Y en ese sentido se atribuye la perfección a sí mismo en comparación con los demás: "Todos los que somos perfectos" (v. 15). Sin embargo, no había "alcanzado", no era "perfecto", sino que estaba "prosiguiendo" (v. 12). Todavía tenía un cuerpo vil, así como nosotros, el cual debe ser transformado por el gran poder de Cristo al final (v. 21).

> **Filipenses 3.12** No es que ya *lo* haya alcanzado o que ya haya llegado a ser perfecto, sino que sigo adelante, a fin de poder alcanzar aquello para lo cual también fui alcanzado por Cristo Jesús.
> **Filipenses 3.15** Así que todos los que somos perfectos, tengamos esta *misma* actitud; y si en algo tienen una actitud distinta, eso también se lo revelará Dios.
> **Filipenses 3.21** el cual transformará el cuerpo de nuestro estado de humillación en conformidad al cuerpo de Su gloria, por el ejercicio del poder que tiene aun para sujetar todas las cosas a El mismo.

Esto deseamos tener. Pero Dios ve mejor para nosotros que no estemos completos en nada en nosotros mismos, de modo que en todas las cosas debamos estar "completos en Cristo" —lo cual es mejor para nosotros (*cf.* Col. 2:10).

2. La mortificación no es la disimulación del pecado

Creo que no necesito decir que no es la disimulación del pecado. Cuando un hombre en algunos aspectos externos abandona la práctica de cualquier pecado, tal vez los hombres lo consideren un hombre cambiado. Pero Dios sabe que a su antigua iniquidad le ha agregado una maldita hipocresía y ahora está en un camino más seguro hacia el infierno. Él obtuvo otro corazón diferente, uno más astuto. Pero no obtuvo un corazón nuevo, el cual es más santo.

3. La mortificación no es la mejora de una naturaleza tranquila y sosegada

La mortificación del pecado no consiste en la mejora de una naturaleza tranquila y sosegada. Algunos hombres tienen una ventaja por su constitución natural en la medida en que no están expuestos a tanta violencia de pasiones ingobernables y afectos tumultuosos como muchos otros. Estos hombres entonces cultivan y mejoran su disposición y temperamento naturales mediante la disciplina, la consideración y la prudencia, de modo que pueden parecer hombres muy mortificados para sí mismos y para los demás.

Cuando en realidad sus corazones son un sumidero permanente de todas las abominaciones. Puede que un hombre nunca manifieste tanto su molestia toda su vida con ira y pasión ni moleste a los demás que lo que otro lo manifiesta casi todos los días. Sin embargo, puede que este último haya mortificado más el pecado que el primero. No permitamos que tales personas prueben su mortificación con cosas que su carácter natural ni les da vida ni vigor. Instémosles a que se nieguen a sí mismos y mortifiquen la incredulidad, envidia o algún otro pecado espiritual, y así tendrán una mejor visión de sí mismos.

4. La mortificación no es la desviación del pecado

El pecado no se mortifica cuando solo se desvía. Simón el Mago por un tiempo dejó sus artes mágicas, pero su codicia y ambición que lo impulsaban en lo que ejercía permanecieron inmóviles y actuaron de otra manera. Es por eso que Pedro le dice: "En hiel de amargura y en prisión de maldad veo que estás" (Hch. 8:23). Es como si hubiera dicho: "A pesar de la profesión que has hecho y de la renuncia a tus artes mágicas, tu pasión pecaminosa es tan poderosa como siempre en ti. Es la misma pasión, solo que sus corrientes se han desviado. Ahora se ejerce y se presenta a sí misma de otra manera, pero es todavía la antigua hiel de amargura".

Un hombre puede ser sensible a una pasión, ponerse en contra de sus estallidos, cuidarse de que no estalle como lo ha hecho, pero entretanto permitir que el mismo hábito corrupto se descargue de otra manera. Esto es como el que cura y venda una llaga sangrante y cree que está curada, pero mientras tanto su carne sigue infectada por la corrupción de la misma infección y brota en otro lugar. Y este desvío, con las alteraciones que lo acompañan, a menudo le sucede a hombres ajenos a la gracia.

El cambio en el curso de la vida en que se encontraba un hombre —las relaciones, intereses, designios— pueden causarlo. Y ciertamente las mismas alteraciones en las constituciones de los hombres, ocasionadas por un progreso natural en el curso de sus vidas, pueden producir tales cambios como estos. Los hombres en la vejez no suelen persistir en la búsqueda de las pasiones juveniles, aunque nunca hayan mortificado ninguna de ellas. Lo mismo es el caso del trueque de pasiones, dejando de servir a una acaban sirviendo a otra. El que intercambia orgullo por mundanalidad, sensualidad por fariseísmo, vanidad por el desprecio a los demás, no piense que ha mortificado el pecado que parece haber dejado. Solo ha cambiado a su amo, pero sigue siendo un esclavo.

5. La mortificación no es solo conquistas ocasionales sobre el pecado

Las conquistas ocasionales sobre el pecado no equivalen a mortificarlo. Hay dos ocasiones o tiempos en los que un hombre que está luchando con cualquier pecado puede parecer que lo ha mortificado:

a. Cuando el pecado surge repentinamente

Cuando ha tenido cierto brote calamitoso que perturba su paz, aterroriza su conciencia, lo atemoriza al escándalo y muestra evidente provocación a Dios. Esto despierta y agita todo lo que hay en el hombre, lo sorprende, lo llena de aborrecimiento del pecado y de sí mismo (por cometerlo), lo envía a Dios, lo hace clamar como por su vida, lo hace aborrecer su pasión como el infierno y ponerse en contra de ella. Ahora que el hombre completo, tanto espiritual y natural, se ha despertado, el pecado agacha su cabeza y no se muestra —yace como muerto ante él.

Esto es como alguien que se ha acercado a un ejército en la noche y ha matado a una persona de alto rango. Al instante los guardias se despiertan, los hombres se levantan y se hace una búsqueda estricta del enemigo, el cual se oculta o yace como alguien que está muerto mientras tanto, hasta que el ruido y el tumulto hayan terminado, pero con firme resolución para obrar perversamente al tener una oportunidad similar. Sobre el pecado entre los corintios, vea cómo se reúnen ellos mismos para sorprenderlo y destruirlo (*cf.* 2 Co. 7:11).

> **2 Corintios 7.11** Porque miren, ¡qué solicitud ha producido esto en ustedes, esta tristeza piadosa, qué vindicación de ustedes mismos, qué indignación, qué temor, qué gran afecto, qué celo, qué castigo del mal! En todo han demostrado ser inocentes en el asunto.

Así es en una persona cuando se ha producido una brecha en su conciencia, paz o quizás reputación por su propia pasión en cierto brote de real pecado. Cuidado, indignación, deseo, miedo y venganza, todo se pone a trabajar en ella y contra ella. Y la pasión permanece callada por un tiempo, estando escondida delante de ellos. Pero cuando la prisa termina y la investigación pasa, el ladrón vuelve a aparecer con vida y está tan ocupado como siempre en su trabajo.

b. Cuando hay tiempos de aflicción

En un momento de cierto juicio, calamidad o aflicción apremiante, el corazón se ocupa de pensamientos y planes para escapar de los problemas, miedos y peligros actuales. Esto, como concluye una persona convencida, se debe hacer solo por el abandono del pecado, lo cual gana paz para con

Dios. Es la ira de Dios en cada aflicción lo que inquieta a una persona convencida. Para ser aliviados de esto, los hombres se resuelven en esos momentos contra sus pecados.

El pecado nunca más tendrá lugar en ellos. Nunca más se rendirán al servicio de este. En consecuencia, el pecado está callado, no se mueve y parece estar mortificado. No es que ciertamente ha recibido alguna herida, sino que [parece así] simplemente porque el alma ha poseído sus facultades por las cuales el alma misma ejerce pensamientos contra [las operaciones de ese pecado]. Pero una vez que tales pensamientos sean dejados de lado, el pecado volverá nuevamente a su vida y vigor anteriores. Aquellos descritos en el Salmo 78 son un ejemplo y descripción completos de esta condición del espíritu de la que hablo:

> **Salmo 78.32–37** A pesar de todo esto, todavía pecaron Y no creyeron en Sus maravillas. El, pues, hizo terminar sus días en vanidad, Y sus años en terror súbito. Cuando los hería de muerte, entonces Lo buscaban, Y se volvían y buscaban con diligencia a Dios; Se acordaban de que Dios era su Roca, Y el Dios Altísimo su Redentor. Pero con su boca Lo engañaban Y con su lengua Le mentían. Pues su corazón no era leal para con El, Ni eran fieles a Su pacto.

No dudo de ninguna manera que cuando buscaron, volvieron e inquirieron solícitos por Dios, lo hicieron con todo propósito de corazón en cuanto a la renuncia de sus pecados. Esto se expresa en la palabra "volvieron". Volver o regresar al Señor es mediante la renuncia al pecado. Esto lo hicieron "con solicitud", con seriedad y diligencia, pero aun así su pecado no fue mortificado con todo esto (vv. 36-37). Y este es el estado de muchas humillaciones en los días de aflicción. Un gran engaño en los corazones de los creyentes se encuentra muchas veces en este punto.

Existen estas y muchas otras formas mediante las cuales las pobres almas se engañan a sí mismas y suponen que han mortificado sus pasiones cuando en realidad estos viven y son poderosos, y en cada ocasión se desatan para su perturbación y desconsuelo.

CAPÍTULO 6: QUÉ ES LA MORTIFICACIÓN

1. La mortificación consiste en el debilitamiento habitual del pecado
    a. Limitaciones
    b. Crucificando la carne
2. La mortificación consiste en una lucha o contienda constante contra el pecado
    a. Se debe conocer al enemigo
    b. Se debe conocer los designios del enemigo
    c. Se debe atacar diariamente
3. La mortificación consiste en un triunfo frecuente contra el pecado

Lo que es mortificar el pecado en general, que abrirá camino a consideraciones particulares, es planteado a continuación.

La mortificación de los deseos pecaminosos consiste en tres cosas. En primer lugar, la mortificación consiste en el debilitamiento habitual del pecado. En segundo lugar, la mortificación consiste en una lucha o contienda constante contra el pecado. En tercer lugar, la mortificación consiste en un triunfo frecuente contra el pecado.

1. La mortificación consiste en el debilitamiento habitual del pecado

Toda concupiscencia es un hábito o disposición depravada, que inclina continuamente el corazón hacia el mal. De ahí que es esta la descripción del que no tiene la concupiscencia realmente mortificada: “Todo designio de los pensamientos del corazón de ellos era de continuo solamente el mal" (Gn. 6:5). Está siempre bajo el poder de una fuerte tendencia e inclinación a pecar. Y la razón por la que un hombre natural no está siempre permanentemente en la búsqueda de una concupiscencia específica día y noche, es porque tiene muchas a las cuales servir, cada una clamando ser satisfecha. De ahí que esté involucrado con una gran variedad, pero aún, de manera general, se inclina hacia la satisfacción de su propio ser.

Supondremos entonces que la concupiscencia o desorden cuya mortificación se busca es en sí misma una fuerte, profundamente arraigada y habitual inclinación y propensión de la voluntad y de los afectos hacia algún pecado real en cuanto su *asunto* —aunque no esté, bajo esa consideración formal, siempre suscitando imaginaciones, pensamientos y artimañas sobre su *objeto*. Es por eso que se dice "el corazón de los hijos de los hombres está en ellos entregado enteramente a hacer el mal" (Ec. 8:11) —es decir, la propensión de sus espíritus se inclina hacia él para hacer "provisión para la carne" (Ro. 13:14). Y un hábito pecaminoso y depravado (como en muchas otras cosas, así en este) difiere completamente de todos los hábitos naturales o morales.

Mientras los hábitos morales inclinan gentil y convenientemente el alma a sí mismo, los hábitos pecaminosos impelen con violencia e ímpetu.[1] De donde se dice que las concupiscencias luchan o hacen "guerra contra el alma"[2] (1 P. 2:11) —es decir, se rebelan y se alzan en guerra contra esa conducta y oposición que encuentran habitual en ellas para llevar cautivo o capturar efectivamente para triunfar en la batalla (Ro. 7:23)[3] —todo esto son obras de gran violencia e ímpetu.

> **Romanos 7.22–24** Porque en el hombre interior me deleito con la Ley de Dios, pero veo otra ley en los miembros de mi cuerpo que hace guerra contra la ley de mi mente, y me hace prisionero de la ley del pecado que está en mis miembros. ¡Miserable de mí! ¿Quién me libertará de este cuerpo de muerte?

---

[1] Vehemencia.

[2] Griego: στρατεύονται κατὰ τῆς ψυχῆς.

[3] Griego: ἀντιστρατευόμενον (batallar en contra) αἰχμαλωτίζοντά (llevarme en cautividad).

Podría manifestar plenamente, a partir de aquella descripción que tenemos en Romanos 7, cómo el deseo pecaminoso entenebrecería la mente, extinguiría las convicciones, desentronizaría la razón, interrumpiría el poder y la influencia de cualquier consideración que pueda ser traída para menoscabarlo y consumiría todo en llamas. Pero este no es mi asunto actual.

Lo primero entonces en la mortificación es el debilitamiento de este hábito de pecado o concupiscencia, de modo que —con esa violencia, seriedad, frecuencia— no se levante, conciba, disturbe, provoque, incite o inquiete como naturalmente es propenso a hacer (*cf.* Stg. 1:14-15).

> **Santiago 1.14–15** Sino que cada uno es tentado cuando es llevado y seducido por su propia pasión. Después, cuando la pasión ha concebido, da a luz el pecado; y cuando el pecado es consumado, engendra la muerte.

a. Limitaciones

Deseo dar una advertencia o regla a este propósito, y es esta: Aunque toda concupiscencia por su propia naturaleza igual y universalmente inclina e impele a pecar, esto debe ser reconocido con estas dos limitaciones:

1) La fortaleza de las concupiscencias varía

Una concupiscencia o una concupiscencia en un hombre puede recibir muchos progresos, realces y fortalecimientos accidentales[4] que pueden darle vida, poder y vigor muy por encima de lo que otra concupiscencia tiene, o por encima de la misma concupiscencia (es decir, del mismo tipo y naturaleza) en otro hombre. Cuando una concupiscencia se adecua a las constituciones naturales y el carácter, al adecuado curso de vida y a las ocasiones, o cuando Satanás posee un buen asidero para manipularlo (porque tiene mil formas para hacerlo), esa concupiscencia se vuelve violenta e impetuosa por encima de las demás, o más que la misma

[4] No esencial o incidental.

concupiscencia en otro hombre. Entonces sus ímpetus entenebrecen la mente de modo que, aunque un hombre conozca intelectualmente las mismas cosas que antes, aún no tienen poder ni influencia sobre la voluntad, pero los afectos y pasiones corrompidos son puestos en libertad por la [concupiscencia dominante].

Pero, sobre todo, la concupiscencia se fortalece por *la tentación*. Cuando una tentación compatible se adecua a una concupiscencia, le da vida, vigor, poder, violencia e ira nuevos, que antes parecía no tener o de ser capaz. Ejemplos para este propósito podrían reproducirse, pero es el propósito de alguna parte de otro tratado[5] para evidenciar esta observación.

2) Algunas concupiscencias son más discernibles

Algunas concupiscencias son más perceptibles y discernibles en sus actuares violentos que otras. Pablo establece una diferencia entre la impureza y todos los otros pecados:

> **1 Corintios 6.15–18** ¿No saben que sus cuerpos son miembros de Cristo (el Mesías)? ¿Tomaré, acaso, los miembros de Cristo y los haré miembros de una ramera? ¡De ningún modo! ¿O no saben que el que se une a una ramera es un cuerpo *con ella?* Porque El dice: "Los dos vendrán a ser una sola carne." Pero el que se une al Señor, es un espíritu *con El*. Huyan de la fornicación. Todos *los demás* pecados que un hombre comete están fuera del cuerpo, pero el fornicario peca contra su propio cuerpo.

De ahí que las pasiones de ese pecado sean más perceptibles y discernibles que las de los otros. Quizá el amor al mundo —o algo similar— en una persona no sea menos predominante habitualmente como la impureza, pero este no genera una combustión tan grande en todo el hombre como la impureza lo hace.

---

[5] Véase "*La Tentación: Su Naturaleza y poder*" de Owen, publicado con el titulo original *de "Of Temptation"*. Esta obra corresponde al segundo libro publicado en este volumen.

Y por esta razón algunos hombres pueden considerarse y pueden parecer ante los ojos del mundo como hombres mortificados, quienes aún tienen en ellos no menos predominio de la concupiscencia que aquellos que claman con asombro sobre la razón de sus desconcertantes tumultos y ciertamente que aquellos que han sido apremiados por su poder hacia pecados escandalosos.

Sin embargo, es solo que sus concupiscencias están en y sobre las cosas que no causan tal tumulto en el alma, sino que sus concupiscencias están sobre las que cosas que se ejercen con un estado más calmado del espíritu, ya que el mismo temperamento no está tan involucrado en ellas como en otras.[6]

b. Crucificando la carne

Digo, pues, que lo primero en la mortificación es el *debilitamiento* de este hábito de modo que no impulse y agite como antes, que no seduzca y aparte, que no inquiete y desconcierte la destrucción de su vida, su vigor, su prontitud y su disposición para incitar. Esto se denomina crucificar "la carne con sus pasiones y deseos" (Gá. 5:24) —es decir, quitándoles su sangre y vitalidad que le dan fuerza y poder.

> **Gálatas 5.24** Pues los que son de Cristo Jesús han crucificado la carne con sus pasiones y deseos.

Es el debilitamiento del cuerpo de muerte "día tras día" (2 Co. 4:16). Un hombre clavado a la cruz primero lucha, se esfuerza y grita con gran fuerza y poder, pero a medida que su sangre y vitalidad se debilitan, sus esfuerzos se debilitan y son menos recurrentes, y sus gritos —bajos y afónicos— apenas se oyen. De manera similar, cuando un hombre ataca a

[6] La referencia de Owen es hacia personas que debido a que tienen un temperamento mas apacible que otras, y por lo cual no están inclinadas naturalmente hacia pecados escandalosos, pueda dar la impresión externa de que están mortificando sus concupiscencias. Sin embargo, esto es engañoso, pues tales personas tenderán, debido a su temperamento natural, a estar involucrados en pecados diferentes a otros con un temperamento mas extrovertido.

la concupiscencia o desorden para encargarse de ella, esta lucha con gran violencia para liberarse y grita con fervor e impaciencia por ser satisfecha y aliviada. Pero cuando por la mortificación su sangre y vitalidad se derraman, se mueve raras veces y débilmente, grita escasamente y apenas se escucha en el corazón. Puede tener algunas veces una punzada agonizante apareciendo con gran vigor y fuerza, pero que acaba con rapidez, especialmente si se le impide tener un éxito considerable.

Esto describe el apóstol (como en todo el capítulo) especialmente en Romanos 6:6. "El pecado —dice— es crucificado, es fijado a la cruz". ¿Con qué fin? "Para que el cuerpo de muerte sea destruido", el poder del pecado debilitado y abolido poco a poco, para que "no sirvamos más al pecado" —es decir, para que el pecado no nos incline y no nos impulse con tal eficacia que nos convierta en sus esclavos como lo ha hecho hasta ahora. Y esto se dice no solo respecto a los afectos carnales y sensuales o deseos por las cosas mundanas —no solo con respecto a "la pasión de la carne, la pasión de los ojos, y la arrogancia de la vida" (1 Jn. 2:16), sino también respecto a la carne, es decir, en la mente y la voluntad, en esa oposición a Dios que está en nosotros por naturaleza.

> **Romanos 6.6–7** Sabemos esto, que nuestro viejo hombre fue crucificado con *Cristo*, para que nuestro cuerpo de pecado fuera destruido, a fin de que ya no seamos esclavos del pecado; porque el que ha muerto, ha sido libertado del pecado.

Cualquier que sea la naturaleza de la problemática corrupción y cualquier que sea la forma por la que se [puede] mostrar —ya sea incitando al mal o impidiendo lo que es bueno—, la regla es la misma. Y a menos que esta mortificación se haga de manera eficaz, toda contención posterior no alcanzará el fin apuntado. Un hombre puede cortar los frutos amargos de un árbol nocivo hasta que quede sin nada mientras que la raíz permanece con fuerza y vigor. El cortar los frutos presentes no le impedirá producir más frutos. Esta es la locura de algunos hombres: Se oponen con todo fervor y diligencia contra la manifiesta erupción de concupiscencia, pero obtienen poco o ningún progreso en esta obra de la mortificación al dejar el principio y la raíz intactos, quizá no examinados.

2. La mortificación consiste en una lucha o contienda constante contra el pecado

Poder estar siempre poniendo carga sobre el pecado no es un pequeño grado de mortificación. Cuando el pecado es fuerte y vigoroso, el alma es poco capaz de ganar ventaja contra él. El alma suspira, gime, llora y está afligido —como David dice de sí mismo—, pero raras veces tiene al pecado en persecución. David se queja de que su pecado lo había alcanzado y que no podía alzar la vista (*cf.* Sal. 40:12). ¡Qué poco entonces fue capaz de luchar contra él!

Varias cosas entonces son requeridas y forman parte en esta lucha contra el pecado:

a. Se debe conocer al enemigo

Se requiere en cuanto a esto que el hombre conozca que tiene este tipo de enemigo con el cual lidiar, que debe reconocerlo y considerarlo como un enemigo de verdad y uno que debe ser destruido por todos los medios posibles. Como mencioné antes, la contienda es intensa y peligrosa: Se trata de las cosas de la eternidad. Por lo tanto, cuando los hombres tienen pensamientos ligeros y pasajeros sobre sus concupiscencias, eso no es una buena señal de que están mortificadas o de que están en proceso de mortificación. Todo hombre debe conocer "la plaga en su propio corazón" (1 R. 8:38), sin lo cual ninguna otra obra puede ser hecha. Es de temer que muchos tengan poco conocimiento del principal enemigo que llevan consigo en su seno. Esto los vuelve prontos a justificarse y a ser impacientes ante la reprensión o admonición, sin saber que están en peligro (*cf.* 2 Cr. 16:10).

> **2º Crónicas 16.9–10** "Porque los ojos del Señor recorren toda la tierra para fortalecer a aquéllos cuyo corazón es completamente Suyo. Tú has obrado

neciamente en esto. Ciertamente, desde ahora habrá guerras contra ti." Entonces Asa se irritó contra el vidente y lo metió en la cárcel, porque *estaba* enojado contra él por esto. Por ese tiempo, Asa oprimió a algunos del pueblo.

b. Se debe conocer los designios del enemigo

Esforzarse por estar familiarizado con los caminos, las artimañas, los métodos, las ventajas y las ocasiones del triunfo del pecado es el principio de esta guerra. Así lidian los hombres con los enemigos. Averiguan sus consejos y designios, reflexionan sobre sus fines, consideran cómo y por cuales medios han prevalecido antes, para que puedan ser prevenidos.

En esto consiste la mayor destreza en la conducta. Si retiras esto, todo conflicto, en el que está el más grande progreso de la sabiduría e industria humanas, no tendría sentido. Así lidian con la concupiscencia quienes la mortifican de verdad. No solo cuando es realmente molesta, atrayente y seductora, sino en sus momentos más tranquilos. Ellos consideran: "Este es nuestro enemigo, esta es su forma y su progreso, estas son sus ventajas, así ha prevalecido y así actuará, si no lo evitamos". Así fue con David:

> **Salmo 51.3–4** Porque yo reconozco mis transgresiones, Y mi pecado está siempre delante de mí. Contra Ti, contra Ti sólo he pecado, Y he hecho lo malo delante de Tus ojos, De manera que eres justo cuando hablas, *Y* sin reproche cuando juzgas.

No hay duda de que una de las mejores y eminentes partes de la sabiduría espiritual práctica consiste en encontrar las sutilezas, las estrategias y las profundidades de cualquier pecado remanente. Una buena parte de nuestra batalla es considerar y saber en dónde yace su mayor fortaleza; qué ventajas usa para aprovechar ocasiones, oportunidades y tentaciones; cuáles son sus alegaciones, pretensiones y razonamientos; cuáles son sus estratagemas, simulaciones[7] y excusas.

---

[7] Adornos que ocultan la verdad.

Una buena parte de nuestra batalla es poner la sabiduría del Espíritu contra la astucia del *viejo hombre*; rastrear esta serpiente en todos sus giros y vueltas; ser capaz de decir a sus más secretas y (a un estado común del corazón) imperceptibles acciones: "Esta es tu antigua forma de actuar y curso de acción; sé a qué apuntas", y así estar siempre preparado.

c. Se debe atacar diariamente

La cumbre de esta contienda es cargar el pecado diariamente con todas las cosas que son dolorosas, letales y destructivas para el pecado, que serán después mencionadas. Una persona así nunca cree que su concupiscencia está muerta porque está tranquila, sino que aún se esfuerza por hacerle nuevas heridas y darle nuevos golpes cada día. De ahí que el apóstol diga en Colosenses 3:5 lo siguiente:

> **Colosenses 3.5** Por tanto, consideren los miembros de su cuerpo terrenal como muertos a la fornicación, la impureza, las pasiones, los malos deseos y la avaricia, que es idolatría.

Mientras el alma esté entonces en esta condición, mientras esté así luchando, ciertamente llevará la delantera: El pecado está bajo la espada y está muriendo.

3. La mortificación consiste en un triunfo frecuente contra el pecado

El triunfo frecuente contra cualquier concupiscencia es otra parte y evidencia de la mortificación. Por "triunfo" no me refiero a un mero desencanto[8] respecto al pecado, de modo que no sea dado a luz ni alcanzado, sino una victoria sobre este y una lucha contra este resultando en una conquista completa. Por ejemplo, cuando el corazón encuentra pecado en cualquier momento trabajando, seduciendo, formando fantasías

---

[8] Deshacerse de un fin o uso previsto.

para hacer provisión para la carne, para satisfacer las concupiscencias de este, instantáneamente aprehende el pecado y lo trae ante la ley de Dios y el amor de Cristo, lo condena, lo persigue para ejecutarlo completamente.

Digo entonces que el pecado es mortificado en cierta medida considerable cuando un hombre llega a este estado y condición: Tal que la concupiscencia es debilitada en la raíz y principio, tal que sus movimientos y acciones son menos y más débiles que antes, de modo que no son capaces de dificultar el deber ni interrumpir la paz del hombre. También el pecado es mortificado en cierta medida considerable cuando el hombre puede, en un quieto y sereno estado del espíritu, descubrir y luchar contra el pecado y obtener un triunfo contra él. Entonces, sin importar toda la oposición del pecado, el hombre puede tener paz con Dios todos sus días.

Remito entonces la mortificación pretendida —es decir, la mortificación de cualquier desorden imprevisto, por el cual la depravación y la corrupción generales de nuestra naturaleza intentan ejercerse y manifestarse— a estos resultados finales:

Primero, el fundamento de la mortificación es el debilitamiento de la disposición interna del pecado —a través de la cual inclina, incita, impulsa a la maldad, se rebela, se opone, lucha contra Dios— mediante la implantación, residencia habitual y valoración de un principio de gracia que se establece en dirección opuesta al pecado y lo destruye.

Entonces el orgullo es debilitado por la implantación y el crecimiento de la humildad, la pasión es debilitada por la paciencia, la impureza es debilitada por la pureza de mente y consciencia, el amor por este mundo es debilitado por la mentalidad celestial. Estos últimos son gracias del Espíritu Santo o la misma gracia habitual actuando por sí misma de diferentes formas por el Espíritu Santo de acuerdo a la variedad o diversidad de los objetos sobre la que es ejercida. Los primeros son varias concupiscencias o la misma corrupción natural actuando por sí misma de diferentes formas de acuerdo a las diversas ventajas y ocasiones con las que se encuentra.

La segunda cosa requerida para la mortificación es la prontitud, presteza y vigor del Espíritu o nuevo hombre (*cf.* Col. 3:10) para contender o luchar animadamente contra la concupiscencia de la que se ha hablado por todas las formas y con todos los medios que son señalados, utilizando constantemente los socorros provistos contra sus movimientos y acciones. El triunfo depende grandemente de estas dos cosas.

> **Colosenses 3.8–10** Pero ahora desechen también todo esto: ira, enojo, malicia, insultos, lenguaje ofensivo de su boca. Dejen de mentirse los unos a los otros, puesto que han desechado al viejo hombre con sus *malos* hábitos, y se han vestido del nuevo *hombre,* el cual se va renovando hacia un verdadero conocimiento, conforme a la imagen de Aquél que lo creó.

Ahora esto, si el desorden no tiene una ventaja inconquistable desde su situación natural, se puede esperar su conquista universal de modo que es posible que el alma nunca vuelva a sentir su oposición. El alma ciertamente planteará una concesión de paz a la consciencia de acuerdo al tenor del pacto de gracia.

CAPÍTULO 7: REGLAS GENERALES PARA LA MORTIFICACIÓN: *ES NECESARIO SER CREYENTE*

1. No habrá mortificación a no ser que la persona sea creyente
    a. Falsa mortificación de los filósofos y religiosos
    b. La ley y el evangelio exigen que se mortifique el pecado
    c. Se requiere el espíritu santo para mortificar el pecado
    d. Los esfuerzos humanos fallan
    e. Los males que resultan de intentar mortificar el pecado siendo no creyente
2. La obra de la fe
3. Unas palabras a los predicadores

Se considerará a continuación las *formas* y los *medios* por los cuales un alma puede proceder a la mortificación de cualquier concupiscencia y pecado que Satanás aprovecha para inquietar y debilitar a la persona.

Existen entonces algunas consideraciones generales que deben establecerse respecto a algunos principios y fundamentos de esta obra. Ningún hombre, sin importar cuán convencido y resuelto sea para mortificar sus pecados, puede tener éxito sin estas consideraciones.

Las reglas y los principios generales sin los que ningún pecado será alguna vez mortificado son estos:

Primero: A menos que el hombre sea creyente —es decir, uno que está verdaderamente injertado en Cristo—, nunca podrá mortificar ni un solo pecado.

1. No habrá mortificación a no ser que la persona sea creyente

No estoy diciendo que al menos que el hombre *crea* que es creyente, sino que el hombre sea *realmente* creyente. La mortificación es la labor de los creyentes: "Si por el Espíritu vosotros mortificáis", etc. (Ro. 8:13) — ustedes *creyentes*, para quienes no hay condenación (v. 1). Solo ellos son exhortados a esto: "Mortifiquen, pues, sus miembros que están sobre la tierra" (Col. 3:5). ¿Quién debe mortificar? Ustedes que son "resucitados con Cristo" (v. 1), cuya "vida está escondida con Cristo en Dios" (v. 3), quienes serán "manifestados con Él en gloria" (v. 4).

> **Colosenses 3.3–4** Porque ustedes han muerto, y su vida está escondida con Cristo en Dios. Cuando Cristo, nuestra vida, sea manifestado, entonces ustedes también serán manifestados con El en gloria.

a. Falsa mortificación de los filósofos y religiosos

Un hombre no regenerado puede hacer algo similar, pero nunca podrá realizar la labor misma de modo que sea aceptable ante Dios. Ustedes conocen qué imagen de esto es dibujado por algunos de los filósofos — Séneca, Tully, Epicteto.[1] ¡Qué efusivos discursos tienen de desprecio del mundo y de sí mismos, de regular y conquistar todos los afectos y pasiones exorbitantes! Las vidas de la mayoría de ellos manifestaron que sus enseñanzas diferían tanto de la verdadera mortificación como el sol

---

[1] Séneca (c. 4 a.C. — 65 d.C.) fue un dramaturgo romano, orador y filósofo. "Tully" es una forma antigua para referirse a Marco Tulio Cicerón (106 — 43 a.C.), un estatista romano, abogado y filósofo. Epicteto (c. 55 — c. 135 d.C.) fue un filósofo griego estoico.

pintado en un poste difiere del sol en el firmamento: No tenían ni luz ni calor. Su propio Luciano[2] manifiesta adecuadamente lo que ellos eran. No hay muerte del pecado sin la muerte de Cristo.

Ustedes conocen qué intentos son hechos para la obra de la mortificación por los papistas (Católicos Romanos) en sus votos, penitencias y satisfacciones. Me atrevo a decir de ellos (me refiero a tantos de ellos que actúan basados en los principios de su iglesia, así como ellos le llaman) lo que Pablo dice de Israel respecto a la justicia: Han seguido la mortificación, pero no la han alcanzado. "¿Por qué? Porque iban tras ella no por fe, sino como por obras de la ley" (Ro. 9:31-32).

> **Romanos 9.31–32** pero Israel, que iba tras una ley de justicia, no alcanzó *esa* ley. ¿Por qué? Porque no *iban tras ella* por fe, sino como por obras. Tropezaron en la piedra de tropiezo.

Lo mismo es el estado y condición de todos entre nosotros que, en obediencia a sus convicciones y consciencias despertadas, intentan realmente renunciar al pecado. La siguen, pero no la alcanzan.

b. La ley y el evangelio exigen que se mortifique el pecado

Es cierto que es y será exigido de cada persona que escuche la ley o el evangelio predicado, que mortifique el pecado. Es su deber, pero no es su deber inmediato. Es su deber hacerlo, pero hacerlo a la manera de Dios. Si exiges a tu siervo que pague tal cantidad de dinero por ti en un determinado lugar, pero primero le exiges que vaya y lo tome en otro lugar, es su deber pagar el dinero señalado —y lo reprocharás si no lo hace—, pero no es su deber inmediato.

Su deber inmediato es primero ir a tomarlo de acuerdo a tu orden. De la misma manera es en este caso: El pecado debe ser mortificado, pero algo debe ser hecho primero para capacitarnos para mortificarlo.

---

[2] Luciano de Samósata (c. 120 — c. 190 d.C.) fue un escritor satírico griego que se burlaba de la filosofía y la mitología griega.

c. Se requiere el Espíritu Santo para mortificar el pecado

He probado que es solo el Espíritu quien puede mortificar el pecado; Él ha sido prometido para hacerlo, y todos los demás medios sin Él son vacíos y vanos. ¿Cómo entonces mortificará el pecado aquel que no tiene el Espíritu? Es más fácil que un hombre vea sin ojos y hable sin lengua a que realmente mortifique un pecado sin el Espíritu. ¿Cómo entonces es obtenido el Espíritu? Él es el Espíritu de Cristo; y como el apóstol dice: "Si no tenemos el Espíritu de Cristo, no somos suyos" (Ro. 8:9). Por lo tanto, si somos de Cristo y tenemos una unión con Él, entonces tenemos el Espíritu, y solo así tenemos el poder para la mortificación. El apóstol discute esto en gran medida: "Así, pues, los que están en la carne no pueden agradar a Dios" (v. 8).

> **Romanos 8.7–8** La mente puesta en la carne es enemiga de Dios, porque no se sujeta a la Ley de Dios, pues ni siquiera puede *hacerlo,* y los que están en la carne no pueden agradar a Dios.

Es la inferencia y conclusión que hace de su discurso precedente sobre nuestro estado y condición naturales, y la enemistad que tenemos para con Dios y con Su ley. Si estamos en la carne, no tenemos el Espíritu, no podemos hacer nada para agradar a Dios. Pero, ¿cuál es nuestra liberación de esta condición? "Mas ustedes no están en la carne, sino en el Espíritu, si el Espíritu de Dios mora en ustedes" (v. 9). Es como si dijera: "Ustedes creyentes, que tienen el Espíritu de Cristo, no están en la carne". No hay manera de liberarse del estado y la condición de estar en la carne, sino por el Espíritu de Cristo. Y si este Espíritu de Cristo está en ustedes, entonces están mortificados: "El cuerpo está muerto a causa del pecado" o al pecado (v. 10).

> **Romanos 8.9–10** Sin embargo, ustedes no están en la carne sino en el Espíritu, si en verdad el Espíritu de Dios habita en ustedes. Pero si alguien no tiene el Espíritu de Cristo, el tal no es de El. Y si Cristo está en ustedes, aunque el cuerpo esté muerto a causa del pecado, sin embargo, el espíritu está vivo (es vida) a causa de la justicia.

La mortificación se lleva a cabo y el nuevo hombre es vivificado en justicia. Esto lo demuestra el apóstol a partir de la unión que tenemos con Cristo por el Espíritu, la cual producirá operaciones adecuadas en nosotros de lo que ha obrado en Él (v. 11). Todos los intentos entonces para mortificar cualquier concupiscencia sin una unión con Cristo son vanos.

d. Los esfuerzos humanos fallan

Muchos hombres que se irritan con y por el pecado —por los dardos de Cristo para convicción, por la predicación de la Palabra o por alguna aflicción que atravesó sus corazones—, se oponen vigorosamente a esta o aquella concupiscencia particular que ha inquietado y desconcertado grandemente sus consciencias. Pero, ¡pobres criaturas! Trabajan en el fuego y sus obras se consumen.

Cuando el Espíritu de Cristo venga a esta obra, será "fuego purificador, y como jabón de lavadores" y afinará a los hombres "como a oro y como a plata" (Mal. 3:2-3).

> **Malaquías 3.2–3** "¿Pero quién podrá soportar el día de Su venida? ¿Y quién podrá mantenerse en pie cuando El aparezca? Porque El es como fuego de fundidor y como jabón de lavanderos. "Y El se sentará como fundidor y purificador de plata, y purificará a los hijos de Leví y los acrisolará como a oro y como a plata, y serán los que presenten ofrendas en justicia al Señor.

Él quitará su escoria e impureza, su suciedad y sangre (*cf.* Is. 1:25; 4:4). Pero los hombres deben ser oro y plata en el fondo, sino el refinamiento no les hará bien.

El profeta nos da el triste resultado de los mayores intentos de mortificación por parte de los hombres malvados, por cualquier medio que Dios les conceda: "Se quemó el fuelle,[3] por el fuego se ha consumido el plomo; en vano fundió el fundidor [...]. Plata desechada los llamarán,

---

[3] Dispositivo del herrero para soplar aire al fuego

porque Jehová los desechó" (Jer. 6:29-30). ¿Y cuál es la razón de esto? Ellos eran "bronce y hierro" cuando fueron colocados en el horno (v. 28). Los hombres pueden refinar el bronce y el hierro el tiempo suficiente antes de que se conviertan en buena plata.

Digo entonces que la mortificación no es el asunto inmediato de los hombres no regenerados. Dios no los llama aún a esto. La conversión es su trabajo, la conversión de toda el alma —no la mortificación de esta o aquella concupiscencia específica. Se reirían de un hombre que ven montando una gran estructura y que nunca se preocupa por los cimientos —especialmente si lo vieran siendo tan necio como para continuar en el mismo curso después de tener miles de experiencias de que lo que ha construido en un día se cae en el día siguiente. Del mismo modo es con las personas persuadidas: Aunque ven claramente que aquel terreno que ganan un día contra el pecado y el día siguiente lo pierden, proseguirán todavía en el mismo camino sin inquirir dónde se encuentra el error destructivo en su progreso. Cuando los judíos, respecto a la convicción de su pecado, fueron compungidos en el corazón y clamaron: "¿Qué haremos" (Hch. 2:37), ¿qué les ordena Pedro que hagan? ¿Les declara que vayan y mortifiquen su orgullo, su ira, su malicia, su crueldad y cosas similares? No, él sabía que esa no era su labor inmediata, sino que los llama a la conversión y a la fe en Cristo en general (v. 38).

> **Hechos de los Apóstoles 2.37–38** Al oír *esto,* conmovidos profundamente, dijeron a Pedro y a los demás apóstoles: "Hermanos, ¿qué haremos?" Entonces Pedro les *dijo:* "Arrepiéntanse y sean bautizados cada uno de ustedes en el nombre de Jesucristo para perdón de sus pecados, y recibirán el don del Espíritu Santo.

Que el alma se convierta completamente primero y, entonces, "mirando a Aquel que traspasaron" (*cf.* Zc. 12:10; Jn. 19:37), la humillación y la mortificación surgirán. De este modo, cuando Juan vino a predicar el arrepentimiento y la conversión, dijo: "El hacha ya está puesta a la raíz de los árboles" (Mt. 3:10).

Los fariseos habían estado colocando cargas pesadas, imponiendo deberes tediosos y medios rígidos de mortificación, en ayunos, lavamientos y cosas similares, todos en vano. Juan dice en efecto: "La doctrina de la conversión es para ustedes; el hacha en mi mano está puesta a la raíz". Y nuestro Salvador nos dice qué se debe hacer en este caso, diciendo: "¿Acaso se recogen uvas de los espinos?" (Mt. 7:16). Mas supongamos que un espino es bien podado y cortado, y se ha cuidado. Sí, pero nunca dará higos (vv. 17-18; *cf.* Stg. 3:12).

> **Mateo 7.16–18** "Por sus frutos los conocerán. ¿Acaso se recogen uvas de los espinos o higos de los cardos? "Así, todo árbol bueno da frutos buenos; pero el árbol malo da frutos malos. "Un árbol bueno no puede producir frutos malos, ni un árbol malo producir frutos buenos.

No puede ser de otra manera, todo árbol producirá fruto según su tipo. ¿Qué debe hacerse entonces? Él nos dice: "Hagan el árbol bueno y su fruto será bueno" (Mt. 12:33). Se debe tratar con la raíz, cambiar la naturaleza del árbol o no se producirá ningún buen fruto.

Esto es a lo que apunto: A menos que el hombre sea regenerado, a menos que sea creyente, todos los intentos que pueda hacer para la mortificación no tienen ningún propósito, aunque sean aparentemente atrayentes y prometedores. Todos los medios que pueda usar son inútiles, aunque los siga con mucha diligencia, fervor, vigilancia e intención de la mente y el espíritu. En vano usará muchos remedios; no será sanado.

e. Los males que resultan de intentar mortificar el pecado siendo no creyente

Sí, hay varios males apremiantes que acompañan al esfuerzo para realizar este deber en las personas persuadidas que no son creyentes:

1) Ser desviado de buscar a Cristo

Cuando un no creyente se enfoca en mortificar el pecado, su mente y alma se ocupan de lo que no es el asunto correcto del hombre, y de esta manera es desviado de lo que realmente es. Dios por Su Palabra y Sus juicios permite que algunos pecados alcancen al creyente, irrita su consciencia, inquieta su corazón y lo priva de su descanso. Otras desviaciones entonces no le servirán para su necesidad inmediata; debe concentrarse en la obra que tiene por delante.

El asunto en cuestión es despertar el hombre completo a una consideración del estado y condición en que se encuentra, para que pueda volverse a Dios. Pero en cambio se pone a sí mismo a mortificar el pecado que le causa problemas —lo cual es un claro resultado de amor propio y el ser librado de su molestia— y no para la obra a la que es llamado, y así es desviado de su verdadera obra. Del mismo modo Dios nos dice sobre Efraín cuando "tendió sobre ellos [Su] red", los hizo caer "como aves del cielo" y los castigó (*cf.* Os. 7:12) —es decir, los capturó, los enredó, los persuadió de que no podían escapar. Entonces Dios dice de ellos: "Volvieron, pero no al Altísimo" (Os. 7:16) —es decir, se dispusieron a renunciar al pecado, pero no de la forma que Dios exigió: Por la *conversión universal.* Así los esfuerzos más prometedores que los hombres pueden fijarse para venir a Dios los desvían de venir a Él. Y este es uno de los engaños más comunes por el cual los hombres arruinan sus propias almas.

Desearía que algunos cuya labor es recubrir con lodo suelto las cosas de Dios no enseñaran este engaño y no hicieran errar a las personas con su ignorancia (*cf.* Ez. 13:10-14).

> **Ezequiel 13.10–14** "Sí, porque han engañado a Mi pueblo, diciendo: '¡Paz!' cuando no hay paz. Y cuando alguien edifica un muro, ellos lo recubren con cal. "Diles, *pues,* a los que *lo* recubren con cal, que el muro caerá; vendrá una lluvia torrencial y ustedes, piedras de granizo, caerán; y se desencadenará un viento huracanado. "Cuando el muro haya caído, ¿no les preguntarán: '¿Dónde está la cal con que *lo* recubrieron?' " Por tanto, así dice el Señor Dios: "En Mi enojo haré que un viento huracanado se desencadene; también por Mi ira vendrá una lluvia torrencial y granizo para consumir*lo* con furor. "Así derribaré el muro que han recubierto con cal, lo

echaré a tierra y quedará al descubierto su cimiento. Y cuando caiga, ustedes serán destruidos en medio de él. Así sabrán que Yo soy el Señor.

¿Qué hacen los hombres, qué es a lo que a menudo apuntan, cuando sus consciencias son irritadas por el pecado y el desasosiego porque el Señor ha permitido sus pecados los alcance? ¿Acaso no es la renuncia práctica al pecado con el que están perplejos —en algunos de sus frutos— y la oposición exitosa contra él la suma en lo que ellos ponen su empeño? ¿Y acaso no es perdido de esta manera el objetivo del evangelio de sus convicciones? En esto los hombres permanecen y perecen.

2) Falsa confianza

Este deber es algo bueno en sí mismo (en su lugar adecuado), un deber que evidencia sinceridad y que trae paz a la conciencia. Por lo tanto, un hombre que se encuentra a sí mismo realmente comprometido en ello —con su mente y su corazón establecidos contra este o aquel pecado, con el propósito y la resolución de no tener nada más que ver con él— está dispuesto a concluir que su estado y su condición son buenos, y de esta manera engaña a su propia alma. Permítanme darles dos razones por las que se engañan:

a) Falsa tranquilidad de la conciencia. Cuando su consciencia ha sido contaminada con el pecado y no ha podido hallar descanso, cuando debería ir al gran Médico de almas y obtener sanidad en Su sangre, el hombre a través de este compromiso contra el pecado apacigua y calma su conciencia y se sienta sin ir a Cristo en absoluto. ¡Ah, cuántas pobres almas son engañadas hacia la eternidad de esta manera! "Cuando Efraín vio su enfermedad, [...] envió [mensaje] al rey Jareb" (Os. 5:13), lo cual lo mantuvo alejado de Dios. Todo el paquete de la religión papista está hecho de planes y artilugios para apaciguar la consciencia sin Cristo —todo lo descrito por el apóstol en Romanos 10:3.

Romanos 10.3 Pues desconociendo la justicia de Dios y procurando establecer la suya propia, no se sometieron a la justicia de Dios.

b) Satisfacción por su justicia propia. Al procurar la mortificación, los hombres se satisfacen a sí mismos de que su estado y su condición son buenos, viendo que hacen aquello que es una buena obra en sí misma y que no lo hacen para ser vistos. Creen que habrían hecho la obra con sinceridad, y de esta manera se endurecen con una especie de justicia propia.

3) Rendición al poder del pecado

Cuando un hombre ha sido engañado así por un tiempo y ha engañado a su propia alma y descubre en un largo tiempo de su vida que realmente su pecado no está mortificado —o si ha cambiado uno, [pero] ha adquirido otro—, empieza a considerar grandemente que todas las luchas han sido en vano. Cree que nunca será capaz de prevalecer, pero solo está haciendo una represa contra el agua que aumenta sobre él. Entonces *cede* como quien pierde la esperanza de obtener éxito y se abandona al poder del pecado y a ese hábito de formalidad en la que ha caído.

Y este es el resultado usual con las personas que procuran la mortificación del pecado sin haber obtenido primero una unión con Cristo. Los engaña, los endurece y los destruye. Y, por tanto, vemos que usualmente no hay más pecadores viles y desesperados en el mundo que los que, habiendo sido puestos en este sendero por convicción, lo han encontrado infructuoso y lo han abandonado sin un descubrimiento de Cristo. Y esta es la substancia de la religión y la piedad de los mejores formalistas en el mundo y de todos aquellos que son atraídos a la mortificación en la sinagoga romana,[4] como llevan a los indios al bautismo o el rebaño al agua.

Digo entonces que la mortificación es la labor de los creyentes y solamente de los creyentes. Hacer morir el pecado es la labor del hombre vivo; donde los hombres están *muertos* (así como todos los no creyentes —los mejores de ellos— están muertos), el pecado está *vivo* y vivirá.

---

[4] Católica romana.

2. La obra de la fe

Es la obra de la *fe* —la labor *particular* de la fe. Si hay entonces una labor que se debe hacer y que será efectuada por un único instrumento, es una gran locura que alguien intente realizarla sin tener tal instrumento. Es la fe la que purifica el corazón (*cf.* Hch. 15:9); o, como dice Pedro: "[Purificamos nuestras] almas por la obediencia a la verdad, mediante el Espíritu" (1 P. 1:22). Y sin ella, no será hecho.

> **Hechos de los Apóstoles 15.8–9** "Dios, que conoce el corazón, les dio testimonio dándoles el Espíritu Santo, al igual que a nosotros; y ninguna distinción hizo entre nosotros y ellos, purificando por la fe sus corazones.

Supongo que lo que se ha dicho es suficiente para hacer cumplir mi primera regla general:

> *Asegúrense de tener una unión con Cristo. Si tienen la intención de mortificar cualquier pecado sin esto, tal cosa nunca será hecho.*

Objeción: *¿Qué harán los no regenerados?*

Dirán: "¿Qué quieres entonces que hagan los hombres no regenerados que están persuadidos de la maldad del pecado? ¿Cesarán de luchar contra el pecado, vivirán disolutamente, darán rienda suelta a sus concupiscencias y serán tan malvados como el peor de los hombres? Esta sería una forma de colocar al mundo entero en confusión, de llevar todas las cosas a la oscuridad, de abrir las compuertas de la concupiscencia y de colocar las riendas sobre los cuellos de los hombres para que se precipiten a todo pecado con deleite y avidez, como el caballo a la batalla".

Respuesta 1. ¡*Dios nos libre*! Debe ser considerado como un gran resultado de la sabiduría, bondad y amor de Dios, que por múltiples formas y medios se complace en impedir que los hijos de los hombres alcancen esa variedad de excesos y disturbios a los cuales la depravación de su naturaleza los arrastraría a cometer con violencia. Por cualquier medio que esto sea hecho, es resultado del cuidado, amabilidad y bondad de Dios, sin lo cual toda la tierra sería un infierno de pecado y confusión.

Respuesta 2. Hay un particular poder *persuasivo* en la Palabra, que Dios se place frecuentemente en presentar, para herir, sorprender y, de cierta forma, humillar a los pecadores, aunque nunca se conviertan. Y la Palabra debe ser predicada, aunque tenga este fin, mas no *con* este fin a la vista. Que sea, pues, la Palabra predicada y los pecados de los hombres serán reprendidos, la concupiscencia será refrenada y algunas oposiciones serán hechas contra el pecado, aunque ese no sea el efecto que se persigue.

Respuesta 3. Aunque esta sea la obra de la Palabra y el Espíritu —y sea buena en sí misma—, no es provechosa ni sirve en cuanto a su fin principal en aquellos en quienes es hecha. Ellos todavía están en hiel de amargura y bajo la potestad de las tinieblas (*cf.* Hch. 8:23; Lc. 22:53).

Hechos de los Apóstoles 8.23 "Porque veo que estás en hiel de amargura y en cadena de iniquidad."
Lucas 22.53 "Cuando estaba con ustedes cada día en el templo, no Me echaron mano; pero esta hora y el poder de las tinieblas son de ustedes."

Respuesta 4. Que los hombres sepan que es su *deber*, pero en su debido lugar. No retiro a los hombres de la mortificación, sino que los pongo en la conversión. Aquel que interrumpe a un hombre que está tapando un hueco en la pared de su casa para extinguir un fuego que está consumiendo toda la casa, no es su enemigo. ¡Pobre alma! ¡No es tu dedo adolorido, sino tu fiebre héctica la que debes considerar y tratar![5] Te opones contra un pecado *específico* y no consideras que no eres otra cosa sino pecado.

3. Unas palabras a los predicadores

[5] La referencia es a la fiebre de tuberculosis.

Permítanme añadir esto a aquellos que son predicadores de la Palabra o aquellos que aspiran a ese oficio a través de la buena mano de Dios. Es su deber convencer a los hombres sobre sus pecados, imponer cargas sobre pecados específicos, pero siempre recuerden que debe hacerse con aquello que es el fin propio de la ley y del evangelio —es decir, que utilicen el pecado en contra del cual hablan para revelar el estado y la condición en los que se encuentra el pecador. De lo contrario, es posible que quizás empujen a los hombres a la formalidad e hipocresía, pero poco del verdadero fin de la predicación del evangelio será logrado.

No servirá de nada hacer que un hombre se convierta de su alcoholismo a una formalidad sobria. El hábil maestro de colecciones coloca su hacha en la raíz y lo clava en el corazón (*cf.* Ec. 12:11).

> **Eclesiastés 12.11** Las palabras de los sabios son como aguijones, y como clavos bien clavados *las* de los maestros de *estas* colecciones, dadas por un Pastor.

Es una buena obra arremeter contra los pecados específicos de las personas ignorantes y no regeneradas, de los tales está llena la tierra.

Sin embargo, aunque pueda ser hecha con gran eficacia, vigor y éxito, no podrá prevalecer contra ellos si este fuera todo su efecto: Que se esfuercen de manera muy diligente para mortificar los pecados contra los cuales se ha predicado. Todo lo que es hecho no es más que golpear a un enemigo en un campo abierto y arrastrarlo a un castillo inexpugnable. ¿Alguna vez han ganado ventaja en el pecador al censurar un solo pecado cualquiera? ¿Tienen algo por lo cual puedan asirlo? Tráiganlo a su estado y su condición, háganlo subir a la fuente y ahí traten con el pecador. Quebrantar a los hombres respecto a pecados específicos y no quebrantar sus corazones, es privarnos a nosotros mismos de las ventajas de tratar con ellos.

Y en esto yace la mortificación romana gravemente pecaminosa. Conducen a todo tipo de personas a la mortificación sin la más mínima consideración de que si tienen un fundamento para ella o no. No hay duda de que están muy lejos de llamar a los hombres a creer para que puedan ser capaces de mortificar sus concupiscencias, ya que llaman a los hombres a la mortificación en lugar de a creer. La verdad es que ellos ni conocen qué es creer ni lo que pretende la propia mortificación.

La fe para ellos no es más que un asentimiento general a la doctrina enseñada en su iglesia, y la mortificación para ellos es un compromiso del hombre por un voto a cierto tipo de estilo de vida en el que se niega a sí mismo algo del uso de las cosas de este mundo, no sin una compensación considerable.

Tales hombres no conocen ni las Escrituras ni el poder de Dios (*cf.* Mr. 12:24). Su jactancia de su mortificación no es sino su gloria en su vergüenza. Algunos casuistas[6] entre nosotros ignoran la necesidad de la regeneración y dan confiadamente como instrucción a toda clase de personas que se quejan de algún pecado o concupiscencia que hagan voto contra él por lo menos por un tiempo, un mes o algo similar.

Estos parecen tener un escaso brillo de luz en el misterio del evangelio, así como Nicodemo cuando vino por primera vez a Cristo (*cf.* Jn. 3:1-21). Piden a los hombres que hagan voto para abstenerse de su pecado por un tiempo. Esto comúnmente hace que su concupiscencia sea más impetuosa. Quizá con gran perplejidad ellos mantienen su palabra — quizá no, lo cual incrementa su culpa y tormento. ¿Es su pecado mortificado por este medio? ¿Encuentran una conquista sobre él? ¿Ha cambiado su condición, aunque alcancen una renuncia a su pecado? ¿Acaso no están todavía en hiel de amargura? ¿Acaso no es esto poner a los hombres a hacer ladrillos sin *paja*, o sin *fuerza* lo cual es peor? ¿Qué promesa tiene cualquier hombre no regenerado que lo anime en esta obra? ¿Qué ayuda tiene para la ejecución de esta? ¿Puede ser el pecado aniquilado sin una unión con Cristo en la semejanza de Su muerte o mortificado sin el Espíritu? (*cf.* Ro. 6:5).

Romanos 6.5–6 Porque si hemos sido unidos *a Cristo* en la semejanza de Su muerte, ciertamente lo seremos también *en la semejanza* de Su resurrección. Sabemos esto, que nuestro viejo hombre fue crucificado con *Cristo*, para que

---

[6] Aquellos que rígidamente aplican reglas éticas.

> nuestro cuerpo de pecado fuera destruido, a fin de que ya no seamos esclavos del pecado;

Si tales instrucciones prevalecieran para cambiar las vidas de los hombres, como raras veces lo hacen, nunca conseguirán el cambio de sus corazones o condiciones. Estas instrucciones pueden hacerlos hombres que se creen justos[7] o hipócritas, pero no cristianos.

Me duele ver frecuentemente a las pobres almas que tienen un celo por Dios y un deseo por el bienestar eterno, mantenidas por tales instructores e instrucciones bajo una adoración y un servicio a Dios duros, onerosos y externos todos sus días, con muchos esfuerzos especiosos para la mortificación, en una ignorancia total de la justicia de Cristo y la falta de familiaridad con Su Espíritu. Personas y cosas de este tipo conozco demasiadas. Si alguna vez Dios resplandece en sus corazones para darles el conocimiento de Su gloria en la faz de Su Hijo Jesucristo, verán la locura de su presente camino (*cf.* 2 Co. 4:6).

> **2 Corintios 4.6–7** Pues Dios, que dijo: "De las tinieblas resplandecerá la luz," es el que ha resplandecido en nuestros corazones, para iluminación del conocimiento de la gloria de Dios en el rostro de Cristo. Pero tenemos este tesoro en vasos de barro, para que la extraordinaria grandeza del poder sea de Dios y no de nosotros.

[7] Aquellos que creen que pueden alcanzar la justificación por su propio actuar o naturaleza.

CAPÍTULO 8: REGLAS GENERALES PARA LA MORTIFICACIÓN: *SINCERIDAD Y DILIGENCIA EN LA OBEDIENCIA*

1. La necesidad de la obediencia universal
    a. La obediencia parcial procede de un principio corrupto
    b. El castigo de la obediencia parcial
2. Razones del predominio de una concupiscencia particular
    a. Es debido a su efecto natural
    b. Es debido al castigo por otros pecados

La segunda regla para la mortificación del pecado que plantearé es la siguiente:

> ***Sin sinceridad y diligencia en la obediencia universal, no se podrá obtener ninguna mortificación de ninguna concupiscencia desconcertante.***

La primera regla tenía que ver con la persona, pero esta regla se refiere al asunto en sí. En seguida voy a explicar un poco esta posición.

1. La necesidad de la obediencia universal

Cualquier concupiscencia puede llevar al hombre a la condición descrita anteriormente.[1] Es poderosa, fuerte y tumultuosa. Lleva cautiva, inquieta, desespera y quita la paz. Él no es capaz de soportarla; por lo que se opone a ella, ora contra ella, gime debajo de ella y suspira para ser liberado. Pero mientras tanto, en otros deberes —en la constante comunión con Dios; en la lectura, oración y meditación; en las otras maneras que no son del mismo tipo que la concupiscencia con la cual es perturbado—, es flojo y negligente. Que ese hombre no piense que alguna vez llegará a la mortificación de la concupiscencia con la que es inquietado.

Esta es una condición que no pocas veces les sucede a los hombres en su peregrinación. Los israelitas se acercaron a Dios bajo un sentido de su pecado con mucha diligencia y fervor, con ayuno y oración (*cf.* Is. 58). Muchas expresiones son hechas de su fervor en la obra, tales como: "Que me buscan cada día, y quieren saber mis caminos, como gente que hubiese hecho justicia, y que no hubiese dejado la ley de su Dios; me piden justos juicios, y quieren acercarse a Dios" (v. 2). Pero Dios lo rechaza todo. Su ayuno es un remedio que no los sanará, y la razón que se da es que se concentraron únicamente en este deber (vv. 5-7).

> **Isaías 58.5–7** ¿Es ése el ayuno que Yo escogí para que un día se humille el hombre? ¿Es acaso para que incline su cabeza como un junco, Y para que se acueste en cilicio y ceniza? ¿Llamarán a esto ayuno y día acepto al Señor? ¿No es éste el ayuno que Yo escogí: Desatar las ligaduras de impiedad, Soltar las coyundas del yugo, Dejar ir libres a los oprimidos, Y romper todo yugo? ¿No es para que compartas tu pan con el hambriento, Y recibas en casa a los pobres sin hogar; Para que cuando veas al desnudo lo cubras, Y no te escondas de tu semejante?

Ellos atendieron este deber diligentemente, pero en los demás fueron negligentes y descuidados. El que tiene una "llaga sangrante" (es la

---

[1] Por obediencia universal, Owen se refiere a total o completa, en el sentido de que no debe haber ninguna área de la vida del creyente que no este sometida bajo el señorío de Cristo.

expresión de la Escritura) sobre él que surge de un mal hábito del cuerpo, contraído por la intemperancia y la mala dieta, que aplique toda diligencia y habilidad que pueda *para curar su llaga*, pero su trabajo y su labor serán en vano si deja *el hábito general de su cuerpo* en desorden. Sus intentos entonces serán para tratar de detener el flujo sangriento de pecado y suciedad en su alma, pero no es de la misma manera cuidadoso con su constitución y temperatura espiritual universal. Las razones de esto son las siguientes:

a. La obediencia parcial procede de un principio corrupto

Este tipo de esfuerzo para la mortificación procede de un *principio, base y fundamento corruptos*; por lo cual nunca llegará a un buen resultado. Posteriormente se insistirá en los principios verdaderos y aceptables de la mortificación: El odio hacia el pecado como pecado (no solo como irritante o inquietante) y el sentido del amor de Cristo en la cruz están en el corazón de toda verdadera mortificación espiritual. Es cierto que lo anteriormente mencionado procede del *amor propio*.

Te propones con toda diligencia y fervor mortificar tal concupiscencia o pecado, pero ¿cuál es la razón de ello? Te inquieta y te quita la paz. Llena tu corazón de tristeza, de problemas y de miedo. No tienes descanso debido a ese pecado. Sí, pero amigo, has descuidado la oración o la lectura; has sido presuntuoso y flojo en tu conducta en las otras cosas que no han sido de la misma naturaleza que esa concupiscencia con la que eres perturbado.

Estos no son menos pecados y males que aquellos bajo los cuales gimes. Jesucristo sangró por ellos también. ¿Por qué no te opones a ellos también? Si realmente odiaras el pecado como pecado —en todas sus formas perversas—, serías tan cuidadoso contra todo aquello que contrista o molesta al Espíritu de Dios y no solo contra aquel pecado que contrista o molesta tu propia alma. Es evidente que luchas contra el *pecado* simplemente porque te perturba.

Si tu conciencia estuviera tranquila bajo el pecado, lo dejarías en paz. Si el pecado no te inquietara, tú no lo inquietarías. ¿Puedes pensar que

Dios soportará tales esfuerzos hipócritas? ¿No crees que Su Espíritu dará testimonio de la traición y la falsedad de tu espíritu? ¿Crees que te aliviará de lo que te perturba, de modo que puedas estar en libertad para hacer aquello que no menos le contrista a Él? No. Más bien, Dios diría: "Aquí hay uno que, si pudiera liberarse de esta concupiscencia, nunca más oiría de él. Que luche con esta, o se perderá". Que ningún hombre piense que hace su propia labor si no hará la labor de Dios. La labor de Dios consiste en la *obediencia universal*. Liberarse de la perplejidad actual de un pecado es solo esa labor del hombre. De ahí viene lo que dijo el apóstol:

> **2 Corintios 7.1** Por tanto, amados, teniendo estas promesas, limpiémonos de toda inmundicia de la carne y del espíritu, perfeccionando la santidad en el temor de Dios.

Si hacemos algo, debemos hacer todas las cosas. Por lo tanto, lo que es aceptable no es solo una oposición intensa a esta o aquella concupiscencia peculiar, sino un estado humilde y un temperamento de corazón universal, vigilando todo mal y que se cumpla todo deber.

b. El castigo de la obediencia parcial

¿Cómo sabes que Dios no ha permitido que la concupiscencia con la que has estado perturbado tomara fuerza en ti y poder sobre ti para castigarte por tus otras negligencias y la tibieza común al caminar delante de Él — al menos para despertarte a la consideración de tus caminos, de modo que puedas hacer una labor completa y cambiar tu forma de caminar con Él?

2. Razones del predominio de una concupiscencia particular

El furor y el predominio de una concupiscencia particular es comúnmente el fruto y resultado de un curso descuidado y negligente en general, y eso en doble sentido:

a. Es debido a su efecto natural

Como su efecto natural, por así decirlo. La concupiscencia —como mostré, en general— está en el corazón de todos mientras vivamos, incluso en los mejores hombres. Y no pienses que la Escritura habla en vano acerca de ella cuando dice que es sutil, solapada, astuta, que seduce, atrae, lucha y se rebela.

Mientras el hombre mantenga una vigilancia diligente sobre su corazón —su raíz y fuente— y sobre toda cosa guardada él guarde su corazón —del cual brotan los manantiales de vida y muerte (*cf.* Pr. 4:23), la concupiscencia se marchita y muere en el corazón.

> **Proverbios 4.20–23** Hijo mío, presta atención a mis palabras; Inclina tu oído a mis razones. Que no se aparten de tus ojos; Guárdalas en medio de tu corazón. Porque son vida para los que las hallan, Y salud para todo su cuerpo. Con toda diligencia guarda tu corazón, Porque de él *brotan* los manantiales de la vida.

Pero si por negligencia la concupiscencia logra hacer una erupción de alguna manera en particular, obteniendo un pasaje a los pensamientos por los afectos, y de ellos y por ellos tal vez estalla en un pecado abierto en la vida, entonces la fuerza e ímpetu del pecado sigue el camino que ha encontrado y de esa manera principalmente insta hasta que, habiendo obtenido un pasaje, entonces irrita, inquieta y no es fácil de contener. Por lo tanto, quizás un hombre puede ser sometido a luchar todos sus días en angustia con aquello que pudo fácilmente haber sido prevenido con una vigilancia estricta y universal.

b. Es debido al castigo por otros pecados

Como dije, *a veces Dios permite que un pecado estalle para castigar nuestras otras negligencias*. Como con los hombres malvados, Él los entrega a un pecado como juicio de otro pecado —un pecado más grande por el castigo de uno menor, o uno que los sostendrá con más firmeza y seguridad por otro del cual pudieron haber obtenido liberación (*cf.* Ro. 1:26).

> **Romanos 1.26–27** Por esta razón Dios los entregó a pasiones degradantes; porque sus mujeres cambiaron la función natural por la que es contra la naturaleza. De la misma manera también los hombres, abandonando el uso natural de la mujer, se encendieron en su lujuria unos con otros, cometiendo hechos vergonzosos hombres con hombres, y recibiendo en sí mismos el castigo correspondiente a su extravío.

Esto es así incluso con los que son de Dios. Él puede —y Él lo hace— entregarlos a veces a una condición inquietante, ya sea para prevenir o curar algún otro mal. Ese fue el caso cuando el mensajero de Satanás inquietó a Pablo para que no se exaltara por la grandeza de las revelaciones espirituales (*cf.* 2 Co. 12:7). ¿Acaso no fue una corrección a la vana confianza de Pedro en sí mismo que fuera abandonado para negar a su Señor?

Si este es entonces el estado y la condición de la concupiscencia en su predominio que Dios a menudo permite que prevalezca (al menos para amonestarnos y humillarnos, y tal vez para castigarnos y corregirnos por nuestro andar negligente y descuidado en general), entonces surge la siguiente pregunta: ¿Es posible que el *efecto* se elimine y la *causa* continúe? Es decir, ¿puede la concupiscencia *en particular* ser mortificada y el curso *general* no ser reformado? Aquel que total, completa y aceptablemente quiere mortificar cualquier concupiscencia inquietante, tiene que ocuparse de ser igualmente diligente con todos los demás aspectos de la obediencia y saber que cada concupiscencia, cada omisión del deber, es una carga para Dios (*cf.* Is. 43:24), aunque solo una concupiscencia es una carga para él.

> **Isaías 43.24–25** No Me has comprado con dinero caña aromática, Ni con la grasa de tus sacrificios Me has saciado. Por el contrario Me has abrumado con tus pecados, *Y* Me has cansado con tus iniquidades. Yo, Yo soy el que borro tus transgresiones por amor a Mí mismo, Y no recordaré tus pecados.

Mientras haya una traición en el corazón para consentir cualquier negligencia en no avanzar universalmente hacia toda perfección en la obediencia, el alma será *débil*, ya que no le da a la fe su obra completa. Además, el alma será *egoísta*, ya que considera más la perturbación del pecado que la inmundicia y la culpa del mismo. El alma entonces vive bajo una constante *provocación* a Dios. Así pues, no puede esperar ningún resultado confortante en ningún deber espiritual que asuma, mucho menos en este que estamos considerando, el cual requiere otro principio y condición del espíritu para su realización.

CAPÍTULO 9: INSTRUCCIONES PARTICULARES PARA LA MORTIFICACIÓN: SÍNTOMAS PELIGROSOS

1. Consideren los síntomas peligrosos
    a. Intransigencia
    b. Suplicas secretas del corazón
    c. Triunfo frecuente de la seducción del pecado
    d. Uso de argumentos basados en la ley
    e. Sentido de castigo
    f. Resistencia de la concupiscencia al castigo
    g. Unas palabras de advertencia

Después de haber considerado las *reglas generales*, es mi propósito principal proponer a continuación las *instrucciones particulares* para la orientación del alma que se encuentra bajo el sentido de una inquietante concupiscencia o inclinación pecaminosa que quita la paz. Algunas de estas son previas o preparatorias, y otras incluyen la obra en sí. Del primer tipo son las siguientes:

1. Consideren los síntomas peligrosos

La primera instrucción es esta:

> ***Consideren si su concupiscencia tiene síntomas peligrosos que la acompañan o atienden: Si tiene alguna marca mortal o no.***

En caso de que la concupiscencia tenga tales síntomas peligrosos, se necesitarán remedios extraordinarios. Un curso ordinario de mortificación no será suficiente. Tal vez digan: "¿Cuáles son estas marcas o síntomas peligrosos a los que te refieres —los graves acompañantes de la concupiscencia remanente?" Nombraré algunos de ellos:

a. Intransigencia[1]

Tu padecimiento es peligroso si tu concupiscencia ha estado durante mucho tiempo corrompiendo tu corazón, si has permitido que permanezca con poder y prevalencia sin intentar enérgicamente matarla y curar las heridas que has recibido durante un largo tiempo. ¿Has permitido durante largo tiempo que la mundanidad, la ambición y la codicia del estudio consuman los otros deberes —los deberes en los que deberías mantener una comunión constante con Dios? ¿O has permitido que la impureza profane tu corazón con imaginaciones vanas, insensatas y perversas durante muchos días? Si es así, tu concupiscencia tiene un síntoma peligroso. Así fue el caso de David: "Hieden y supuran mis llagas, a causa de mi locura" (Sal. 38:5).

> **Salmo 38.5–7** Mis llagas huelen mal *y* supuran A causa de mi necedad. Estoy encorvado y abatido en gran manera, *Y* ando sombrío todo el día. Porque mis lomos están inflamados de fiebre, Y nada hay sano en mi carne.

---

[1] Estado de endurecido, empedernido y arraigado.

Cuando una concupiscencia ha permanecido mucho tiempo en el corazón, corrompiendo, infectando y supurando, lleva el alma a una condición lamentable. En tal caso, el curso ordinario de humillación no funcionará. Sea lo que sea, por este medio gradualmente se abrirá camino más o menos en todas las facultades del alma y acostumbrará los afectos a su compañía y sociedad.

Se vuelve tan familiar para la mente y la conciencia que no se sorprenden como si fuera algo extraño, sino que se precipitan a ella como aquello a lo que están acostumbrado. No hay duda de que obtendrá tal ventaja por este medio que a menudo actuará y se presentará sin que se le haya prestado atención alguna, como parece haber sido el caso de José en su juramento por la vida del Faraón (*cf.* Gn. 42:15-16).[2] A menos que se tome un curso extraordinario, tal persona no tiene motivo en el mundo para esperar que su último fin sea la paz.

> **Génesis 42.15–16** "En esto serán probados; por vida de Faraón que no saldrán de este lugar a menos que su hermano menor venga aquí. "Envíen a uno de ustedes y que traiga a su hermano, mientras ustedes quedan presos, para que sean probadas sus palabras, *a ver si hay* verdad en ustedes. Y si no, ¡por vida de Faraón!, ciertamente son espías."

Porque, *primero*, ¿cómo será capaz de distinguir entre la larga morada de una concupiscencia no mortificada y el dominio del pecado, que no puede ocurrir en una persona regenerada? *En segundo lugar*, ¿cómo puede prometerse a sí mismo que un día cambiará o que su concupiscencia dejará de inquietar y seducir, cuando la ve fija y perdurable, habiendo hecho así durante muchos días y habiendo pasado por una variedad de condiciones con ella? Puede ser que el pecado haya sido probado por las misericordias y aflicciones, y aquellas que son posiblemente tan notables que el alma no pudo evitar prestar atención especial a ellas. Puede ser que

---

[2] Owen se refiere al acto de jurar de José por la vida de Faraón, el cual al parecer fue algo inconsciente debido a que estaba acostumbrado a hacerlo. De la misma manera es cuando un pecado ha dominado la vida del creyente.

haya resistido muchas tormentas y haya pasado bajo muchas variedades de regalos en la administración de la Palabra.

Nunca resulta fácil desalojar a un residente que está alegando el título de una propiedad después de haber vivido mucho tiempo en ella. Las viejas heridas descuidadas son a menudo mortales y siempre peligrosas. Los padecimientos internos se vuelven como el óxido persistente por la continuidad en la ligereza y tranquilidad.

La concupiscencia es tal residente que, si puede alegar tiempo y algún derecho por la duración de estancia, no será expulsado fácilmente. El pecado nunca muere por sí mismo. Por tanto, si no es matado diariamente siempre ganará más fuerza.

b. Suplicas secretas del corazón

Otro síntoma peligroso de un padecimiento mortal en el corazón son las súplicas secretas del corazón para sostenerse a sí mismo y mantener su paz —a pesar de la permanencia de la concupiscencia sin un vigoroso intento evangélico por su mortificación. Hay entonces varias maneras en que esto puede realizarse. Voy a nombrar algunos de ellas:

1) Buscar el bien en lugar de mortificar el pecado

Es un síntoma peligroso de una concupiscencia mortal en el corazón cuando un hombre tiene pensamientos desconcertantes sobre el pecado, y en vez de ocuparse de destruirlo, busca en su corazón para ver qué evidencias puede encontrar de una buena condición para que le vaya bien, a pesar del pecado y la concupiscencia.

Que un hombre reúna sus experiencias pasadas con Dios —recordarlas, recopilarlas, considerarlas, intentarlas y mejorarlas— es algo excelente. Es un deber practicado por todos los santos y recomendado tanto en el Antiguo como en el Nuevo Testamento. Es a lo que se dedicaba David cuando meditaba en su corazón y recordaba las misericordias pasadas del Señor (*cf.* Sal. 77:6-11). Este es el deber que Pablo nos insta a practicar (*cf.* 2 Co. 13:5).

> **Salmo 77.6–11** De noche me acordaré de mi canción; En mi corazón meditaré, Y mi espíritu indaga: ¿Rechazará el Señor para siempre? ¿No mostrará más *Su* favor? ¿Ha cesado para siempre Su misericordia? ¿Ha terminado para siempre *Su* promesa? ¿Ha olvidado Dios tener piedad, O ha retirado con Su ira Su compasión? (Selah) Entonces dije: "Este es mi dolor: Que la diestra del Altísimo ha cambiado." Me acordaré de las obras del Señor; Ciertamente me acordaré de Tus maravillas antiguas.

Y así como en sí es excelente, así mismo tiene una belleza añadida en su tiempo apropiado —durante el tiempo de prueba, tentación o inquietud del corazón por el pecado. Es el engaste de plata para hacer resaltar esta manzana dorada, como lo dice Salomón (*cf.* Pr. 25:11). Pero hacerlo para satisfacer la conciencia, que clama y demanda otro propósito, es una artimaña grave de un corazón enamorado del pecado.

Cuando la conciencia afronta al hombre y cuando Dios lo reprende por la inclinación pecaminosa de su corazón, si él —en vez de tratar de buscar el perdón de ese pecado en la sangre de Cristo y mortificarlo por medio de Su Espíritu— intenta aliviarse a sí mismo auto justificándose con esas otras evidencias pasadas que tiene (o cree tener) y así deshacerse del yugo que Dios le estaba poniendo en su cuello, su condición es muy peligrosa y su herida difícilmente curable.

De este modo los judíos, bajo las convicciones de sus propias conciencias y la convincente predicación de nuestro Salvador, se apoyaron en el argumento que eran "hijos de Abraham" y, por ende, aceptados por Dios (*cf.* Jn. 8:39). Y así aceptaron toda maldad abominable para su ruina total. En cierto grado esto solo nutre el ego del hombre y decir que por un motivo u otro tendrá paz, "a fin de que con la embriaguez quite la sed" (Dt. 29:19).

> **Deuteronomio 29.19** "Y sucederá que cuando él oiga las palabras de esta maldición, se envanecerá, diciendo: 'Tendré paz aunque ande en la terquedad de mi corazón, a fin de destruir la *tierra* regada junto con la seca.'

El amor al pecado, la subvaloración de la paz y de todas las pruebas de amor de Dios, están envueltos en tal estado. Tal persona claramente muestra que, si puede mantener la esperanza de escapar de la "ira venidera" (*cf.* Mt. 3:7), puede contentarse con ser infructuoso en el mundo y con estar a cualquier distancia de Dios que no sea la separación final. ¿Qué se puede esperar de un corazón como este?

2) Aplicar la gracia a un pecado no mortificado

Este engaño se lleva a cabo al aplicar la gracia y la misericordia a un pecado no mortificado, o a uno que no se ha intentado mortificar sinceramente. Esta es una señal de un corazón grandemente enredado con el amor al pecado. Cuando un hombre tiene pensamientos secretos en su corazón —no muy diferentes a los de Naamán sobre su adoración en la casa de Rimón, diciendo en efecto: "En todas las demás cosas caminaré con Dios, pero en esto, Dios sea misericordioso conmigo" (2 R. 5:18)— su condición es triste.

Ciertamente el hecho de que un hombre esté resuelto a permitir cualquier pecado debido a la misericordia parece ser (y sin lugar a dudas en cualquier curso es) totalmente inconsistente con la sinceridad cristiana. Además, es el distintivo de un hipócrita y la conversión de la gracia de nuestro Dios en libertinaje (*cf.* Jud. 1:4).

Sin embargo, no hay duda de que algunos de los verdaderos hijos de Dios pueden algunas veces ser atrapados por este engaño pecaminoso debido a la astucia de Satanás y a su propia incredulidad. Eso debe ser cierto, o Pablo nunca les hubiera advertido tanto en contra de ello como lo hace (*cf.* Ro. 6:1-2).

> **Romanos 6.1–2** ¿Qué diremos, entonces? ¿Continuaremos en pecado para que la gracia abunde? ¡De ningún modo! Nosotros, que hemos muerto al pecado, ¿cómo viviremos aún en él?

Sí, de hecho, no hay nada más natural para los razonamientos carnales que volverse altos y fuertes en este asunto. La carne se complacería alegremente en la consideración de la gracia y cada palabra que se habla de misericordia. Está lista para apropiarse y pervertir la misericordia a sus propios fines y propósitos corruptos. Aplicar entonces la misericordia vigorosamente a un pecado no mortificado es cumplir el fin de la carne sobre el evangelio.

El corazón engañoso usará a veces estas y muchas otras formas y artimañas para tolerar sus abominaciones. Cuando un hombre entonces con su pecado está en esta condición —que hay un deseo secreto por el pecado que prevalece en su corazón, y aunque su voluntad no está totalmente establecida en él, tiene una imperfecta inclinación hacia el pecado—, lo practicaría si no fuera por tales y tales consideraciones, y en esto se alivia a sí mismo de otra manera que por la mortificación y el perdón del pecado en la sangre de Cristo. Entonces las llagas de este hombre hieden y son corruptas (*cf.* Sal. 38:5) y, sin una pronta liberación, estará a la puerta de la muerte.

c. Triunfo frecuente de la seducción del pecado

Otro síntoma peligroso es la frecuencia del éxito de la seducción del pecado, en obtener el consentimiento prevaleciente de la voluntad. Me refiero a lo siguiente: Cuando el pecado del que se habla obtiene el consentimiento de la voluntad con algo de deleite, aunque en realidad no se ha perpetrado externamente, ya tiene éxito. Bajo consideraciones externas es posible que un hombre no pueda consentir con el pecado en aquello que Santiago llama la "consumación" de él (*cf.* Stg. 1:14-15) —en cuanto a los actos externos del pecado.

> **Santiago 1.14–15** Sino que cada uno es tentado cuando es llevado y seducido por su propia pasión. Después, cuando la pasión ha concebido, da a luz el pecado; y cuando el pecado es consumado, engendra la muerte.

Sin embargo, cuando la voluntad a pecar es realmente alcanzada, entonces como dije ha tenido éxito. Si alguna concupiscencia puede entonces prevalecer hasta aquí en el alma de cualquier hombre, de modo que su condición puede ser muy mala y él mismo no ser regenerado, concluimos que no puede ser muy bueno, sino peligroso. Y toda la cuestión es la misma en cuanto a si esta caída en el pecado se hace por elección de la voluntad o por inadvertencia,[3] porque aún la inadvertencia es de cierto modo elegida.

Cuando somos inadvertidos y negligentes en áreas donde debemos velar y tener cuidado, entonces esa inadvertencia no quita la voluntariedad de lo que hacemos al respecto. Aunque los hombres no elijan o no resuelvan ser negligentes e inadvertidos, si eligen las cosas que los harán así, entonces eligen la inadvertencia en sí misma, ya que una cosa puede ser elegida en su causa.

Ahora bien, no dejemos que los hombres piensen que el mal de sus corazones está en alguna medida excusado porque parecen en su mayor parte sorprenderse con ese consentimiento que parecen darle, ya que es la negligencia de su deber de velar sus corazones lo que los traiciona en esa sorpresa.

d. Uso de argumentos basados en la ley

Cuando un hombre pelea contra su pecado solo con los argumentos de sus consecuencias o castigos debidos, esta es una señal de que el pecado ha tomado gran posesión de la voluntad y que en el corazón hay una "abundancia de malicia" (Stg. 1:21). Un hombre así que no se opone a la seducción del pecado y la concupiscencia en su corazón excepto por el temor de la vergüenza ante los hombres o el infierno de Dios, estaría suficientemente resuelto a cometer el pecado si no hubiera un castigo que lo acompañara. Lo cual no sé en qué difiere esto de vivir en la práctica del pecado.

Aquellos que son de Cristo y actúan en su obediencia a los principios del evangelio tienen la muerte de Cristo, el amor de Dios, la naturaleza detestable del pecado, la preciosidad de la comunión con Dios, un profundo aborrecimiento del pecado como pecado, se oponen a cualquier seducción del pecado y a todas las acciones, esfuerzos y luchas de la concupiscencia en sus corazones.

---

[3] Negligencia o descuido.

Lo mismo hizo José: "¿Cómo, pues, haría yo este grande mal, y pecaría contra Dios —[mi Dios bueno y misericordioso]?" (Gn. 39:9). Y Pablo dice:

> **2 Corintios 5.14** Pues el amor de Cristo nos apremia (nos controla), habiendo llegado a esta conclusión: que Uno murió por todos, y por consiguiente, todos murieron.

Y también:

> **2 Corintios 7.1** Por tanto, amados, teniendo estas promesas, limpiémonos de toda inmundicia de la carne y del espíritu, perfeccionando la santidad en el temor de Dios.

Pero ahora, si un hombre está bajo el poder de su concupiscencia de tal forma que no tiene nada más que la ley para oponerse a ella —si no puede luchar contra ella con las armas del evangelio, sino que lidia con ella totalmente con el infierno y el juicio, los cuales son las armas adecuadas de la ley—, entonces es muy evidente que el pecado ha poseído tanto su voluntad como sus afectos hasta obtener una gran prevalencia y conquista.

Tal persona ha desechado, en cuanto a lo particular de lo que se habla, la conducta de la gracia renovadora y es guardada de la ruina solo por la gracia restrictiva. Por ende, ha caído de la gracia y ha regresado bajo el poder de la ley. ¿Y acaso no es esta una gran provocación para Cristo, que los hombres se deshagan de Su yugo y gobierno fáciles y ligeros (*cf.* Mt. 11:29-30) y se arrojen a sí mismos bajo el yugo de hierro de la ley simplemente para tolerar sus concupiscencias?

> **Mateo 11.29–30** "Tomen Mi yugo sobre ustedes y aprendan de Mí, que Yo soy manso y humilde de corazón, y hallaran descanso para sus almas. "Porque Mi yugo es fácil y Mi carga ligera."

Pruébate a ti mismo también con lo siguiente: Cuando eres impulsado por el pecado a tomar una posición, de modo que debes ya sea servirlo y obedecerlo cuando te dice que te precipites a la locura —como el caballo a la batalla— o hacerle frente para suprimirlo, ¿qué es lo que le dices a tu alma? ¿Qué es lo que argumentas contigo mismo? ¿Es esto todo: "El infierno será el final de este curso. La venganza me encontrará?" Es hora de que mires a tu alrededor; "el [mal] está a la puerta" (Gn. 4:7).

El principal argumento de Pablo para demostrar que el pecado no tendrá dominio sobre los creyentes es que "no están bajo la ley, sino bajo la gracia" (Ro. 6:14). Si toda tu contienda contra el pecado se basa en argumentos de la ley —a partir de principios y motivos de la ley—, entonces ¿qué seguridad puedes obtener de que el pecado no tenga dominio sobre ti —lo cual sería tu ruina?

Ciertamente tienes que saber que esta reserva no durará mucho tiempo. Si tu concupiscencia te ha alejado de las fortalezas fuertes del evangelio, también prevalecerá rápidamente contra las fortalezas de la ley. No supongas que tales consideraciones te liberarán, cuando has entregado voluntariamente a tu enemigo aquellas ayudas y medios de preservación que son mil veces más fuertes que ellas. Déjame asegurarte que a menos que te recuperes con rapidez de esta condición, lo que temes vendrá sobre ti. Lo que no hacen los principios del evangelio, los motivos de la ley no pueden hacerlo.

e. Sentido de castigo

Otro síntoma peligroso es cuando es probable que haya (o pueda haber) algo de dureza judicial o, al menos, castigo en tu concupiscencia como inquietante. No hay duda de que Dios a veces incluso deja a los suyos bajo el poder desconcertante de alguna concupiscencia o pecado para corregirlos por los pecados anteriores, la negligencia y la necedad. De ahí que la iglesia se lamentara de la siguiente manera:

> **Isaías 63.17** ¿Por qué, oh Señor, nos haces desviar de Tus caminos Y endureces nuestro corazón a Tu temor? Vuélvete por amor de Tus siervos, las tribus de Tu heredad.

Nadie cuestiona que esta es Su manera de tratar con los hombres no regenerados. Pero, ¿cómo sabrá un hombre si hay algo de la mano disciplinaria de Dios en su abandono ante el desasosiego de su condición? Examina tu corazón y tus caminos. ¿Cuál era el estado y la condición de tu alma antes de caer en los enredos de ese pecado del que tanto te quejas? ¿Has sido negligente en los deberes? ¿Has vivido desmesuradamente contigo mismo? ¿Existe la culpa de algún gran pecado del cual no te has arrepentido? Un nuevo pecado puede ser permitido, así como una nueva aflicción puede ser enviada, para recordar un antiguo pecado.

¿Has recibido alguna misericordia, protección o liberación eminente que no aprovechaste de la manera debida, ni por las cuales fuiste agradecido? ¿O has sido disciplinado con alguna aflicción, pero sin esforzarte por ejercer lo que Dios pretendía con ella? ¿O has sido negligente con las oportunidades de glorificar a Dios en tu generación que, en Su buena providencia, te había concedido misericordiosamente? ¿O te has conformado con el mundo y sus hombres, sucumbiendo a las abundantes tentaciones en los días en que vives? Si encuentras que este ha sido tu estado, ¡despierta y clama a Dios! ¡Estás durmiendo tranquilamente en la tormenta de la ira de Dios a tu alrededor!

f. Resistencia de la concupiscencia al castigo

Un último síntoma peligroso es cuando la concupiscencia ya ha resistido los tratos particulares de Dios contra ella. Esta condición es descrita en este verso:

> **Isaías 57.17** A causa de la iniquidad de su codicia, Me enojé y lo herí. Escondí *Mi rostro* y Me indigné, Y él siguió desviándose por el camino de su corazón.

Dios había tratado con ellos en cuanto a su concupiscencia predominante de varias maneras, por la aflicción y la deserción, pero las resistieron todas. Esta es una lamentable condición que solamente la gracia soberana (como lo expresa Dios en el próximo versículo) puede liberar al hombre de ella, y en la que ningún hombre debería afirmarse o tener algo que ver. En Sus dispensaciones providenciales, Dios a menudo se encuentra con un hombre y habla particularmente al mal de su corazón, como lo hizo con los hermanos de José al venderlo a Egipto.

Esto hace que el hombre reflexione sobre su pecado y se juzgue a sí mismo en particular por ello. Dios hace que esto ocurra por medio de la voz del peligro, de la aflicción, de los problemas o de la enfermedad en la que se encuentra o está debajo. A veces en la lectura de la Palabra de Dios hace que un hombre se quede con algo que le traspase el corazón y lo sacuda en cuanto a su condición actual. Más frecuentemente se encuentra con los hombres cuando escuchan la Palabra predicada —Su gran ordenanza para la convicción, la conversión y la edificación.

Dios a menudo corta a los hombres con la espada de Su Palabra en esa ordenanza, golpea directamente a la amada concupiscencia de su seno, sorprende al pecador, lo compromete a la mortificación y a la renuncia del mal de su corazón. Pero si su concupiscencia se ha apoderado de él como para obligarlo a romper estas ligaduras del Señor y echar de él estas cuerdas (*cf.* Sal. 2:3) —si supera estas convicciones y recupera su antigua postura; si puede curar las heridas que recibe— el alma está en una lamentable triste.

Los males que acompañan tal condición de corazón son inexpresables. Cada advertencia particular a un hombre en tal estado es una misericordia inestimable. ¡Cuánto desprecia a Dios si las resiste! ¡Y qué paciencia más infinita de parte de Dios al no desechar a tal hombre y jurar en Su ira que no entraría en Su reposo (*cf.* He. 4:3)!

> **Hebreos 4.2–3** Porque en verdad, a nosotros se nos ha anunciado las buenas nuevas, como también a ellos. Pero la palabra que ellos oyeron no les aprovechó por no ir acompañada por la fe en los que la oyeron. Porque los que hemos creído entramos en ese reposo, tal como El ha dicho: "Como jure en Mi ira: 'no entraran en Mi reposo,' " aunque las obras de El estaban acabadas desde la fundación del mundo.

Estas y muchas otras evidencias existen de una concupiscencia que es peligrosa, si no mortal. Así como dijo nuestro Salvador sobre el espíritu maligno: "Esta clase no sale sino con oración y ayuno" (Mt. 17:21, así mismo digo de las concupiscencias de esta clase. Un curso ordinario de mortificación no será suficiente, por lo que se deben usar las formas extraordinarias. Esta es la primera instrucción particular:

> *Consideren si la concupiscencia o el pecado con el que están luchando tiene alguno de estos síntomas peligrosos que lo acompañan.*

g. Unas palabras de advertencia

Antes de continuar, debo mencionar una advertencia a no ser que alguien sea engañado por lo que se ha dicho. Si bien digo que las cosas y los males mencionados anteriormente pueden acontecerles a los verdaderos creyentes, que nadie —que encuentra las mismas cosas en sí mismo— concluya que es un verdadero creyente.

Estos son los males en los cuales los creyentes pueden caer y quedar atrapados, no las cosas que *constituyen* a un creyente. Bien podría una persona que es adúltera concluir que es un creyente verdadero porque David cayó en adulterio. De esa manera concluye basándose en las señales mencionadas anteriormente, las cuales son los males del pecado y de Satanás en los corazones de los creyentes.

El capítulo siete del libro de Romanos contiene la descripción de un hombre regenerado. Sin embargo, aquel que considera lo que se ha hablado sobre el lado oscuro del creyente, su parte no regenerada, el poder y la violencia interior del pecado remanente en él, y —por encontrar cosas similares en sí mismo— concluye que es un hombre regenerado, solo porque tiene debilidades, será engañado en su conclusión. Es lo mismo como si argumentaras de la siguiente manera: Un hombre sabio puede estar enfermo y herido, y además hacer algunas cosas tontas. Por lo tanto, todo aquel que está enfermo y herido y hace algunas cosas tontas es un hombre sabio. O como si una persona ridícula, insensata y de apariencia deformada —al escuchar hablar a una persona de apariencia hermosa decir que tenía una marca o cicatriz que lo desfiguró mucho— concluyera que también es hermosa como esta persona solo porque tiene cicatrices, lunares y verrugas como esta. Si quieres tener evidencias de que eres creyente, debe ser a partir de aquellas cosas que constituyen a los creyentes. El que tiene estas cosas, estos síntomas peligrosos en sí mismos puede concluir con seguridad: "Si soy creyente, soy el más miserable". Cuando algún hombre se encuentra así, debe buscar las otras evidencias si quiere tener paz.

CAPÍTULO 10: INSTRUCCIONES PARTICULARES PARA LA MORTIFICACIÓN: *SENTIDO CLARO DEL PECADO*

2. Tengan un sentido claro del pecado
    a. Consideren la culpa de su pecado
    b. Consideren el peligro de su pecado
    c. Consideren los males de su pecado

2. Tengan un sentido claro del pecado

La segunda instrucción es esta:

> ***Deben obtener en su mente y conciencia un sentido claro y permanente de la culpa, el peligro y el mal de ese pecado con el que están turbados.***

a. Consideren la culpa de su pecado

1) La enorme culpa

Acerca de la culpa del pecado. Uno de los engaños de la concupiscencia predominante es minimizar su propia culpa en nuestras mentes.

> **Génesis 19.20** "Mira, esta ciudad está *bastante* cerca para huir a ella, y es pequeña. Te ruego que me dejes huir allá (¿acaso no es pequeña?) para salvar mi vida."
> **2º Reyes 5.18** "Que el Señor perdone a su siervo en esto: Cuando mi señor entre en el templo de Rimón para adorar allí y se apoye en mi mano, y yo me incline en el templo de Rimón cuando tenga que adorar allí, que el Señor perdone a su siervo por esto."

Es como si dijera: "Aunque esto sea malo, no es tan malo como tal y tal maldad. Otros del pueblo de Dios han actuado de la misma manera. ¡Incluso algunos de ellos han caído en pecados realmente terribles!" Hay innumerables maneras en que el pecado desvía la mente de una correcta y debida comprensión de su culpa. Sus nocivas exhalaciones ofuscan la mente de tal manera que no puede hacer un juicio correcto de las cosas.

Los razonamientos desconcertantes, las promesas atenuantes, los deseos tumultuosos, los propósitos traicioneros de la renuncia, las esperanzas de la misericordia, todas estas cosas tienen su parte en perturbar la mente para considerar la culpa de la concupiscencia predominante. El profeta nos dice que la concupiscencia hará esto completamente cuando alcance su máximo: "La fornicación, vino y mosto quitan el corazón" (Os. 4:11) —el corazón, es decir, el entendimiento, como se usa a menudo en las Escrituras. Y así como la concupiscencia realiza esta operación hasta el máximo en personas no regeneradas, así mismo también la realiza en parte en personas regeneradas.

Salomón te relata de aquel joven que fue seducido por la mujer lasciva, que estaba "entre los simples" y que era "un joven falto de entendimiento" (Pr. 7:7). ¿Y en qué consistió su locura? Pues, dice, en que "no sabe que es contra su vida" (v. 23); no consideró la culpa del mal en el que estaba involucrado. Y el Señor, al dar la razón por la cual Sus tratos con Efraín no tuvieron un mejor efecto, da esta explicación: "Efraín fue como paloma incauta, sin entendimiento" (Os. 7:11) —es decir, no entendió su propia condición miserable.

Habría sido imposible para David haber permanecido durante tanto tiempo en la culpa de su abominable pecado salvo que tuviera innumerables razonamientos corruptos que le impidieran tener una clara visión de su fealdad y culpa en el espejo de la ley. Esto hizo que el profeta fuera enviado para despertarlo, para hacerle frente y para hacer callar todos los subterfugios y pretensiones por medio de su parábola, de modo que pudiera caer completamente bajo el sentido de la culpa de su pecado (*cf.* 2 S. 12:7).

> **2º Samuel 12.7–9** Entonces Natán dijo a David: "Tú eres aquel hombre. Así dice el Señor, Dios de Israel: 'Yo te ungí rey sobre Israel y te libré de la mano de Saúl. 'Yo también entregué a tu cuidado la casa de tu señor y las mujeres de tu señor, y te di la casa de Israel y de Judá; y si *eso hubiera sido* poco, te hubiera añadido muchas cosas como éstas. '¿Por qué has despreciado la palabra del Señor haciendo lo malo ante Sus ojos? Has matado a espada a Urías el Hitita, has tomado su mujer para que sea mujer tuya, y a él lo has matado con la espada de los Amonitas.

Este es el resultado esperado de la concupiscencia en el corazón: Oscurece la mente para que no juzgue correctamente su culpa. Y tiene muchas otras formas para su propia minimización y extenuación en las que ahora no insistiré.

2) Consideraciones para tener una correcta comprensión de la culpa del pecado

Que esto entonces sea la principal preocupación de aquel que quiere mortificar el pecado: Tener en su mente un juicio correcto de su culpa. Para este propósito, toma en cuenta estas consideraciones para tu ayuda:

a) *La culpa del pecado es agravada por la gracia recibida*

Aunque el poder del pecado es debilitado por la gracia inherente en aquellos que la tienen, para que el pecado no tenga dominio sobre ellos como lo ha tenido sobre los demás, la culpa del pecado que aún queda y permanece es agravada y aumentada por esa gracia.

> **Romanos 6.1–2** ¿Qué diremos, entonces? ¿Continuaremos en pecado para que la gracia abunde? ¡De ningún modo! Nosotros, que hemos muerto al pecado, ¿cómo viviremos aún en él?

"Nosotros, que hemos muerto al pecado" —el énfasis está en la palabra "*nosotros*". ¿Cómo nosotros pecaremos, los que —como él lo describe después— hemos recibido la gracia de Cristo para el propósito contrario? No hay duda de que somos más perversos que nadie si pecamos. No insistiré en las agravaciones especiales de los pecados de tales personas —cómo pecan contra más amor, misericordia, gracia, ayuda, alivio, medios y liberaciones que otros. Pero deja que esta consideración permanezca en tu mente: Hay inconcebiblemente más perversidad y culpa en el mal de tu corazón que permanece de la que habría en tanto pecado si no tuvieras ninguna gracia.

b) *Dense cuenta de lo que Dios ve*

Observen que, así como Dios ve la abundancia de belleza y excelencia en los deseos del corazón de Sus siervos —más que en cualquiera de las obras más gloriosas de otros hombres, sí, más que en la mayoría de sus propias obras externas, que tienen una mayor mezcla de pecado que los deseos y jadeos de gracia en el corazón—, así mismo Dios ve una gran cantidad de maldad en la obra de la concupiscencia en sus corazones. Sí, Él ve más maldad en sus concupiscencias que en los actos flagrantes y notorios de los hombres malvados, o que en muchos pecados externos en los cuales los santos pueden caer —considerando que hay más oposición hecha contra ellos, y generalmente más humillación los sigue. Así Cristo, al tratar con Sus hijos en decadencia, va a la raíz con ellos, haciendo a un lado su profesión: "Yo conozco tus obras" (Ap. 3:15) —es decir: "*Yo te conozco*. Tú eres otra cosa completamente diferente de lo que profesas, y esto te hace abominable".

Que estas cosas y otras consideraciones similares entonces te lleven a un sentido claro de la culpa de tu concupiscencia interior, de modo que no haya espacio en tu corazón para minimizar y excusar esos pensamientos por los cuales el pecado de manera indiscernible se fortalecerá y prevalecerá.

b. Consideren el peligro de su pecado

Consideren el peligro de su pecado, el cual tiene muchos aspectos:

1) Ser endurecido por el engaño del pecado

El pecado nos endurece con su engaño. Esto el apóstol señala con mucho pesar en Hebreos:

> **Hebreos 3.12–13** Tengan cuidado, hermanos, no sea que en alguno de ustedes haya un corazón malo de incredulidad, para apartarse del Dios vivo. Antes, exhórtense los unos a los otros cada día, mientras *todavía* se dice: "Hoy;" no sea que alguno de ustedes sea endurecido por el engaño del pecado.

"Mirad" —es como si hubiera dicho lo siguiente: "Usad todos los medios necesarios, evaluad vuestras tentaciones, vigilad diligentemente. Existe una traición y un engaño en el pecado que tiende a endurecer vuestros corazones del temor de Dios". El endurecimiento aquí mencionado es hasta la máxima obstinación.

El pecado tiende a eso, y toda corrupción y concupiscencia hará por lo menos algún progreso hacia ese endurecimiento. Tú que eras sensible y solías derretirte bajo la Palabra y bajo las aflicciones, te volviste —como algunos han hablado profanamente— "a prueba de sermones y a prueba de enfermedades, indiferente a los sermones y a los males". Tú que en verdad temblabas ante la presencia de Dios, ante los pensamientos sobre la muerte y de aparecer delante de Él, cuando tenías más seguridad de Su amor de la que ahora tienes, posees una dureza sobre tu espíritu de modo que no te conmueves por estas cosas.

Se habla a tu alma y de tu pecado, y no estás preocupado en absoluto, sino que eres capaz de obviar los deberes (el orar, el escuchar y el leer), y tu corazón no es afectado en lo más mínimo. El pecado se vuelve algo sin importancia para ti. Lo ignoras como si no fuera nada. ¡Esto es a lo que llevará! Y, ¿cuál será el final de tal condición? ¿Puede acontecerte algo más triste? ¿Acaso esto no es suficiente para hacer temblar cualquier corazón: Pensar en ser llevado a ese estado en el que tenga leves reflexiones sobre el pecado? Leves reflexiones sobre la gracia, sobre la misericordia, sobre la sangre de Cristo, sobre la ley, el cielo y el infierno vienen todas al mismo tiempo. Ten cuidado, tu concupiscencia está trabajando para dirigirte a esto: El endurecimiento del corazón, la cauterización de la consciencia, el cegamiento de la mente, el aturdimiento de los afectos y el engaño de toda el alma.

2) Algunas grandes correcciones

Consideren el peligro de recibir alguna gran corrección temporal, la cual la Escritura llama "venganza", "juicio" y "castigo" (Sal 89:30-33).

> **Salmo 89.30–33** Si sus hijos abandonan Mi ley Y no andan en Mis juicios, Si violan Mis estatutos Y no guardan Mis mandamientos, Entonces castigaré con vara su transgresión Y con azotes su iniquidad. Pero no quitaré de él Mi misericordia, Ni obraré falsamente en Mi fidelidad.

Aunque Dios no te deseche completamente por esta abominación que yace en tu corazón, te visitará con la vara. Aunque te absuelva y te perdone, Él se vengará de tus invenciones. ¡Oh, recuerda a David y todos sus problemas! Observa cómo escapó hacia el desierto y contempla la mano de Dios sobre él. ¿No es nada para ti que Dios mate a tu hijo en ira, arruine tus bienes en ira, quebrante tus huesos en ira, permita que seas un escándalo y oprobio en ira, te mate, te destruya, te haga yacer en oscuridad

—todo en ira? ¿No es nada que castigue, arruine y derrumbe a otros por ti? No me malinterpreten.

No digo que Dios envía todas estas cosas siempre en Su ira. ¡Dios nos libre! Mas esto digo: Que cuando Él trata contigo de esa forma y tu consciencia testifica junto a Él sobre cuáles han sido tus provocaciones, encontrarás Sus tratos llenos de amargura para con tu alma. Si no temes estas cosas, me temo que estás bajo el endurecimiento de tus pecados.

3) La pérdida de la paz y la fuerza

Consideren la pérdida de la paz y la fuerza en todos los días. Tener paz con Dios y tener fuerza para caminar delante de Dios, es la suma de las grandes promesas del pacto de gracia. En estas cosas se halla la vida de nuestras almas. Sin ellas en cierta medida confortable, vivir es morir. ¿De qué nos servirán nuestras vidas si no vemos a veces la faz de Dios en paz, y si no tenemos algo de fuerza para caminar con Él? La concupiscencia no mortificada entonces privará ciertamente a las almas de los hombres de ambas. Esta situación es tan evidente en David que nada puede ser más claro. ¡Cuántas veces se queja de que sus huesos fueron quebrantados, su alma inquietada y sus heridas agravadas por este motivo! Otro ejemplo:

> **Isaías 57.17** A causa de la iniquidad de su codicia, Me enojé y lo herí. Escondí *Mi rostro* y Me indigné, Y él siguió desviándose por el camino de su corazón.

¿Qué paz existe, si se puede saber, para el alma mientras Dios se esconde; o qué fuerza mientras Él golpea?

> **Oseas 5.15** Me iré *y* volveré a Mi lugar Hasta que reconozcan su culpa y busquen Mi rostro; En su angustia Me buscarán con diligencia.

Es como si hubiera dicho: "Los dejaré, esconderé mi rostro; ¿y qué será de su paz y su fuerza?" Por lo tanto, si alguna vez has gozado de paz con Dios, si alguna vez Sus terrores te han hecho temer, si alguna vez has tenido fuerza para caminar con Él, o si alguna vez has llorado en tu oración y te has sentido abrumado por causa de tu debilidad, considera este peligro que se cierne sobre tu cabeza.

Quizá un poco más y ya no verás más la faz de Dios en paz. Quizá para mañana ya no serás capaz de orar, leer, escuchar o realizar cualquier deber con la menor alegría, vida o vigor. Posiblemente nunca veas una hora tranquila mientras vivas. Puede que lleves a todas partes tus huesos rotos, llenos de dolor y terror, todos los días de tu vida.

Sí, quizá Dios dispare Sus flechas contra ti y te llene de angustia e inquietud, de temores y perplejidades; te convierta en un terror y en un asombro para ti mismo y para los demás (*cf.* Jer. 20:4); te muestre el infierno y la ira a cada instante; te espante y te asuste con penosas percepciones de su aborrecimiento —de modo que tus llagas sangren durante la noche y tu alma rechace el consuelo (*cf.* Sal. 77:2); de modo que desees la muerte en lugar de la vida; sí, de modo que tu alma escoja la estrangulación (*cf.* Job 7:15).

> **Jeremías 20.4** "Porque así dice el Señor: 'Te voy a convertir en terror para ti mismo y para todos tus amigos; ellos caerán por la espada de tus enemigos, y tus ojos lo verán. Entregaré a todo Judá en manos del rey de Babilonia, y él los llevará como desterrados a Babilonia y los matará a espada.
> **Salmo 77.2** En el día de mi angustia busqué al Señor; En la noche mi mano se extendía sin cansarse; Mi alma rehusaba ser consolada.
> **Job 7.15** Mi alma, pues, escoge la asfixia, La muerte, en lugar de mis dolores.

Reflexiona en esto un poco: Aunque Dios no te destruya completamente, puede arrojarte a esta condición, en la que tendrás percepciones rápidas y vivas de tu destrucción. Acostumbra tu corazón a estas reflexiones; hazle saber lo que es probable que sea el resultado de esta situación. No dejes esta consideración hasta que hayas hecho temblar tu alma dentro de ti.

4) El peligro de la destrucción eterna

Existe el peligro de la destrucción eterna. Para el correcto manejo de esta consideración, observen lo siguiente:

a) *La conexión entre la persistencia en el pecado y la destrucción*
Hay tal conexión entre la persistencia en el pecado y la destrucción eterna que, aunque Dios decida librar a algunos de la persistencia en el pecado para que no sean destruidos, Dios no librará de la destrucción a ninguno que continúe en el pecado —de manera que mientras alguna persona permanezca bajo el poder constante del pecado, las amenazas de destrucción y separación eterna de Dios deben ser extendidas a esa persona.

Esta es la regla del proceder de Dios: Si cualquier hombre "se aparta" de Él, "retrocede" por causa de la incredulidad, "el alma de Dios no se complacerá en él" (He. 3:12; 10:38) —es decir, Su indignación lo perseguirá hasta la destrucción (*cf.* Gá. 6:8).

> **Gálatas 6.8** Porque el que siembra para su propia carne, de la carne segará corrupción, pero el que siembra para el Espíritu, del Espíritu segará vida eterna.

b) *Ninguna seguridad de liberación de la destrucción*
Aquel que está tan enredado bajo el poder de cualquier corrupción como se describió anteriormente, no puede tener en este momento ninguna evidencia clara ni vigente de su interés y participación en el pacto, por la eficacia por la que puede ser entregado al temor de la destrucción. El resultado es que la destrucción del Señor es justamente un terror para él. Él puede o debe mirarla como aquello que será el final de su curso y caminos.

> **Romanos 8.1** Por tanto, ahora no hay condenación para los que están en Cristo Jesús, los que no andan conforme a la carne sino conforme al Espíritu.

Cierto, pero ¿quién tendrá el consuelo de esta afirmación? ¿Quién la puede asumir para sí mismo? "Aquellos que andan conforme al Espíritu y no conforme a la carne". Pero dirás: "¿No es esto para persuadir a los hombres a incredulidad?" Respondo: "No". Existe un doble juicio que el hombre puede hacer de sí mismo: Primero, de su persona; y, segundo, de sus caminos. Es el juicio de sus caminos, no de su persona, del que hablo. Deja que el hombre obtenga la mejor evidencia que pueda acerca de su persona, pero es su deber juzgar que el mal camino terminará en destrucción; y el no hacerlo es ateísmo.

No digo que en tales condiciones un hombre deba desechar la evidencia de su interés y unión personal en Cristo, pero digo que no puede retenerla. Existe una doble condenación del ser del hombre: Primero, en lo que respecta a lo que se merece, cuando el alma concluye que merece ser expulsada de la presencia de Dios; y esto está tan lejos de ser un asunto de incredulidad como lo es de ser un efecto de la fe. Segundo, respecto al resultado y al acontecimiento, cuando el alma concluye que será condenada. No digo que este sea el deber de nadie, ni los llamo a ello. Pero esto digo: "Que concluya que el fin de su camino pecaminoso será la muerte, de modo que pueda provocarse a escapar de él". Y esta es otra consideración que debe morar en tales almas si desean ser libres del enredo de sus concupiscencias.

c. Consideren los males de su pecado

Consideren los males de su pecado. Me refiero a sus males actuales. El peligro tiene que ver con lo que ha de venir; el mal tiene que ver con lo que está presente. Algunos de los muchos males que acompañan a una concupiscencia no mortificada pueden ser mencionados:

1) Contrista al bendito Espíritu Santo

Aflige al santo y bendito Espíritu, quien es dado a los creyentes para que more en ellos y permanezca en ellos. Así el apóstol, después de exhortar a las personas de Éfeso de muchas concupiscencias y pecados (*cf.* Ef.

4:25-29), menciona esto como el gran motivo de su exhortación: "No contristéis al Espíritu Santo de Dios, con el cual fuisteis sellados para el día de la redención" (v. 30). Es como si hubiera dicho: "No contristéis a ese Espíritu de Dios, con el cual recibís tantos y tan grandes beneficios", de los cuales nos presenta un ejemplo notable y completo: "Sellados para el día de la redención".

> **Efesios 4.25–29** Por tanto, dejando a un lado la falsedad, hablen verdad cada cual con su prójimo, porque somos miembros los unos de los otros. Enójense, pero no pequen; no se ponga el sol sobre su enojo, ni den oportunidad (lugar) al diablo. El que roba, no robe más, sino más bien que trabaje, haciendo con sus manos lo que es bueno, a fin de que tenga qué compartir con el que tiene necesidad. No salga de la boca de ustedes ninguna palabra mala (corrompida), sino sólo la que sea buena para edificación, según la necesidad *del momento,* para que imparta gracia a los que escuchan.

El Espíritu Santo es contristado por el pecado. Así como un amigo tierno y amoroso es contristado ante la crueldad de su amigo al que ha hecho solamente el bien, así mismo es con este tierno y amoroso Espíritu, quien ha escogido nuestros corazones como habitación en el cual morar y hacer allí por nosotros todo lo que nuestras almas deseen. Es contristado porque albergamos en nuestros corazones junto a Él a Sus enemigos y a aquellos a quienes Él ha de destruir. "No aflige ni nos entristece voluntariamente" (Lm. 3:33); ¿y lo contristaremos diariamente? Así mismo se dice a veces que es "enojado" y otras veces "dolido en Su corazón", para expresar el mayor sentido posible de nuestra provocación (*cf.* Is. 63:10; Gn. 6:6).

> **Isaías 63.10** Pero ellos se rebelaron Y afligieron Su Santo Espíritu; Por lo cual El se convirtió en su enemigo *Y* peleó contra ellos.
> **Génesis 6.6** Y al Señor Le pesó haber hecho al hombre en la tierra, y sintió tristeza en Su corazón.

Si queda entonces algo de honestidad llena de gracia en el alma, si no está totalmente endurecido por el engaño del pecado, esta consideración ciertamente le afectará. Considera quién y qué eres, quién es el Espíritu que es contristado, qué ha hecho Él por ti, por qué viene a tu alma, qué es lo que ya ha hecho en ti, y avergüénzate.

Entre aquellos que caminan con Dios, no existe mayor motivo e incentivo hacia la santidad universal y la preservación de sus corazones y espíritus en toda pureza y limpieza que lo siguiente: El bendito Espíritu Santo, quien se ha comprometido a morar en ellos, está analizando continuamente qué albergan en sus corazones y se regocija cuando Su templo se mantiene inmaculado. Este fue un gran agravante del pecado de Zimri: Que trajo a la mujer con quien cometía adulterio a la congregación a la vista de Moisés y de los demás, mientras que ellos lloraban por los pecados del pueblo (*cf.* Nm. 25:6, 14).

> **Números 25.6–8** Entonces un hombre, uno de los Israelitas, vino y presentó una Madianita a sus parientes, a la vista de Moisés y a la vista de toda la congregación de los Israelitas, que lloraban a la puerta de la tienda de reunión. Cuando lo vio Finees, hijo de Eleazar, hijo del sacerdote Aarón, se levantó de en medio de la congregación, y tomando una lanza en su mano, fue tras el hombre de Israel, entró en la alcoba y los traspasó a los dos, al hombre de Israel y a la mujer por su vientre. Y así cesó la plaga sobre los Israelitas.

¿Y acaso no es un gran agravante el aprobar una concupiscencia, o permitirle que permanezca en el corazón, cuando es (como debe ser, si somos creyentes) albergada en nosotros frente a la vista del Espíritu Santo, quien tiene cuidado de preservar Su tabernáculo puro y santo?

2) El Señor Jesucristo es herido

El Señor Jesucristo es herido nuevamente por la concupiscencia. Su nueva criatura en el corazón es herida, Su amor es arruinado y Su adversario es complacido. Así como abandonar totalmente a Cristo por causa del engaño del pecado es "crucificarlo de nuevo y exponerle a vituperio" (He. 6:6), así mismo dar refugio al pecado que Él vino a destruir lo hiere y lo contrista.

3) Inutiliza al hombre en su generación

La concupiscencia hará inútil al hombre en su generación. Sus obras, sus iniciativas, sus trabajos rara vez reciben la bendición de Dios. Si este fuese un predicador, Dios frecuentemente soplaría sobre su ministerio, de modo que trabaje en el fuego y no sea honrado con ningún éxito o haciendo alguna obra para Dios. Y cosas similares se pueden decir de otras condiciones.

El mundo actualmente está lleno de pobres y marchitos profesantes. ¡Cuán pocos son los que caminan en belleza o gloria! ¡Qué estériles y qué inútiles son en su mayoría! Entre las muchas razones que se pueden asignar a este lamentable estado, puede temerse de manera justa que esta no es una de las menos efectivas: Muchos hombres albergan en su seno concupiscencias que devoran sus espíritus y que yacen como gusanos a la raíz de su obediencia, la consumen y la debilitan día tras día. Todas las gracias y todas las formas y medios por las que cualquier gracia puede ser ejercida y mejorada son perjudicadas por este medio. Y en cuanto a cualquier éxito, Dios ataca las empresas[1] de tales hombres.

Esta, entonces, es mi segunda instrucción, y hace referencia a la oposición que se debe hacer a la concupiscencia respecto a su residencia habitual en el alma.

Mantengan vivas en sus corazones estas o similares consideraciones sobre su culpabilidad, peligro y maldad. Mediten mucho en estas cosas. Hagan que sus corazones habiten y permanezcan en ellas. Ocupen sus pensamientos en estas consideraciones. No se vayan ni se alejen de ellas hasta que empiecen a tener una poderosa influencia sobre sus almas: Hasta que las hagan temblar.

---

[1] Iniciativas.

CAPÍTULO 11: INSTRUCCIONES PARTICULARES PARA LA MORTIFICACIÓN: *OTRAS CINCO INSTRUCCIONES*

3. Carguen sus conciencias con la culpa del pecado
    a. Aspectos generales de la culpa del pecado
    b. Aspectos particulares de la culpa del pecado
4. Anhelen constantemente la liberación del poder del pecado
5. Consideren su temperamento particular
    a. Esto no minimiza ni un poco la culpa de tu pecado
    b. Ten cuidado de que tu temperamento no le de ventaja al pecado y a satanás
    c. Pon tu cuerpo en servidumbre
6. Vigilen contra las ventajas del pecado
7. Levántese contra la primera evidencia de pecado

3. Carguen sus conciencias con la culpa del pecado

Esta es mi tercera instrucción para la mortificación del pecado:

Carguen sus conciencias con la culpa del pecado.

No solo consideren que tiene culpa, sino carguen sus conciencias con la culpa de sus brotes y perturbaciones reales.

Para la correcta aplicación de esta regla, les daré algunas instrucciones particulares:

a. Aspectos generales de la culpa del pecado

Acepten el método de Dios y comiencen con los generales y, así, desciendan a los aspectos particulares:

1) Culpa a partir de la santidad de la ley

Carga tu consciencia con la culpa que se manifiesta en ella a partir de la rectitud y santidad de la ley. Trae la santa ley de Dios a tu consciencia, pon tu corrupción ante ella y ora para que puedas ser afectado por ella. Considera la santidad, la espiritualidad, la vehemente severidad, la interioridad y la absolutidad de la ley, y observa cómo puedes hacerle frente. Afecta mucho tu consciencia con el terror del Señor en la ley y observa cuán justo es que cada una de tus transgresiones reciba su retribución. Quizá tu consciencia inventará desvíos y evasiones para eludir el poder de esta consideración, tales como que "el poder condenatorio de la ley no te afecta", que "estás libre de la ley", que "aunque no te ajustes a la ley, no es necesario que te preocupes por ella" y otras similares. Pero…

a) Dile a tu consciencia que no puede mostrar ninguna evidencia con el propósito de que seas libre del poder condenatorio del pecado mientras tu concupiscencia no mortificada yace en tu corazón, porque es posible que la ley pueda realizar correctamente su acusación contra ti a favor del pleno dominio, y entonces seas una criatura perdida. Por tanto, lo mejor es reflexionar al máximo sobre lo que tiene que decir.

Algunos alegan en la reserva más secreta de sus corazones de que están libres del poder condenatorio de la ley. Hacen esto para aprobar secretamente el darse pequeñas concesiones al pecado o concupiscencia.

Aquellos que hacen de esta manera no son capaces, según el evangelio, de presentar alguna evidencia para cierta seguridad espiritual tolerable de que realmente se encuentran de manera debida librados de aquello de lo que aseguran estar libres.

b) Sin importar cuál sea el asunto, la ley tiene la comisión de parte de Dios para detener a los transgresores donde sea que los encuentre y llevarlos ante Su trono, donde deben suplicar por sí mismos. Este es tu caso actual: La ley te ha encontrado y te traerá ante Dios. Si puedes suplicar por perdón, perfecto. Si no, la ley hará su trabajo.

c) No obstante, esta es la obra idónea de la ley: Revelar la culpa del pecado, despertar y humillar al alma por causa de ello y ser un cristal para presentar el pecado en todos sus colores. Si te niegas a tratar con tu pecado por este motivo, no es por la fe, sino por la dureza de tu corazón y el engaño del pecado.

Esta es una puerta por la que muchos profesantes han salido hacia la apostasía pública. Han pretendido estar librados de la ley, han pretendido que no necesitan ni su guía ni su dirección y han pretendido no medir más su pecado por medio de ella. Poco a poco, este principio ha procedido a influenciar imperceptiblemente sus comprensiones prácticas y, habiéndose posicionado, ha hecho que se pierdan la voluntad y los afectos a toda clase de abominaciones.

Por estos medios entonces, en el nombre del Señor, persuade tu consciencia a escuchar diligentemente lo que la ley te dice sobre tu concupiscencia y tu corrupción. ¡Oh, si tus oídos estuvieran abiertos, la ley te hablaría con una voz que te haría temblar, te lanzaría al suelo y te llenaría de asombro! Si alguna vez mortificas tus corrupciones, debes atar tu consciencia a la ley y evitar cualquier variación o excepción hasta que reconozca su culpa con un claro y completo temor, para que entonces —como dice David— tu "iniquidad esté siempre delante de ti" (Sal. 51:3).

2) Culpa a partir de la luz del evangelio

Trae tu concupiscencia al evangelio, no para alivio, sino para mayor convicción de su culpa. Mira a Aquel a quien has traspasado y quédate en amargura (*cf.* Zc. 12:10; Jn. 19:37).

> **Zacarías 12.10** "Y derramaré sobre la casa de David y sobre los habitantes de Jerusalén, el Espíritu de gracia y de súplica, y Me mirarán a Mí, a quien han traspasado. Y se lamentarán por El, como quien se lamenta por un hijo único, y llorarán por El, como se llora por un primogénito.
> **Juan 19.37** Y también otra Escritura dice: "Miraran a Aquel que traspasaron."

Dile a tu alma: "¿Qué he hecho? ¡Qué amor, qué misericordia, qué sangre, qué gracia he despreciado y pisoteado! ¿Así pago al Padre por Su amor, al Hijo por Su sangre y al Espíritu Santo por Su gracia? ¿Retribuiré así al Señor? ¿He profanado el corazón por el que Cristo murió para lavarlo, el cual el bendito Espíritu ha escogido para habitar? ¿Y puedo mantenerme alejado del polvo? ¿Qué puedo decirle al querido Señor Jesús? ¿Cómo levantaré mi cabeza con osadía delante de Él? ¿Considero la comunión con Él de tan poco valor que, por esta vil concupiscencia, apenas le he dejado espacio en mi corazón? ¿Cómo escaparé si descuido una salvación tan grande (*cf.* He. 2:3)?

> **Hebreos 2.2–3** Porque si la palabra hablada por medio de ángeles resultó ser inmutable (firme), y toda transgresión y desobediencia recibió una justa retribución, ¿cómo escaparemos nosotros si descuidamos una salvación tan grande? La cual, después que fue anunciada primeramente por medio del Señor, nos fue confirmada por los que la oyeron.

Mientras tanto, ¿qué le diré al Señor? Amor, misericordia, gracia, bondad, paz, gozo, consolación —los he despreciado a todos y los he estimado como nada para albergar concupiscencia en mi corazón. ¿He obtenido una visión del semblante paternal de Dios, para así contemplar Su rostro y provocarlo ante Su propio rostro? ¿Fue lavada mi alma para que vuelva a ser profanada? ¿Procuraré defraudar el propósito de la muerte de Cristo? ¿Contristaré diariamente al Espíritu por el cual soy sellado para el día de la redención?" Ocupa diariamente tu consciencia con este ruego. Observa si puede resistir este agravamiento de su culpabilidad. Si esto no hace que se hunda y se derrita en cierta medida, temo que tu caso es peligroso.

b. Aspectos particulares de la culpa del pecado

Desciende a los particulares. Así como bajo el concepto general de evangelio todos sus beneficios deben ser considerados —como la redención, la justificación y similares—, así mismo, en particular, considera la administración del amor de ellos hacia tu alma, para el agravamiento de la culpa de tu corrupción.

1) La infinita paciencia de Dios

Considera la infinita paciencia y tolerancia de Dios hacia ti en particular. Considera las oportunidades que pudo haber tomado contra ti para hacerte una vergüenza y un reproche en este mundo y un objeto de Su ira para siempre. Considera cómo has actuado traicionera y falsamente con Él periódicamente: Lo has halagado con tus labios, pero has quebrantado todas las promesas y los compromisos por causa del pecado que ahora persigues. Y, sin embargo, Él aún te ha perdonado periódicamente, aunque osadamente parece que has puesto a prueba cuánto podría tolerar Él. ¿Y aun así pecarás nuevamente contra Él? ¿Aún lo cansarás y lo harás aguantar tus corrupciones (*cf.* Is. 43:24)?

> **Isaías 43.23–24** No Me has traído las ovejas de tus holocaustos, Ni Me has honrado con tus sacrificios. No te he abrumado exigiendo ofrendas de cereal, Ni te he cansado exigiendo incienso. No Me has comprado con dinero caña aromática, Ni con la grasa de tus sacrificios Me has saciado. Por el contrario Me has abrumado con tus pecados, *Y* Me has cansado con tus iniquidades.

¿No has estado presto a concluir que ya era completamente imposible que Él te tolere más; que te desecharía y no te tendría más misericordia; que se agotó Su paciencia; y que el infierno y Su ira estaban preparados para ti? No obstante, por encima de todas tus expectativas, Él te ha visitado con Su amor. ¿Y aun así seguirás provocándolo delante de los ojos de Su gloria?

2) La gracia restauradora de Dios

¿Cuán a menudo has estado al borde de ser endurecido por el engaño del pecado y, por la infinita y rica gracia de Dios, has vuelto a tener comunión con Él? ¿No has encontrado que decae la gracia; que se desvanece el deleite en los deberes, las ordenanzas, la oración y la meditación; que aumentan las inclinaciones a caminar de manera descuida y floja; y aquellos que antes estaban enredados, casi no se pueden recuperar? ¿Acaso no te has encontrado involucrado con deleite en tales maneras, compañías y grupos que Dios aborrece? ¿Y te aventurarás aún más al borde del endurecimiento?

3) Los tratos misericordiosos de Dios

Todos los tratos misericordiosos[1] de Dios para contigo en las dispensaciones providenciales, liberaciones, aflicciones, misericordias, gozos —todos deben tener lugar aquí. Con estos y otros medios similares, digo, carga tu consciencia. No la dejes hasta que esté completamente afectada con la culpa de tu corrupción interna, hasta que seas sensible a su herida y yazca en el suelo ante el Señor. A menos que esto sea hecho con tal propósito, todos los demás esfuerzos son en vano. Mientras la consciencia tenga algún medio para aliviar la culpa del pecado, el alma nunca intentará vigorosamente su mortificación.

4. Anhelen constantemente la liberación del poder del pecado

La cuarta instrucción para la mortificación del pecado es esta:

---

[1] Llenos de gracia.

Al ser así afectado con tu pecado, a continuación, consigue un anhelo y un ansia constante por ser libre del poder del pecado.

No permitas ni por un momento que tu corazón se sienta satisfecho con tu estado y condición actuales. Los fuertes deseos por cualquier cosa, sea por cosas naturales y civiles, no tienen ningún valor o consideración más allá de lo que incitan y agitan a la persona (en la que se encuentran) al uso diligente de los medios para obtener la cosa deseada.

En las cosas espirituales es diferente. Anhelar, ansiar y suspirar por la liberación es una gracia en sí misma que tiene un gran poder para conformar el alma a la semejanza de la cosa anhelada. De ahí que el apóstol, describiendo el arrepentimiento y la tristeza que es según Dios de los corintios, considera esto como una gracia eminente que ha sido puesta a trabajar: "Ardiente afecto" (2 Co. 7:11).

> **2 Corintios 7.11** Porque miren, ¡qué solicitud ha producido esto en ustedes, esta tristeza piadosa, qué vindicación de ustedes mismos, qué indignación, qué temor, qué gran afecto, qué celo, qué castigo del mal! En todo han demostrado ser inocentes en el asunto.

Y en este caso sobre el pecado remanente y su poder, ¿en qué estado él se expresa estar? Su corazón estalla con anhelos hacia la más apasionada expresión de deseo de liberación (*cf.* Ro. 7:24).

Si este es entonces el estado de los santos respecto a la consideración general del pecado remanente, ¡cuánto ha de ser intensificado e incrementado cuando a ello se le añade la ira y el poder desconcertantes de cualquier concupiscencia y corrupción específicos! A menos que anheles la liberación, ten por seguro que no la tendrás.

Esto hará que el corazón esté vigilante a todas las oportunidades que tenga contra su enemigo y que esté listo para consumar la destrucción de su enemigo con cualquier ayuda que se le ofrezca. Los fuertes deseos son la vida misma de ese "orando en todo tiempo" que se nos manda en todas las condiciones (*cf.* Lc. 21:36; Ef. 6:18), y en ninguna otra es más necesaria que en esta. Ponen la fe y la esperanza a trabajar y mueven el alma en pos del Señor.

> **Lucas 21.36** "Pero velen en todo tiempo, orando para que tengan fuerza para escapar de todas estas cosas que están por suceder, y puedan estar en pie delante del Hijo del Hombre."

Ponga entonces su corazón en un estado de suspiro y ansia: Anhela, suspira, clama. Conoces el ejemplo de David (*cf.* Sal. 38 y 42). No necesito insistir en esto.

5. Consideren su temperamento particular

La quinta instrucción para la mortificación de su pecado es esta:

> ***Considera si la corrupción con la cual eres desconcertado no está arraigada en tu naturaleza, y si es atesorada, incitada e intensificada por tu constitución.***

No hay duda de que la propensión a algunos pecados puede yacer en el temperamento y disposición de los hombres. En este caso, considera lo siguiente:

a. Esto no minimiza ni un poco la culpa de tu pecado

Esto no atenúa en lo más mínimo la culpa de tu pecado. Algunos, con una abierta profanación, atribuirán grandes atrocidades a su carácter y disposición. Y si otros no se libran a sí mismos de la apremiante culpa de su corrupción con la misma consideración, no lo sé. Es a partir de la caída —momento en el que nuestras naturalezas cayeron originalmente en depravación— que la instigación y el fomento de cualquier pecado mora en nuestro carácter natural.

David consideró como un agravante de su subsiguiente pecado el ser formado en iniquidad y concebido en pecado, no una disminución o atenuación de este (*cf.* Sal. 51:5). Que estés peculiarmente inclinado a alguna corrupción pecaminosa no es más que una manifestación específica de la concupiscencia original en tu naturaleza, la cual debería humillarte específicamente.

b. Ten cuidado de que tu temperamento no le de ventaja al pecado y a Satanás

En referencia a tu caminar con Dios, debes enfocarte todavía más en cuán gran ventaja tu temperamento y disposición le pueden dar al pecado y a Satanás. Sin una vigilancia, cuidado y diligencia extraordinarios, prevalecerán ciertamente contra tu alma. Miles se han ido precipitadamente al infierno por causa de esto, quienes en caso contrario pudieron haberse ido al menos a un ritmo más suave, menos irritante y menos malicioso.

c. Pon tu cuerpo en servidumbre

Para la mortificación de cualquier corrupción tan arraigada en la naturaleza del hombre, de todas las formas y medios ya mencionados (o en los que se ha de insistir), existe uno que es especialmente oportuno: El del apóstol: "Golpeo mi cuerpo, y lo pongo en servidumbre" (1 Co. 9:27). Poner el cuerpo en servidumbre es un mandato de Dios que tiende a la mortificación del pecado.

> **1 Corintios 9.26–27** Por tanto, yo de esta manera corro, no como sin tener meta; de esta manera peleo, no como dando golpes al aire, sino que golpeo mi cuerpo y lo hago mi esclavo, no sea que habiendo predicado a otros, yo mismo sea descalificado.

Esto se encarga de la raíz natural de la corrupción y la marchita al quitarle la fertilidad del suelo. Los papistas —hombres ignorantes de la justicia de Cristo, de la obra de Su Espíritu y de todo el asunto en cuestión— han colocado todo el peso y énfasis de la mortificación en los servicios voluntarios y las penitencias, encaminando a la servidumbre del cuerpo y sin conocer en verdad la verdadera naturaleza del pecado ni de la mortificación.

Quizás debido a esto: Puede ser una tentación para algunas personas descuidar algunos medios de humillación que Dios mismo reconoce y señala. No hay duda de que poner el cuerpo en servidumbre en el caso indicado —mediante la interrupción del apetito natural, el ayuno, la vigilancia y otras cosas similares— es aceptable para Dios mientras se haga con las siguientes limitaciones:

1) No es un bien en sí mismo

El debilitamiento y deterioro externo del cuerpo no debe ser visto como algo bueno en sí mismo, o que cualquier mortificación consista en ello —lo cual nos llevaría nuevamente a ordenanzas carnales. Debe ser visto solo como un medio para lograr el fin propuesto: El debilitamiento de cualquier corrupción en su raíz y base naturales. Un hombre puede terminar teniendo flaqueza de cuerpo y de alma juntos.

2) No puede producir alguna mortificación por sí mismo

Los medios por los que la servidumbre corporal se logra —es decir, ayunando, velando y cosas similares— no deben ser observados como cosas que en sí mismas y por virtud de su propio poder pueden producir una verdadera mortificación de cualquier pecado.

Si pudieran, el pecado podría ser mortificado sin ninguna ayuda del Espíritu en cualquier persona no regenerada en el mundo. Deben ser vistos solo como medios por los que el Espíritu puede (y algunas veces lo hace) dar fuerzas para realizar Su propia obra, especialmente en el caso mencionado. La falta de una correcta comprensión y un debido uso de estas y similares consideraciones ha producido una mortificación entre los papistas que sería mejor aplicarla a los caballos y otras bestias del campo que a los creyentes.

Esto es la suma de lo que se ha hablado: Si la corrupción de la que uno se queja parece estar arraigada en el temperamento y constitución naturales, entonces se debe hacer un esfuerzo a la manera de Dios para frenar la raíz natural de esa corrupción mientras dedicamos nuestras almas a la participación de la sangre y del Espíritu de Cristo.

6. Vigilen contra las ventajas del pecado

La sexta instrucción para la mortificación es la siguiente:

> ***Considera qué ocasiones y qué ventajas ha tomado tu corrupción para ejercer dominio y extenderse, y vigila contra todas ellas.***

Esta es una parte de la labor que nuestro bendito Salvador recomienda a Sus discípulos bajo el nombre de velar: "Os digo: velad" (Mr. 13:37); el cual en Lucas 21:34 es: "Mirad [...], que vuestros corazones no se carguen". Es como si hubiera dicho: "Vigila contra todas las manifestaciones de tus corrupciones". Me refiero a aquella labor que David declaraba ejercitar.

> **2º Samuel 22.24** También fui íntegro (intachable) para con El, Y me guardé de mi iniquidad.
> **Salmo 18.23** También fui íntegro para con El, Y me guardé de mi iniquidad.

Él vigiló todas las acciones y obras de su iniquidad, para impedirlas y para levantarse contra ellas. Esto es a lo que se nos llama bajo el nombre de "consideren bien sus caminos" (Hag. 1:5, 7).

> **Hageo 1.5–7** Ahora pues, así dice el Señor de los ejércitos: "¡Consideren bien sus caminos! "Siembran mucho, pero recogen poco; comen, pero no hay *suficiente* para que se sacien; beben, pero no hay *suficiente* para que se embriaguen; se visten, pero nadie se calienta; y el que recibe salario, recibe salario en bolsa rota." Así dice el Señor de los ejércitos: "¡Consideren bien sus caminos!

Considera qué caminos, qué compañías, que oportunidades, qué operaciones, qué asuntos y qué condiciones han dado (o suelen dar) en cualquier momento ventajas a tus corrupciones, y oponte rápidamente a ellos. Los hombres harán esto mismo respecto a sus dolencias y enfermedades corporales. Los tiempos, la dieta y el aire que han probado ser dañinos deben ser evadidos. ¿Son acaso las cosas del alma de menor importancia? Debes saber que aquel que se atreve a perder el tiempo y jugar con las ocasiones para pecar se atreverá a pecar. Aquel que se aventura a las tentaciones para hacer el mal se aventurará a la maldad.

Hazael pensó que no era tan malvado como el profeta le contó que sería. Para convencerlo, el profeta no le dice más que: "Tú serás rey de Siria" (2 R. 8:13). Si se aventura a las tentaciones para hacer crueldad, será cruel. Dile a un hombre que cometerá tales o cuales pecados, y se atemorizará. Pero si puedes convencerlo de que se aventurará en tales ocasiones y en tales tentaciones, le quedará poco fundamento para su confianza. Las instrucciones particulares que pertenecen a esta categoría son muchas y en este momento no se insistirá en ellas. Pero como esta categoría no es de menor importancia que toda la doctrina aquí tratada, la he abordado a profundidad en otro tratado sobre las tentaciones.[2]

7. Levántese contra la primera evidencia de pecado

La séptima instrucción para la mortificación es esta:

> ***Levántate poderosamente contra las primeras acciones de tu corrupción y sus primeras concepciones. No permitas que adquiera ni un poco de terreno.***

No digas: "Hasta aquí llegarás, y no pasarás adelante" (Job 38:11). Si se le ha concedido un paso, tomará otro. Es imposible fijar límites al pecado. Es como el agua en un canal: Una vez que sale, seguirá su curso. Su inactividad es más fácil de contener que su limitación. De ahí que Santiago diera la gradación y proceso de la concupiscencia para que nos detengamos a su entrada (*cf.* Stg. 1:14-15).

---

[2] Véase *La tentación: Su naturaleza y poder* de John Owen.

> **Santiago 1.13–15** Que nadie diga cuando es tentado: "Soy tentado por Dios." Porque Dios no puede ser tentado por el mal y El mismo no tienta a nadie. Sino que cada uno es tentado cuando es llevado y seducido por su propia pasión. Después, cuando la pasión ha concebido, da a luz el pecado; y cuando el pecado es consumado, engendra la muerte.

¿Encuentras que tu corrupción empieza a enredar tus pensamientos? Levántate con todas tus fuerzas contra ella, con tal indignación como si hubiese logrado su cometido. Considera lo que un pensamiento impuro podría hacer: Te haría rodar en la insensatez y la suciedad. Pregúntale a la envidia qué posee: Asesinato y destrucción es su fin. Ponte contra ella con el mismo vigor como si te hubiese corrompido completamente hacia la maldad. Sin este actuar, no prevalecerás. Así como el pecado se apodera de los afectos para hacerlos deleitarse en él, también se apodera del entendimiento para pasar por alto tal pecado.

CAPÍTULO 12: INSTRUCCIONES PARTICULARES PARA LA MORTIFICACIÓN: MEDITEN EN DIOS

8. Dedíquense a sí mismos a meditar en Dios
    a. Consideren la excelencia de la majestad de Dios
    b. Piensen mucho en lo poco que conocen a Dios
    c. Consideraciones y formas para conocer a Dios

8. Dedíquense a sí mismos a meditar en Dios

La octava instrucción particular para la mortificación del pecado es esta:

> ***Utiliza y ejercítate en tales meditaciones que puedan servir para llenarte en todo tiempo de humillación hacia ti mismo y de pensamientos de tu propia vileza.***

Tales meditaciones incluyen lo siguiente:

a. Consideren la excelencia de la majestad de Dios

Tengan en suma consideración la excelencia de la majestad de Dios y tu infinita e inconcebible lejanía de Él. Muchos de estos pensamientos pueden llenarte con un sentido de tu propia vileza, que golpea profundamente la raíz de cualquier pecado remanente. Cuando Job alcanzó un claro descubrimiento de la grandeza y la excelencia de Dios, se llenó de aborrecimiento hacia sí mismo y se humilló (*cf.* Job 42:5-6).

> **Job 42.5–6** He sabido de Ti *sólo* de oídas, Pero ahora mis ojos Te ven. Por eso me retracto, Y me arrepiento en polvo y ceniza."

¿Y en qué estado el profeta Habacuc afirma ser arrojado por el temor de la majestad de Dios (*cf.* Hab 3:16)? "En Dios —afirma Job— hay una majestad terrible" (Job 37:22).

> **Habacuc 3.14–16** Traspasaste con sus *propios* dardos La cabeza de sus guerreros Que irrumpieron para dispersarnos; Su regocijo *fue* como el de los que devoran en secreto a los oprimidos. Marchaste por el mar con Tus caballos, En el oleaje de las inmensas aguas. Oí, y se estremecieron mis entrañas; A *Tu* voz temblaron mis labios. Entra podredumbre en mis huesos, Y tiemblo donde estoy. Tranquilo espero el día de la angustia, Al pueblo que se levantará para invadirnos.

De ahí que los pensamientos de los antiguos fueran que cuando vieran a Dios, morirían. La Escritura abunda en esta consideración de humillación hacia uno mismo, comparando a los hombres de la tierra con "saltamontes", con "vanidad", con "el polvo de las balanzas" respecto a Dios (*cf.* Is. 40:12-25). Ten muchos pensamientos de esta naturaleza para rebajar el orgullo de tu corazón y para mantener tu alma humilde dentro de ti. No hay nada que te haga sentir una mayor falta de voluntad a ser dominado por los engaños del pecado que este estado del corazón. Piensa grandemente en la grandeza de Dios.

b. Piensen mucho en lo poco que conocen a Dios

Aunque conoces lo suficiente como para mantenerte sencillo y humilde, ¡cuán poco es lo que sabes de Él! La reflexión sobre este tema lleva al sabio a la aprehensión de sí mismo que expresa:

> **Proverbios 30.2–4** Ciertamente soy el más torpe de los hombres, Y no tengo inteligencia humana. Y no he aprendido sabiduría, Ni tengo conocimiento del Santo. ¿Quién subió al cielo y descendió? ¿Quién recogió los vientos en Sus puños? ¿Quién envolvió las aguas en Su manto? ¿Quién estableció todos los confines de la tierra? ¿Cuál es Su nombre o el nombre de Su hijo? Ciertamente tú lo sabes.

Trabaja con esto también para derribar el orgullo de tu corazón. ¿Cuánto conoces acerca de Dios? ¡Cuán poco es! ¡Cuán inmenso es Él en Su naturaleza! ¿Puedes mirar sin terror dentro del abismo de la eternidad? No puedes soportar los rayos de Su glorioso ser.

Porque considero esta reflexión de gran utilidad en nuestro caminar con Dios —siempre y cuando sea consistente con aquella valentía filial que nos es dada en Jesucristo para acercarnos al trono de la gracia (*cf.* He. 4:16)—, insistiré aún más en ella para dejar una marca permanente de ella en las almas de los que desean caminar humildemente con Dios.

Mantén tu corazón en continuo estupor ante la majestad de Dios y considera que las personas con los más altos y eminentes logros, con la comunión más cercana y familiar con Dios, en verdad conocen solamente muy poco en esta vida de Él y de Su gloria. Dios revela Su nombre a Moisés y los atributos más gloriosos que ha manifestado en el pacto de gracia (*cf.* Éx. 34:5-6), pero todos son "espaldas"[1] de Dios (*cf.* Ex. 33:23).

> **Éxodo 34.5–6** El Señor descendió en la nube y estuvo allí con él, mientras éste invocaba el nombre del Señor. Entonces pasó el Señor por delante de él y proclamó: "El Señor, el Señor, Dios compasivo y clemente, lento para la ira y abundante en misericordia y verdad (fidelidad).

[1] "Las partes traseras o espalda" de Dios

Todo lo que conoce es solo algo pequeño e inferior comparado a las perfecciones de Su gloria. De ahí que con una especial referencia a Moisés se dice: "A Dios nadie le vio jamás" (Jn. 1:18). De Moisés en comparación con Cristo se habla (v. 17); y de él se dice: "A Dios nadie (no, no Moisés, el más prominente entre ellos) le vio jamás".

> **Juan 1.17–18** Porque la Ley fue dada por medio de Moisés; la gracia y la verdad fueron hechas realidad por medio de Jesucristo (Jesús el Mesías). Nadie ha visto jamás a Dios; el unigénito Dios, que está en el seno del Padre, El *Lo* ha dado a conocer.

Decimos mucho de Dios: Podemos hablar de Él, de Sus caminos, de Sus obras y de Sus consejos durante todo el día, pero la verdad es que conocemos muy poco de Él. Nuestros pensamientos, nuestras meditaciones y nuestras expresiones de Él son inferiores, muchas de ellas indignas de Su gloria, ninguna de ellas alcanza Sus perfecciones.

Objeción: *Moisés estaba bajo la ley*

Dirás: "Moisés estaba bajo la ley cuando Dios se cubrió a sí mismo en oscuridad y cubrió Su mente[2] en tipos, nubes e instituciones oscuras. Bajo el glorioso resplandor del evangelio —que ha traído la vida y la inmortalidad a la luz, Dios se ha revelado a partir de Su propio seno— ahora lo conocemos mucho más claramente, tal como Él es. Ahora vemos Su faz y no solo Sus espaldas, como sucedió con Moisés".

Respuesta 1. Reconozco que existe una diferencia vasta y casi inconcebible entre el conocimiento que ahora tenemos de Dios —después de que nos ha hablado por medio de Su propio hijo (*cf.* He. 1:2)— y el conocimiento que la generalidad de los santos tuvo bajo la ley. Aunque sus ojos eran tan buenos, agudos y claros como los nuestros; aunque su fe y entendimiento espiritual no estaban detrás de los nuestros; y aunque el objeto de su fe era tan glorioso para ellos como para nosotros; nuestro día es más claro que el de ellos, las nubes han sido sopladas y esparcidas (*cf.*

---

[2] Propósito.

Cnt. 4:6], las sombras de la noche se han ido y han escapado, el sol sale y los medios de visión se han vuelto más eminentes y claros que antes.

Respuesta 2. Sin embargo, aquella vista particular que Moisés tuvo de Dios (*cf.* Ex. 34) fue una vista del evangelio, una vista de Dios como "lleno de gracia", etc. y, sin embargo, es llamada solamente como sus "espaldas" —es decir, inferior y más común en comparación con Sus excelencias y perfecciones.

Respuesta 3. El apóstol exalta al máximo esta gloria de la luz por encima de la gloria de la ley, dejando claro que ahora el "velo" que oscurecía es quitado (*cf.* 2 Co. 3:15-16), de modo que "todos nosotros, con '*el rostro abierto* [*o descubierto*]',[3] contemplamos [...] la gloria del Señor".

> **2 Corintios 3.15–16** Y hasta el día de hoy, cada vez que se lee a Moisés, un velo está puesto sobre sus corazones. Pero cuando alguien se vuelve al Señor, el velo es quitado.

Y también nos dice cómo: "Como en un espejo" (3:18). "En un espejo", ¿cómo es eso? ¿Claramente o perfectamente? ¡Oh, no! Él te dice cómo, a saber: "Vemos por espejo, oscuramente" (1 Co. 13:12).

El apóstol no nos está hablando de un telescopio que nos ayuda a ver de lejos las cosas. Y, sin embargo, ¡qué pobres ayudas son! ¡Y cuán cortos nos quedamos de la verdad de las cosas a pesar de su ayuda! Es un espejo al que alude (donde solo hay formas e imágenes oscuras de las cosas, y no de las cosas mismas). Él compara nuestro conocimiento con una visión en él. También nos dice que todo lo que vemos "*dí esóptrou*"[4] [por o a través de este espejo] está en "*ainígmati*"[5] [en misterio] —en tinieblas y oscuridad. Y hablando de sí mismo, que seguramente tenía una visión más clara que cualquiera de los que viven en la actualidad, nos dice que solo veía "*ec mérous*"[6] [en parte]. Veía solo las partes traseras de las cosas

---

[3] Griego: ἀνακεκαλυμμένῳ προσώπῳ.
[4] Griego: δι᾽ ἐσόπτρου.
[5] Griego: αἰνίγματι.
[6] Griego: ἐκ μέρους.

celestiales (v. 12), y compara todo el conocimiento que había alcanzado de Dios con el que tenía de las cosas cuando era niño (v. 11). Es una "*méros*"[7] [parte], menos de "*tó téleion*"[8] [lo perfecto], como lo que "*katargithísetai*"[9] [se acabará] o será destruido (v. 10).

> **1 Corintios 13.9–12** Porque en parte conocemos, y en parte profetizamos; pero cuando venga lo perfecto, lo incompleto se acabará. Cuando yo era niño, hablaba como niño, pensaba como niño, razonaba como niño; *pero* cuando llegué a ser hombre, dejé las cosas de niño. Porque ahora vemos por un espejo, veladamente, pero entonces *veremos* cara a cara. Ahora conozco en parte, pero entonces conoceré plenamente, como he sido conocido.

Sabemos qué nociones y aprehensiones débiles, endebles e inciertas tienen los niños de las cosas de cualquier consideración abstrusa.[10] Y sabemos cómo esas concepciones incompletas desaparecen y se avergüenzan de ellas cuando crecen con una buena formación. Es la recomendación de un hijo amar, honrar, creer y obedecer a su padre; pero el padre conoce la infantilidad y la insensatez de su hijo en conocimiento e ideas.

A pesar de toda nuestra confianza en los logros elevados, todas nuestras nociones de Dios no son sino infantiles con respecto a Sus infinitas perfecciones. Ceceamos, balbuceamos y no sabemos lo que decimos en su mayor parte en nuestras (como pensamos) concepciones y nociones más precisas de Dios.[11] Podemos amar, honrar, creer y obedecer a nuestro Padre; y con eso Él acepta nuestros pensamientos infantiles, porque son solo infantiles.

No vemos más que Sus partes traseras; sabemos muy poco de Él. De ahí que es esa promesa con la que a menudo somos apoyados y consolados

---

[7] Griego: μέρος.

[8] Griego: τὸ τέλειον.

[9] Griego: καταργηθήσεται.

[10] De difícil comprensión.

[11] "Al hablar con nosotros Dios balbucea, si se me permite la expresión, como las nodrizas con los bebés. La manera de expresarse de Dios no está destinada tanto a darse a conocer como a adaptarse a nuestra limitada comprensión". Juan Calvino, *Institución de la religión cristiana*, Libro I.XIII.1.

en nuestra angustia: "Le veremos tal como Él es" (1 Jn. 3:2); le veremos "cara a cara" y "conoceremos como somos conocidos" (1 Co. 13:12) —es decir, entenderemos aquello para lo que somos entendidos; y positivamente: "A quien ahora no ven" (1 Pe. 1:8). Concluimos de todo esto que aquí vemos solo Sus partes traseras; no como Él es, sino en una oscura y borrosa representación —no en la perfección de Su gloria.

La reina de Sabá había oído hablar mucho de Salomón, y se había formado muchos grandes pensamientos de su magnificencia en su mente; pero cuando ella vino y vio su gloria, se vio obligada a confesar que no se le había dicho ni la mitad de la verdad (*cf.* 1 R. 10:1-7). Podemos suponer que hemos alcanzado aquí un gran conocimiento, pensamientos claros y elevados de Dios; pero, ay, cuando Él nos traiga a Su presencia, clamaremos: "¡Nunca lo conocimos tal como Él es; la milésima parte de Su gloria, perfección y bendición nunca entró en nuestros corazones!"

c. Consideraciones y formas para conocer a Dios

El apóstol nos dice en 1 Juan 3:2 que no sabemos lo que nosotros mismos seremos —lo que encontraremos de nosotros mismos al final. Mucho menos entrará en nuestros corazones concebir lo que Dios es —lo que encontraremos que Él es al final.

> **1 Juan 3.1–2** Miren cuán gran amor nos ha otorgado el Padre: que seamos llamados hijos de Dios. Y *eso* somos. Por esto el mundo no nos conoce, porque no Lo conoció a El. Amados, ahora somos hijos de Dios y aún no se ha manifestado lo que habremos de ser. *Pero* sabemos que cuando Cristo se manifieste, seremos semejantes a El, porque Lo veremos como El es.

Considera a Aquel que ha de ser conocido o la manera mediante la cual lo conocemos, y esto se mostrará en lo siguiente:

1) Conocemos tan poco de Dios debido a la verdad de cómo se ha descrito

Conocemos tan poco de Dios porque es Dios quien debe ser así conocido —a saber, se ha descrito a sí mismo ante nosotros de la siguiente manera: "Que no podemos conocerlo". ¿Qué más pretende donde se llama a sí mismo invisible, incomprensible y términos similares? Es decir, Aquel a quien no conocemos o no podemos conocer como Él es.

Nuestro progreso posterior consiste más en saber lo que Él no es que lo que Él es. Por lo que se le describe como inmortal e infinito. Él no es como nosotros: Mortal, finito y limitado. De ahí esa gloriosa descripción de Él: "El único que tiene inmortalidad, que habita en luz inaccesible; a quien ninguno de los hombres ha visto ni puede ver" (1 Ti. 6:16). Su luz es tal que ninguna criatura puede acercarse a ella. Él no es visto, no porque no pueda ser visto, sino porque no podemos soportar verlo.

La luz de Dios, en quien no hay tinieblas, prohíbe todo acceso a Él por parte de cualquier criatura. Nosotros, que no podemos contemplar el sol en su gloria, somos demasiado débiles para soportar los rayos del resplandor infinito. Sobre esta consideración, como se dijo, el sabio se profesa a sí mismo como una bestia, quien no tiene "entendimiento de hombre" (Pr. 30:2). No sabía nada en comparación con Dios, de modo que parecía haber perdido todo su entendimiento una vez que llegó a la consideración de Él, de Su obra y de Sus caminos.

En esta consideración, dejemos que nuestras almas desciendan a algunos detalles:

a) *El ser mismo de Dios*

Necesitamos el conocimiento del ser de Dios para poder instruirnos unos a otros con palabras y expresiones. Sin embargo, estamos tan lejos del conocimiento del ser real de Dios que formarnos cualquier concepción en nuestra mente con tales especies e impresiones de las cosas (según recibimos el conocimiento de todas las demás cosas) es hacer un ídolo para nosotros mismos, y así adorar a un dios de nuestra propia creación, y no al Dios que nos hizo.

Podríamos también y tan insensata y legalmente tallarlo de madera o de piedra para formar un ser en nuestras mentes que se adapte a nuestras comprensiones. Lo mejor de lo mejor de nuestros pensamientos sobre el ser de Dios es que no podemos tener pensamientos sobre él. ¡Nuestro conocimiento del ser de Dios no es sino bajo cuando no sube más que para saber que no lo conocemos!

b) *Lo que Dios ha declarado*

Hay algunas cosas de Dios que Él mismo nos ha enseñado a hablar y a regular nuestras expresiones de ellas. Sin embargo, cuando hemos hecho así, no vemos las cosas en sí mismas; todavía no las conocemos. Creer y admirar es todo lo que conseguimos. Profesamos, como se nos enseña, que Dios es infinito, omnipotente y eterno; y sabemos qué disputas y nociones hay sobre la omnipresencia, la inmensidad, la infinitud y la eternidad. Digo que tenemos palabras e ideas sobre estas cosas, pero en cuanto a las cosas en sí mismas, ¿qué sabemos? ¿Qué es lo que comprendemos de ellas? ¿Puede la mente del hombre hacer más que ser tragada a sí misma en un abismo infinito, que es como nada? ¿Rendirse a lo que no puede concebir y mucho menos expresar? ¿No es nuestra comprensión "bestial" en la contemplación de tales cosas, y es como si no lo fuera? Sí, la perfección de nuestro entendimiento es no entender y descansar allí. Solo tenemos un vistazo de las partes traseras de la eternidad y de lo infinito.

¿Qué diré de la Trinidad o de la subsistencia de las distintas Personas en la misma esencia individual? Un misterio que muchos niegan porque ninguno entiende. ¡Un misterio cuyas letras son misteriosas! ¿Quién puede declarar la generación del Hijo, la procesión del Espíritu o la diferencia de una de la otra? Pero ya no mencionaré más en particular. Esa distancia infinita e inconcebible que hay entre Él y nosotros nos mantiene en la oscuridad en cuanto a cualquier visión de Su rostro o clara comprensión de Sus perfecciones. Lo conocemos más por lo que Él hace que por lo que Él es —más por el bien que nos hace que por la bondad de Su esencia. ¡Y cuán poca porción de Él —como habla Job— es descubierta por este medio (*cf.* Job 26:14)!

Job 26.13–14 Con Su soplo se limpian los cielos; Su mano ha traspasado la serpiente huidiza. Estos son los bordes de Sus caminos; ¡Y cuán leve es la palabra que de El oímos! Pero Su potente trueno, ¿quién lo puede comprender?"

2) Conocemos tan poco de Dios porque solo por la fe le conocemos en esta vida

Poco conocemos de Dios porque solo por la fe le conocemos aquí. No voy a hablar ahora acerca de las impresiones remanentes en los corazones de todos los hombres por naturaleza de que hay un Dios, ni de lo que racionalmente se les puede enseñar acerca de ese Dios a partir de las obras de Su creación y providencia que ellos ven y contemplan. Se ha reconocido y ha sido la lamentable experiencia de todas las edades —sin importar cuán débil, pequeña, oscura y confusa— de que nadie alguna vez ha glorificado a Dios como debe basado en estas evidencias, sino que —a pesar de todo su conocimiento de Dios— en realidad han estado "sin Dios en el mundo" (Ef. 2:12).

El principal y casi único conocimiento que tenemos de Dios y de Sus dispensaciones de sí mismo es por fe. "Es necesario que el que se acerca a Dios crea que le hay, y que es galardonador de los que le buscan [diligentemente]" (He. 11:6). Nuestro conocimiento de Él y de Su recompensa (que es también el fundamento de nuestra obediencia o de nuestro acercamiento a Él) es creer. "Porque por fe andamos, no por vista"[12] (2 Co. 5:7). Es por fe y de tal manera por fe en cuanto a no tener alguna idea, imagen o forma expresa de aquello que creemos. La fe es todo el argumento que tenemos de "lo que no se ve" (He. 11:1).

Podría insistir aquí en la naturaleza de la fe; y de todos sus acompañamientos e implicaciones mostrar que solo conocemos las partes traseras de lo que conocemos por la fe. En cuanto a su surgimiento, está fundamentada puramente sobre el testimonio de Aquel a quien no hemos visto. Como dice el apóstol: "¿Cómo puede amar a Dios a quien no ha visto?" (1 Jn. 4:20) —es decir, a quien no conoces sino por la fe que Él

[12] Griego: διὰ πίστεως γὰρ περιπατοῦμεν οὐ διὰ εἴδους.

es. La fe recibe todo basado en Su testimonio, y Él la recibe por estar únicamente en Su propio testimonio.

En cuanto a su naturaleza, es un asentimiento en el testimonio, no una evidencia en la demostración. Y el objeto de ella —como se dijo antes— está por encima de nosotros. De ahí que nuestra fe —como se observó anteriormente— sea llamada ver oscuramente como en un espejo. Todo lo que conocemos de Dios, lo conocemos de esta manera; y todo lo que conocemos de esta manera es bajo, oscuro y borroso.

Objeción: *Cristo se revela a sí mismo a los creyentes*

Pero ustedes dirán: "Todo esto es verdad, pero es solo así para los que no conocen a Dios, tal vez, como Él es revelado en Jesucristo. Con los que conocen a Cristo es de otra manera. Es verdad:

> **Juan 1.18** Nadie ha visto jamás a Dios; el unigénito Dios, que está en el seno del Padre, El *Lo* ha dado a conocer.
> **1 Juan 5.20** Y sabemos que el Hijo de Dios ha venido y nos ha dado entendimiento a fin de que conozcamos a Aquél que es verdadero; y nosotros estamos en Aquél que es verdadero, en Su Hijo Jesucristo. Este es el verdadero Dios y la vida eterna.

'La luz del evangelio de la gloria de Cristo, el cual es la imagen de Dios', brilla sobre los creyentes (2 Co. 4:4). Sí, y 'Dios, que mandó que de las tinieblas resplandeciese la luz, es el que resplandeció en nuestros corazones, para iluminación del conocimiento de la gloria de Dios en la faz de Jesucristo' (v. 6).

> **2 Corintios 4.5–6** Porque no nos predicamos a nosotros mismos, sino a Cristo Jesús como Señor, y a nosotros como siervos de ustedes por amor de Jesús. Pues Dios, que dijo: "De las tinieblas resplandecerá la luz," es el que ha resplandecido en nuestros corazones, para iluminación del conocimiento de la gloria de Dios en el rostro de Cristo.

De modo que, aunque 'en otro tiempo [éramos] tinieblas', ahora somos 'luz en el Señor' (Ef. 5:8). Y el apóstol dice: 'Nosotros todos, mirando a cara descubierta como en un espejo la gloria del Señor' (2 Co. 3:18). Por lo tanto, ahora estamos tan lejos de estar en tal oscuridad o en tal distancia de Dios, que nuestra 'comunión es con el Padre, y con Su Hijo' (1 Jn. 1:3). La luz del evangelio por la cual ahora Dios es revelado es gloriosa: No una estrella, sino que el sol en Su belleza ha salido sobre nosotros, y el velo ha sido quitado de nuestros rostros. De modo que, aunque los incrédulos y quizás algunos creyentes débiles pueden estar en alguna oscuridad, aquellos que tienen algún crecimiento o alcance considerable tienen una visión clara de la faz de Dios en Jesucristo".

A lo cual respondo lo siguiente:

Respuesta 1. La verdad es que todos nosotros conocemos lo suficiente de Él para amarle más de lo que le amamos, para deleitarnos en Él, servirle, creerle, obedecerle y poner nuestra confianza en Él, por encima de todo lo que hemos alcanzado hasta ahora. Nuestra oscuridad y debilidad no son motivos para nuestra negligencia y desobediencia. ¿Quién es el que ha andado según el conocimiento que tiene de las perfecciones, excelencias y voluntad de Dios? El fin de Dios al darnos cierto conocimiento de sí mismo aquí es para que podamos glorificarle como Dios —es decir, amarle, servirle, creerle, obedecerle y darle todo el honor y gloria que las pobres criaturas pecaminosas le deben al Dios y Creador que perdona el pecado. Todos debemos reconocer que nunca fuimos transformados completamente a la imagen de ese conocimiento que hemos tenido. Y si hubiéramos usado bien nuestros talentos, se nos podría haber confiado más.

Respuesta 2. Comparativamente, el conocimiento que tenemos de Dios por la revelación de Jesucristo en el evangelio es muy eminente y glorioso. Es así en comparación con cualquier conocimiento de Dios que de otra manera podría ser alcanzado, o que fue entregado en la ley bajo el Antiguo Testamento, que solo tenía la sombra de las cosas buenas, no la imagen expresa de ellas. Esto es lo que el apóstol desarrolla extensamente en 2 Corintios 3:6 y versículos siguientes.

Cristo ha revelado ahora en estos últimos días al Padre desde Su propio seno, ha declarado Su nombre, ha dado a conocer Su mente, voluntad y consejo de una manera mucho más clara, eminente y distinta de la que lo hacía antes mientras guardaba a Su pueblo bajo la tutela de la ley. Esto es lo que, en su mayor parte, se pretende en los lugares antes mencionados. La clara entrega y declaración de Dios y Su voluntad en el evangelio es expresamente exaltada en comparación con cualquier otra forma de revelación de sí mismo.

Respuesta 3. La diferencia entre creyentes y no creyentes en cuanto al conocimiento no es tanto en el asunto de su conocimiento como en la manera de conocer. Algunos incrédulos pueden saber más y ser capaces de decir más de Dios, de Sus perfecciones y de Su voluntad que muchos creyentes; pero no saben nada como deben, nada de manera correcta, nada de manera espiritual y salvífica, nada con una luz santa y celestial.

La excelencia del creyente no es que tenga una gran comprensión de las cosas, sino que lo que comprende —que tal vez sea muy poco— lo vea en la luz del Espíritu de Dios, en una luz salvadora y transformadora del alma. Esto es lo que nos da comunión con Dios, y no pensamientos inquisitivos o nociones inquisitivamente elevadas.

Respuesta 4. Jesucristo por Su Palabra y Espíritu revela a los corazones de todo Su pueblo a Dios como Padre, como Dios de pacto y como galardonador. Él hace esto en todos los sentidos y adecuadamente para enseñarnos a obedecerle aquí, a llevarnos a Su seno y a reposar allí en Su gozo hasta la eternidad.

Respuesta 5. Pero ahora, a pesar de todo esto, no es más que una pequeña porción de lo que conocemos de Él. No vemos más que sus partes traseras. Esto se debe a lo siguiente:

a) La intención de toda revelación evangélica no es revelar la gloria esencial de Dios para que lo veamos como Él es, sino simplemente declarar tanto de Él como Él sabe que será suficiente para ser un fundamento de nuestra fe, amor, obediencia y acercamiento a Él —es decir, de la fe que Él espera de nosotros aquí, y de tales servicios que son adecuados para las pobres criaturas en medio de las tentaciones. Pero cuando nos llama a la admiración y contemplación eterna sin interrupción, hará una nueva manera de revelación de sí mismo. Entonces toda la forma de las cosas tal como está ahora ante nosotros se irá como una sombra.

b) Somos torpes y lentos de corazón para recibir las cosas que están en la Palabra revelada. Dios, por nuestra enfermedad y debilidad, nos mantiene en continua dependencia de Él para las enseñanzas y revelaciones de sí mismo de Su Palabra, nunca en este mundo llevando a ninguna alma al máximo entendimiento y revelación de lo que está en la Palabra. Por lo tanto, aunque la manera de la revelación en el evangelio sea clara y evidente, sabemos poco de las cosas mismas que son reveladas.

Repasemos entonces el uso y la intención de esta consideración. ¿Acaso no llenará al alma con un santo y terrible temor de Él una debida comprensión de esta inconcebible grandeza de Dios y de esa distancia infinita en la que estamos de Él, de modo que la mantenga en una condición que es inadecuada para la prosperidad o el florecimiento de cualquier concupiscencia?

Que el alma se acostumbre continuamente a los pensamientos reverenciales de la grandeza y la omnipresencia de Dios, y estará muy atenta a cualquier comportamiento indebido. Consideren a Aquel a quien tenemos que dar cuenta: “Nuestro Dios es fuego consumidor” (He. 12:29).

> **Hebreos 12.28–29** Por lo cual, puesto que recibimos un reino que es inconmovible, demostremos (tengamos) gratitud, mediante la cual ofrezcamos a Dios un servicio aceptable con temor y reverencia; porque nuestro Dios es fuego consumidor.

En sus humillaciones más grandes ante Su presencia y Sus ojos, sepan que su naturaleza misma es demasiado estrecha para soportar aprehensiones adecuadas de Su gloria esencial.

CAPÍTULO 13: INSTRUCCIONES PARTICULARES PARA LA MORTIFICACIÓN: NO HABLEN DE PAZ

9. No hablen de paz hasta que Dios hable de paz
    a. Dios da paz soberanamente
    b. Cristo habla de paz soberanamente
    c. Reglas para saber si Dios nos habla de paz o si nosotros mismos nos hablamos de paz

9. No hablen de paz hasta que Dios hable de paz

La novena y última instrucción particular para la mortificación del pecado es esta:

> ***En caso de que Dios inquiete tu corazón con la culpa de sus corrupciones, ya sea con respecto a la raíz y morada del pecado o con respecto a algunas erupciones de pecado, ten cuidado de no hablarte de paz a ti mismo antes de que Dios lo haga. En vez de eso, escucha lo que Él le dice a tu alma.***

Esta es nuestra siguiente instrucción. Sin su observación, el corazón estará muy expuesto al engaño del pecado.

Este es un asunto de gran importancia. Es triste que un hombre engañe a su propia alma en esto. Todas las advertencias que Dios da a nuestras almas con ternura para que nos probemos y nos examinemos a nosotros mismos, tienden a prevenir este gran mal de hablarnos de paz sin fundamento. Hablarnos de paz sin fundamento resulta en bendecirnos a nosotros mismos en oposición a Dios. No es mi propósito insistir en el peligro de esto, sino ayudar a los creyentes a prevenirlo y hacerles saber cuándo lo están haciendo.

a. Dios da paz soberanamente

Es la gran prerrogativa y soberanía de Dios dar gracia a quien Él quiere. Él tiene misericordia "de quien quiere". Y de entre todos los hijos de los hombres, llama y santifica a quien Él quiere (*cf.* Ro. 9:18; 8:30). De la misma manera, entre los llamados y justificados, y entre aquellos que Él salvará, Él se reserva este privilegio: Hablar de paz a quien Él quiere y en la medida que Él quiere, incluso entre aquellos a quienes Él ha concedido gracia. Él es el "Dios de toda consolación" de una manera especial en Su trato con los creyentes (*cf.* 2 Co. 1:3) —es decir, de las cosas buenas que mantiene bloqueadas en su familia, y que da a todos Sus hijos como Él quiere. El Señor insiste en esto en Isaías 57:16-18:

> **Isaías 57.16–18** Porque no estaré en pleito para siempre, Ni estaré siempre enojado, Pues el espíritu desfallecería ante Mí, Y el aliento *de los que* Yo he creado. A causa de la iniquidad de su codicia, Me enojé y lo herí. Escondí *Mi rostro* y Me indigné, Y él siguió desviándose por el camino de su corazón. He visto sus caminos, pero lo sanaré. Lo guiaré y le daré consuelo a él y a los que con él lloran.

Es este caso que estamos considerando en el que se insiste allí. Cuando Dios dice que sanará sus faltas y descontentos, Él asume este privilegio para sí mismo de una manera especial. "Produciré [...] paz" (v. 19). Es como si hubiera dicho: "Incluso con respecto a estas pobres criaturas heridas, yo produciré paz. De acuerdo con mi soberanía, lo haré como quiero".

Por lo tanto, así como es con el otorgamiento de la gracia a los que están en el estado natural —Dios hace esto de manera muy sorprendente, y Sus procedimientos en ello al tomar y dejar (en cuanto a las apariencias externas) son muy diferentes y a menudo contrarios a todas las expectativas probables—, así mismo es en Su comunicación de paz y gozo en referencia a los que están en el estado de gracia —a menudo las da a conocer más allá de nuestra expectativa en cuanto a cualquier base aparente para Sus tratos.

b. Cristo habla de paz soberanamente

Así como Dios produce paz para quien Él quiere, así mismo es la prerrogativa de Cristo de hablar de paz a la conciencia. Hablando a la iglesia de la Laodicea, que había sanado falsamente sus heridas y se había hablado de paz a sí misma cuando no debía, Cristo lleva consigo ese título: "He aquí el Amén, el testigo fiel y verdadero" (Ap. 3:14). Él da testimonio de nuestra condición tal como es en verdad. Es posible que nos equivoquemos y nos inquietemos en vano, o que nos halaguemos por motivos falsos, pero Él es "el Amén, el testigo fiel y verdadero"; y lo que Él habla de nuestro estado y condición, es lo que es. Se dice que no juzga "según la vista de sus ojos" (Is. 11:3).

> **Isaías 11.3–4** El se deleitará en el temor del Señor, Y no juzgará por lo que vean Sus ojos, Ni sentenciará por lo que oigan Sus oídos; Sino que juzgará al pobre con justicia, Y fallará con equidad por los afligidos de la tierra. Herirá la tierra con la vara de Su boca, Y con el soplo de Sus labios matará al impío.

No juzga según cualquier apariencia exterior, o cualquier cosa que pueda estar sujeta a error, como podemos hacer nosotros, sino que Él juzgará y determinará todas las causas tal como son en realidad.

c. Reglas para saber si Dios nos habla de paz o si nosotros mismos nos hablamos de paz

Dadas estas dos observaciones anteriores, daré algunas reglas por las cuales los hombres pueden saber si Dios les habla de paz, o si ellos hablan de paz solo para sí mismos.

Regla 1: Cuando el pecado no es detestado

Los hombres ciertamente se hablan a sí mismos de paz cuando al hacerlo no es acompañado con la mayor detestación imaginable del pecado involucrado y el aborrecimiento de sí mismos por ello. A menudo los hombres están heridos, inquietos y perplejos por el pecado, sabiendo que no hay remedio para ellos sino solo en las misericordias de Dios por medio de la sangre de Cristo.

Cuando estos miran a Dios y a las promesas del nuevo pacto en Cristo (*cf.* He. 8:8-13), tranquilizan sus corazones en que les irá bien y en que Dios será exaltado por Su misericordia hacia ellos. Pero si sus almas no son llevadas a la mayor detestación del pecado o de los pecados por cuya causa están inquietos, entonces se han sanado a sí mismos y no han sido sanados por Dios.

> **Hebreos 8.8–13** Porque reprochándolos, El dice: "Miren que vienen días, dice el Señor, en que estableceré un nuevo pacto con la casa de Israel y con la casa de Judá; no como el pacto que hice con sus padres el día que los tome de la mano para sacarlos de la tierra de Egipto; porque no permanecieron en Mi pacto, y yo me desentendí de ellos, dice el Señor. Porque este es el pacto que Yo hare con la casa de Israel después de aquellos días, dice el Señor: Pondré Mis leyes en la mente de ellos, y las escribiré sobre sus corazones. Yo seré su Dios, y ellos serán Mi pueblo. Y ninguno de ellos enseñara a su conciudadano ni ninguno a su hermano, diciendo: 'Conoce al Señor,' porque todos Me conocerán, desde el menor hasta el mayor de ellos. Pues tendré misericordia de sus iniquidades, y nunca mas me acordare de sus pecados." Cuando Dios dijo: "Un nuevo *pacto*," hizo

> anticuado al primero; y lo que se hace anticuado y envejece, está próximo a desaparecer.

Esto es solo un viento grande y poderoso en el cual el Señor está cerca, pero no está en el viento (*cf.* 1 R. 19:11). Cuando los hombres verdaderamente "miran a [Cristo] a quien han traspasado", sin el cual no hay curación ni paz, "llorarán" (Zc. 12:10). Llorarán por Él, aun por este motivo, y detestarán el pecado que le traspasó.

Cuando vamos a Cristo para ser sanados, la fe lo mira particularmente como a uno traspasado. La fe tiene varias visiones de Cristo, según las ocasiones que tiene para la oración y la comunión con Él. A veces la fe ve Su santidad, a veces Su poder, a veces Su amor, a veces Su favor con Su Padre. Y cuando la fe busca la curación y la paz, mira especialmente a la sangre del pacto, a los sufrimientos de Cristo; porque "el castigo de nuestra paz fue sobre él, y por su llaga fuimos nosotros curados" (Is. 53:5).

Cuando buscamos la curación, Sus azotes deben ser vistos —no en el relato exterior de ellos (que es el curso de los extremos devotos papistas), sino en el amor, la bondad, el misterio y el propósito de la cruz. Y cuando buscamos la paz, Sus castigos deben estar en nuestros ojos. Digo entonces de esto que, si se hace de acuerdo con el designio de Dios y con la fuerza del Espíritu que es derramado sobre los creyentes, engendrará una detestación de ese pecado o pecados por los cuales se busca la sanidad y la paz. "Yo tendré memoria de mi pacto que concerté contigo en los días de tu juventud, y estableceré contigo un pacto sempiterno". ¿Y entonces qué? "Y te acordarás de tus caminos y te avergonzarás" (Ez. 16:60-61).

> **Ezequiel 16.60–61** "Sin embargo, Yo recordaré Mi pacto contigo en los días de tu juventud, y estableceré para ti un pacto eterno. "Entonces te acordarás de tus caminos y te avergonzarás cuando recibas a tus hermanas, las mayores que tú *y* las menores que tú; y te las daré por hijas, pero no por causa de tu pacto.

Cuando Dios vuelve a casa para hablar de paz en un pacto de paz seguro (*cf.* Is. 54:10; Ez. 34:25; 37:26), llena el alma de vergüenza por todas las maneras en que ha sido apartado de Él. Una de las cosas que el apóstol menciona que acompaña a esa tristeza que es según Dios que produce arrepentimiento para salvación (de lo cual no hay que arrepentirse) es la venganza: "¡Qué venganza!" (2 Co. 7:10-11.

> **2 Corintios 7.10–11** Porque la tristeza que es conforme a *la voluntad de* Dios produce un arrepentimiento *que conduce* a la salvación, sin dejar pesar; pero la tristeza del mundo produce muerte. Porque miren, ¡qué solicitud ha producido esto en ustedes, esta tristeza piadosa, qué vindicación de ustedes mismos, qué indignación, qué temor, qué gran afecto, qué celo, qué castigo del mal! En todo han demostrado ser inocentes en el asunto.

Reflexionaron sobre sus transgresiones con indignación y venganza por su locura en ellas. Cuando Job llega a una sanación completa de su pecado, clama: "Por tanto me aborrezco" (Job 42:6). Hasta que lo hizo, no tuvo paz duradera. Quizás pudo haber hecho paz consigo mismo con esa doctrina de la libre gracia que tan excelentemente predicó Eliú (Job 33:14-30), pero entonces solo hubiera raspado sus heridas —debía llegar al aborrecimiento de sí mismo si quería llegar a la sanación.

Lo mismo ocurrió con aquellos del Salmo 78:33-35,[1] en su gran angustia y perplejidad por y a causa del pecado. No dudo de que en la súplica que hicieron a Dios en Cristo (que hicieron así es evidente por los títulos que le dieron: Le llaman su Roca y su Redentor, dos palabras que en todas partes señalan a Cristo el Señor), se hablaron a sí mismos de paz. Pero, ¿fue sólido y duradero? No, pasó como el rocío de la madrugada. Dios no dice ni una palabra de paz a sus almas.

> **Salmo 78.33–37** El, pues, hizo terminar sus días en vanidad, Y sus años en terror súbito. Cuando los hería de muerte, entonces Lo buscaban, Y se volvían y buscaban con diligencia a Dios; Se acordaban de que Dios era su

---

[1] "Por tanto, consumió sus días en vanidad, y sus años en tribulación. Si los hacía morir, entonces buscaban a Dios; entonces se volvían solícitos en busca suya, Y se acordaban de que Dios era su refugio, y el Dios Altísimo su redentor" (Sal. 78:33-35).

> Roca, Y el Dios Altísimo su Redentor. Pero con su boca Lo engañaban Y con su lengua Le mentían. Pues su corazón no era leal para con El, Ni eran fieles a Su pacto.

Pero, ¿por qué no tenían paz? Pues, porque en su súplica a Dios lo lisonjeaban. ¿Pero cómo se ve eso? "Sus corazones no eran rectos con Él" (v. 37); no tenían una detestación ni un abandono del pecado por el cual se hablaban a sí mismos de paz. Que el hombre haga la petición que quiera para la sanación y la paz, que la haga al verdadero Médico, que la haga de la manera correcta, que tranquilice su corazón en las promesas del pacto.

Sin embargo, cuando se habla de paz, si no está acompañada con la detestación y el aborrecimiento de ese pecado que fue la herida y causó la inquietud, esto no es paz de la creación de Dios, sino de nuestra propia adquisición. No es más que raspar la herida mientras que la infección se encuentra debajo, la cual pudrirá, corromperá y carcomerá hasta que vuelva a manifestarse con lesiones, molestias y peligro.

Que las pobres almas que caminan en tal camino como este —quienes son más sensibles a la inquietud del pecado que a la contaminación de la impureza que lo acompaña; quienes suplican por misericordia incluso al Señor Jesucristo, pero que guardan el dulce bocado de su pecado bajo su lengua—, no piensen nunca que tienen una paz verdadera y sólida. Por ejemplo, encuentras tu corazón corriendo tras el mundo, y te perturba en tu comunión con Dios; el Espíritu te habla expresamente: "Si alguno ama al mundo, el amor del Padre no está en él" (1 Jn. 2:15).

Esto te pone a tratar con Dios en Cristo para sanar tu alma y para calmar tu conciencia, pero, con todo esto, una detestación completa del mal mismo no habita en ti. Tal vez haya cierta detestación, pero solo con respecto a las consecuencias de tu pecado. Tal vez puedas ser salvo, pero solo como por fuego (*cf.* 1 Co. 3:12-15).

> **1 Corintios 3.12–15** Ahora bien, si sobre *este* fundamento alguien edifica con oro, plata, piedras preciosas, madera, heno, paja, la obra de cada uno se hará evidente; porque el día la dará a conocer, pues con fuego *será* revelada. El fuego mismo probará la calidad de la obra de cada uno. Si permanece la

> obra de alguien que ha edificado sobre *el fundamento,* recibirá recompensa. Si la obra de alguien es consumida *por el fuego,* sufrirá pérdida; sin embargo, él será salvo, aunque así como a través del fuego.

Tal vez Dios todavía tenga algo de trabajo contigo antes de que Él termine, pero tendrás poca paz en esta vida. Estarás enfermo y débil todos tus días (*cf.* Is. 57:17). Este es un engaño que yace en la raíz de la paz de muchos profesantes y la destruye. Convienen con todas sus fuerzas por misericordia y perdón, y parecen tener una gran comunión con Dios al hacerlo.

Ellos yacen delante de Él y lamentan sus pecados y necedades de tal manera que cualquiera pensaría —sí, incluso ellos mismos creen— que ciertamente ellos y sus pecados están ahora separados; y así reciben en misericordia lo que satisface sus corazones por un corto tiempo. Pero cuando se llega a hacer una indagación minuciosa, ha habido cierta reserva secreta de necedad o necedades mantenidas —al menos no ha habido el aborrecimiento profundo que se necesita de ella— y se descubre rápidamente que toda su paz es débil y está podrida, y que apenas permanece por más tiempo que las palabras de ruego que están en sus bocas.

Regla 2: Cuando los hombres se basan en principios racionales

Cuando los hombres miden la paz para sí mismos en base a las conclusiones que sus convicciones y principios racionales los llevarán, esta es una paz falsa y no se mantendrá. Explicaré un poco lo que quiero decir con esto. Un hombre ha recibido una herida por el pecado; tiene convicción de algún pecado en su conciencia. No ha caminado rectamente como es digno del evangelio (*cf.* Fil. 1.27); todo no está bien entre Dios y su alma. Ahora considera lo que hay que hacer.

Él tiene luz, sabe qué camino debe tomar y cómo su alma ha sido sanada anteriormente. Al considerar que las promesas de la Palabra de Dios son los medios externos de aplicación para la curación de sus llagas y la quietud de su corazón, él va a ellas, las escudriña y descubre una o más de ellas cuyas palabras literales se adaptan directamente a su condición.

Entonces se dice a sí mismo: "Dios habla en esta promesa; aquí tomaré para mí un emplasto[2] tan largo y ancho como mi herida". Y así él trae la palabra de la promesa a su condición, y lo pone en paz. Esta es otra apariencia sobre el monte: El Señor está cerca, pero el Señor no está en él (*cf.* 1 R. 19:11-12).

> **1º Reyes 19.11–12** Entonces el Señor le dijo: "Sal y ponte en el monte delante del Señor." En ese momento el Señor pasaba, y un grande y poderoso viento destrozaba los montes y quebraba las peñas delante del Señor; *pero* el Señor no *estaba* en el viento. Después del viento, un terremoto; *pero* el Señor no *estaba* en el terremoto. Después del terremoto, un fuego; *pero* el Señor no *estaba* en el fuego. Y después del fuego, el susurro de una brisa apacible.

No ha sido obra del Espíritu, el único que puede convencer "al mundo de pecado, de justicia y de juicio" (Jn. 16:8), sino las meras acciones del alma inteligente y racional.

Hay tres tipos de vida: La vegetativa, la sensitiva y la racional o inteligente.[3] Algunas criaturas tienen solo lo vegetativo. Otras tienen lo sensitivo y que incluye lo primero. Y otros tienen lo racional y que asimila y supone a los otros dos. Ahora bien, el que tiene lo racional no solo actúa adecuadamente con ese principio, sino también con los otros dos: Crece y es sensitivo. Así es con los hombres en las cosas de Dios. Algunos son meros hombres naturales y racionales; otros tienen una convicción sobreañadida con iluminación; y algunos son verdaderamente regenerados. El que tiene entonces el último tiene también los otros dos. Por lo tanto, actúa a veces sobre los principios de lo racional y a veces sobre los principios del hombre espiritualmente iluminado.

---

[2] Vendaje que cubre las heridas y que tiene una sustancia curativa.

[3] Aristóteles diferenció tres tipos de alma, o tres diferentes tipos de criaturas vivientes en distinción con las cosas inanimadas: Vegetativa (Plantas), sensitiva (animales) y racional (seres humanos). Véase Aristóteles, *Ética nicomáquea*, Libro 1.

Su verdadera vida espiritual no es el principio de todos sus movimientos y actos: No siempre actúa con fuerza espiritual, ni todos sus frutos provienen de esa raíz. En este caso del que hablo, él actúa meramente sobre el principio de convicción e iluminación, por el cual sus primeras inclinaciones naturales son incrementadas. Pero el Espíritu no sopla en absoluto sobre todas estas aguas. Por ejemplo, supongamos que la herida y la inquietud del alma se deben a las recaídas.

Cualquiera que sea el mal o la insensatez, aunque sea muy pequeña, no hay heridas ni inquietudes más profundas que las que se le han dado al alma por este motivo. En el alboroto interior de su mente, descubre esa promesa:

> **Isaías 55.7** Abandone el impío su camino, Y el hombre malvado sus pensamientos, Y vuélvase al Señor, Que tendrá de él compasión, Al Dios nuestro, Que será amplio en perdonar.

Es decir, Él multiplicará o añadirá al perdón, lo hará una y otra vez. O encuentra la promesa en Oseas 14:4: "Yo sanaré su rebelión, los amaré de pura gracia". Esto es lo que el hombre considera, y entonces concluye la paz para sí mismo. Si el Espíritu de Dios hace o no la aplicación, si el Espíritu da o no vida y poder a la letra, él no lo considera. Él no escucha si Dios el Señor habla de paz. No espera en Dios, quien quizás todavía esconde Su rostro y ve a la pobre criatura robando la paz y huyendo con ella, sabiendo que llegará el momento en que Dios tratará con él de nuevo y lo llamará a un nuevo ajuste de cuentas (*cf.* Os. 9:9), cuando verá que es en vano dar un paso donde Dios no lo toma de la mano.

Ciertamente veo otras preguntas que se plantean e intervienen aquí. No puedo abordarlas todas, pero hablaré un poco de una.

Objeción: ***¿Vamos solos o con el Espíritu?***

Se puede decir entonces lo siguiente: "Puesto que este parece ser el camino en el que el Espíritu Santo nos conduce a la verdadera curación de nuestras heridas y a la quietud de nuestros corazones, ¿cómo sabremos cuándo vamos solos, y cuándo el Espíritu también nos acompaña?"

Respuesta 1. Dios nos lo hará saber. Si alguno de ustedes está fuera del camino correcto a este respecto, Dios se lo hará saber rápidamente. Además, tienes Su promesa de que "encaminará a los humildes por el juicio, y enseñará a los mansos su carrera" (Sal. 25:9). No dejará que continúes errando. Digo que Él no permitirá que tu desnudez esté cubierta de hojas de higuera, sino que las quitará y toda la paz que tienes en ellas, y no permitirá que reposes tranquilo en tal sedimento (*cf.* Jer. 48:11).

> **Jeremías 48.10–11** Maldito el que hace la obra del Señor con engaño; Maldito el que retrae su espada de la sangre. Reposada ha estado Moab desde su juventud, Ha estado tranquila sobre su sedimento; No ha sido vaciada de vasija en vasija, Ni ha ido al destierro; Por eso retiene su sabor, Y su aroma no ha cambiado.

Rápidamente sabrás que tu herida no está curada —es decir, sabrás rápidamente si esta es o no tu situación. La paz que alcanzas o obtienes de esta manera no perdurará. Mientras el alma sea dominada por sus propias convicciones, no hay asidero en el cual sujetar las inquietudes. Quédate un poco, y todos estos razonamientos se enfriarán y se desvanecerán ante el rostro de la primera tentación que surja.

Respuesta 2. Este curso es tomado comúnmente sin *esperar*; lo cual es la gracia y la acción peculiar de la fe que Dios llama a ser ejercida en tal condición. Yo sé que Dios a veces viene al alma instantáneamente o en un momento, por así decirlo, hiriéndola y sanándola —como estoy persuadido de que fue el caso de David cuando cortó la orilla del manto de Saúl (*cf.* 1 S. 24:5).

> **1º Samuel 24.4–5** Y los hombres de David le dijeron: "Mira, *este es* el día del que el Señor te habló: 'Voy a entregar a tu enemigo en tu mano, y harás con él como bien te parezca.' " Entonces David se levantó y cortó a escondidas la orilla del manto de Saúl. Aconteció después de esto que la conciencia de David le remordía, porque había cortado la orilla *del manto* de Saúl.

Pero ordinariamente en tal caso, Dios llama a la espera y al trabajo (*cf.* Sal. 130:6; 128:2), vigilando como el ojo de un siervo sobre su amo. Dice el profeta Isaías: "Esperaré, pues, a Jehová, el cual escondió su rostro de la casa de Jacob" (Is. 8:17). Dios hará que Sus hijos estén un rato a Su puerta cuando hayan huido de Su casa y cuando no se precipitan instantáneamente sobre Él, a menos que los tome de la mano y los atraiga cuando estén tan avergonzados que no se atrevan a venir a Él. Ahora bien, los que se curan a sí mismos o los hombres que se hablan a sí mismos paz, comúnmente se apresuran —no se demoran. No escuchan lo que Dios dice, sino en que van a ser sanados. (*cf.* Is. 28:16).

Respuesta 3. Tal curso no endulza el corazón con descanso y contentamiento de gracia, aunque puede calmar la conciencia y la mente —la parte racional del alma. La respuesta que recibe es muy parecida a la que Eliseo le dio a Naamán: "Id en paz" (2 R. 5:19). Tranquilizó su mente, pero me pregunto si endulzó su corazón o le dio alguna alegría al creer, aparte de la alegría natural que entonces vino sobre él cuando sanó. "¿No hacen mis palabras bien [...]?", dice el Señor (Mi. 2:7).

> **Miqueas 2.7** ¿No se dice, oh casa de Jacob: 'Es impaciente el Espíritu del Señor? ¿Son éstas Sus obras?' ¿No hacen bien Mis palabras Al que camina rectamente?

Cuando Dios habla, no solo hay verdad en Sus palabras, que pueden responder a la convicción de nuestros entendimientos, sino que también hacen bien. Traen lo que es dulce, bueno y deseable a la voluntad y a los afectos. Por ellas el alma vuelve a su reposo (*cf.* Sal. 116:7).

Respuesta 4. Lo que es peor de todo, tal curso no enmienda la vida, no sana el mal y no cura la enfermedad. Cuando Dios habla de paz, guía y guarda el alma para que no se vuelva de nuevo a la locura (*cf.* Sal. 85:8).

> **Salmo 85.7–8** Muéstranos, oh Señor, Tu misericordia, Y danos Tu salvación. Escucharé lo que dirá Dios el Señor, Porque hablará paz a Su pueblo, a Sus santos; Pero que no vuelvan ellos a la insensatez.

Cuando hablamos de paz a nosotros mismos, el corazón no se aleja del mal. Es más, es el camino más fácil del mundo para llevar a un alma a una práctica continua de reincidencia.[4] Si al aplicarte el emplasto a ti mismo te encuentras de nuevo animado a la batalla en lugar de estar completamente liberado de tu enfermedad, es demasiado probable que hayas estado trabajando con tu propia alma, pero Jesucristo y Su Espíritu no estaban allí.

Muchas veces la naturaleza, habiendo hecho su trabajo, vendrá por su recompensa después de unos días y, habiendo estado activa en el trabajo de curación, estará lista para razonar por una nueva herida. Sin embargo, en la paz que habla Dios, hay tanta dulzura y tal revelación de Su amor que es una fuerte obligación para el alma no tratar más perversamente (*cf.* Lc 22:32).

Regla 3: Cuando nos hablamos de paz ligeramente

Nos hablamos de paz cuando lo hacemos ligeramente. El profeta se queja de esto en algunos maestros: "Y curan la herida de mi pueblo *con liviandad*" (Jer. 6:14). Y así sucede con algunas personas: Hacen que la curación de sus heridas sea un trabajo ligero. Una mirada o un vistazo de la fe a las promesas lo hace, y así se termina el asunto.

El apóstol nos dice que "no les aprovechó el oír la palabra [a algunos], por no ir *acompañada* de fe" (He. 4:2) —es decir, no estaba "bien temperada"[5] y mezclada con la fe. La sanación no es de una simple mirada a la palabra de misericordia en las promesas, sino que debe ser mezclada con la fe hasta que la fe se incorpore a la naturaleza misma de la sanación. Entonces, en efecto, hace bien al alma.

Si has tenido una herida en tu conciencia que fue atendida con debilidad e inquietud de la que ahora estás libre, ¿cómo llegaste a ello? Se podría decir: "Miré las promesas de perdón y curación y encontré la paz". Sí, pero quizás te has apresurado demasiado: Lo has hecho abiertamente, no te has alimentado de la promesa para mezclarla con la fe, para que toda

[4] Apostasía.
[5] Griego: μὴ συγκεκραμένος·

su virtud se difunda en tu alma —lo has hecho ligeramente. Encontrarás que tu herida en poco tiempo volverá a aparecer, y entonces sabrás que no estás curado.

Regla 4: Cuando se ignora otro pecado

Quien se habla a sí mismo de paz por cualquier motivo y al mismo tiempo tiene otro mal de no menor importancia que está en su espíritu sobre el cual no ha tenido ningún trato con Dios, ese hombre clama "Paz" cuando no la tiene. Déjame explicarte lo que quiero decir: Quizás un hombre ha descuidado un deber una y otra vez cuando era debido de él en toda justicia. Su conciencia está perpleja, su alma herida y no tiene tranquilidad en sus huesos a causa de su pecado.

Entonces se ocupa de sanarse y encuentra paz. Sin embargo, tal vez mientras tanto, la mundanalidad, el orgullo o alguna otra insensatez con la que el Espíritu de Dios es sumamente contristado, pueden yacer en el seno de ese hombre. Y puede que no lo perturben, ni él a ellos. ¡Que ese hombre no piense que algo de su paz proviene de Dios! Estará bien entonces con los hombres cuando tengan el mismo respeto a todos los mandamientos de Dios. Dios nos justificará *de* nuestros pecados, pero Él no justificará el menor pecado *en* nosotros. Él es un Dios "de ojos muy limpios para ver el mal" (Hab. 1:13).

> **Habacuc 1.12–13** ¿No eres Tú desde la eternidad, Oh Señor, Dios mío, Santo mío? No moriremos. Oh Señor, para juicio lo has puesto; Tú, oh Roca, lo has establecido para corrección. Muy limpios *son Tus* ojos para mirar el mal, Y no puedes contemplar la opresión. ¿Por qué miras con agrado A los que proceden pérfidamente, *Y* guardas silencio cuando el impío devora Al que es más justo que él?

Regla 5: Cuando no hay humildad

Cuando los hombres de sí mismos hablan de paz a sus propias conciencias, rara vez Dios habla de humillación a sus almas. La paz de

Dios es una paz que humilla y que deshace, como en el caso de David (*cf.* Sal. 51:1, 17). Nunca estuvo en una humillación más profunda como cuando Natán le trajo la noticia de su perdón (*cf.* 2 S. 12:13).

> **2º Samuel 12.12–13** 'En verdad, tú lo hiciste en secreto, pero Yo haré esto delante de todo Israel y a plena luz del sol.' " Entonces David dijo a Natán: "He pecado contra el Señor." Y Natán dijo a David: "El Señor ha quitado tu pecado; no morirás.

Pregunta: *Cuando tomar el consuelo de una promesa de Dios*
Pero tú dirás: "¿Cuándo podremos tomar el consuelo de una promesa como nuestra en relación con alguna herida peculiar para calmar el corazón?"

Respuesta 1: Podemos tomar el consuelo de una promesa para nosotros mismos generalmente cuando Dios lo diga —será cuando deba ser, tarde o temprano. Te dije antes que Él puede hacerlo en el instante mismo del pecado, y hacerlo con tal poder irresistible que el alma debe recibir Su mente en él. Y a veces nos hará esperar más tiempo. Pero cuando Él habla —ya sea tarde o temprano, ya sea que estemos pecando o arrepintiéndonos, sea cual sea la condición de nuestras almas—, si Dios habla, Él debe ser recibido.

No hay nada en nuestra comunión con Él con lo que el Señor se molesta más con nosotros —si se me permite decirlo— que con nuestros temores incrédulos que nos impiden recibir ese fuerte consuelo que Él está tan dispuesto a darnos. Pero tú dirás: "Estamos donde estábamos.

Es verdad que cuando Dios lo diga, debemos recibirlo; pero ¿cómo sabremos cuando Él hable?":

1) Me gustaría que todos pudiéramos prácticamente llegar a esto: Recibir la paz cuando estamos convencidos de que Dios la habla, y que es nuestro deber recibirla.

2) Sin embargo, si se me permite decirlo, hay un instinto secreto en la fe por el cual se conoce la voz de Cristo cuando habla en verdad. Así como el bebé saltó en el vientre cuando la virgen bendita vino a Elisabet (*cf.* Lc. 1:41), así mismo la fe salta en el corazón cuando Cristo se acerca a ella.

"Mis ovejas — dice Cristo— oyen mi voz" (Jn. 10:4, 27) —es decir, conocen mi voz. Están acostumbrados a su sonido.

Ellos saben cuándo Sus labios se abren a ellos y están llenos de gracia. La esposa estaba en una condición lamentable —dormida en la seguridad—, pero tan pronto como Cristo habla, ella clama: "Es la voz de mi amado" (Cnt. 5:2).[6]

> **Cantares 5.1–2** "He entrado en mi huerto, hermana mía, esposa *mía*; He recogido mi mirra con mi bálsamo. He comido mi panal y mi miel; He bebido mi vino y mi leche. Coman, amigos; Beban y embriáguense, oh amados." "Yo dormía, pero mi corazón velaba, ¡Una voz! ¡Mi amado toca *a la puerta!* 'Ábreme, hermana mía, amada mía, Paloma mía, perfecta mía, Pues mi cabeza está empapada de rocío, Mis cabellos *empapados* de la humedad de la noche.'

Ella conocía Su voz y estaba tan familiarizada con la comunión con Él que instantáneamente lo encuentra. Y tú también lo harás. Si se ejercitan para conocerlo y tener comunión con Él, fácilmente discernirán entre Su voz y la voz de un extraño. Y llévense este "criterio"[7] con ustedes: Cuando habla, habla como nunca ha hablado el hombre. Él habla con poder, y de una manera u otra hará que tu corazón arda en ti como lo hizo con los discípulos (*cf.* Lc 24:32).

> **Lucas 24.32** Y se dijeron el uno al otro: "¿No ardía nuestro corazón dentro de nosotros mientras nos hablaba en el camino, cuando nos abría las Escrituras?"

Lo hace metiendo "Su mano por la abertura de la puerta" (Cnt. 5:4) —es decir, metiendo Su Espíritu en nuestros corazones para apoderarse de nosotros. El que tiene sus sentidos ejercitados para discernir el bien o el mal es el mejor juez para sí mismo en este caso, siendo fortalecido en

---

[6] Owen —junto con la mayoría de los intérpretes del siglo XVII— interpretó el Cantar de Salomón (o Cantares, como se referían a él) como una "descripción de la comunión que existe entre el Señor Cristo y Sus santos" (*Works*, 2:46).

[7] Griego: κριτήριον.

juicio y experiencia por una observación constante de las formas de la comunicación de Cristo, la manera de las operaciones del Espíritu y los efectos que usualmente produce.

Respuesta 2. Si la Palabra del Señor hace bien a tu alma, entonces Él lo dice. Si te humilla, si te limpia y si es útil para los fines por los cuales Sus promesas son dadas (a saber, hacer amar, purificar, fundirse y comprometerse a la obediencia, a despojarse de sí mismo, etc.), entonces Él lo dice. Pero esto no es mi propósito, ni me desviaré más en la indagación de esta instrucción. Sin la observación de esta, el pecado tendrá grandes ventajas para el endurecimiento del corazón.

PARTE 3: LOS MEDIOS PARA LA MORTIFICACIÓN

CAPÍTULO 14: INSTRUCCIONES PARA LA OBRA MISMA DE LA MORTIFICACIÓN

1. Pongan la fe a trabajar en Cristo
    a. Cómo actúa la fe en Cristo
    b. Jesucristo: el fundamento de la fe
    c. Ventajas eminentes
    d. Detalles de esta instrucción
2. La obra del Espíritu

Ahora bien, las consideraciones en las que he insistido hasta ahora se refieren más a cosas *preparatorias* para la mortificación del pecado que a las que realmente lo *lograrán*. Es la debida preparación del corazón para la obra en sí —sin la cual no se logrará— a la que hasta ahora he apuntado.

Hay muy pocas instrucciones que son peculiares a la mortificación del pecado mismo. Son estas las que siguen:

1. Pongan la fe a trabajar en Cristo

> ***Pongan la fe a trabajar en Cristo para matar sus pecados. Su sangre es el gran remedio soberano para las almas enfermas de pecado.***

Vivan en esto y morirán como un conquistador. Sí, por la buena providencia de Dios, vivirán para ver sus concupiscencias muertas a sus pies.

a. Cómo actúa la fe en Cristo

Pero dirán: "¿Cómo actuará la fe misma en Cristo para este fin y propósito?" Digo que de varias maneras:

1) Llenen sus almas con las provisiones de Cristo

Por la fe llenen sus almas con la debida consideración de la provisión que está almacenada en Jesucristo para este fin y propósito, para que todas sus concupiscencias, esta misma concupiscencia con la que están enredados, puedan ser mortificadas. Por la fe considera esto: Aunque de ninguna manera son capaces en o por sí mismos de conseguir la conquista sobre su enfermedad y aunque estén incluso cansados de luchar y estén completamente listos para desfallecer, hay suficiente en Jesucristo que les da alivio (*cf.* Fil. 4:13).

Considerar que había suficiente pan en la casa de su padre fue lo que sostuvo al hijo pródigo cuando estaba listo para desfallecer (*cf.* Lc. 15:17). Aunque estaba lejos de él, le alivió y fortaleció el hecho de que había pan allí. En sus mayores angustias y aflicciones, consideren esa plenitud de gracia, esas riquezas, esos tesoros de fortaleza, poder y ayuda que están almacenados en Él para nuestro apoyo (*cf.* Is. 40:28-31; Jn. 1:16; Col. 1:19).

> **Isaías 40.28–31** ¿Acaso no *lo* sabes? ¿Es que no *lo* has oído? El Dios eterno, el Señor, el creador de los confines de la tierra No se fatiga ni se cansa. Su entendimiento es inescrutable. El da fuerzas al fatigado, Y al que no tiene fuerzas, aumenta el vigor. Aun los mancebos se fatigan y se cansan, Y los jóvenes tropiezan *y* vacilan, Pero los que esperan en el Señor Renovarán sus fuerzas. Se remontarán *con* alas como las águilas, Correrán y no se cansarán, Caminarán y no se fatigarán.

Dejen que entren y permanezcan en sus mentes. Consideren que Él es "exaltado [...] por Príncipe y Salvador, para dar a Israel arrepentimiento" (Hch. 5:31). Y si es Salvador para dar arrepentimiento, entonces es Salvador para dar mortificación, sin la cual no hay arrepentimiento, ni puede haberlo. Cristo nos dice que obtenemos gracia purificadora al permanecer en Él (*cf.* Jn. 15:4). Actuar la fe en la plenitud que está en Cristo para nuestro suministro es una manera eminente de permanecer en Cristo, porque tanto nuestro injerto como nuestra permanencia es por fe (*cf.* Ro. 11:19-20).

> **Romanos 11.19–21** Dirás entonces: "Las ramas fueron desgajadas para que yo fuera injertado." Muy cierto. Fueron desgajadas por su incredulidad, pero tú por la fe te mantienes firme. No seas altanero, sino teme; porque si Dios no perdonó a las ramas naturales, tampoco a ti te perdonará.

Permitan entonces que sus almas por fe sean ejercitadas con pensamientos y aprehensiones como estos:

> Soy una criatura pobre y débil; incontrolable como el agua, no puedo tener preeminencia (*cf.* Gn. 49:4). Esta corrupción es muy fuerte para mí y está a las puertas de arruinar mi alma —y no sé qué hacer. Mi alma se ha convertido en un lugar seco y una morada de chacales. He hecho promesas y las he roto; los votos y los compromisos han sido como nada para mí. He tenido muchas persuasiones de que había obtenido la victoria y que sería liberado, pero estoy engañado. Veo claramente que, sin alguna ayuda y asistencia eminente, estoy perdido y seré convencido para abandonar completamente a Dios. Pero, aunque este sea mi estado y condición, dejaré que las manos que cuelgan sean levantadas y que las rodillas débiles sean fortalecidas (*cf.* He. 12:12). He aquí, el Señor Cristo, que tiene toda la plenitud de la gracia en Su corazón, toda la plenitud del poder en Su mano, es capaz de matar a todos estos Sus enemigos (*cf.* Jn. 1:16; Mt. 28:18). Hay suficiente provisión en Él para mi alivio y asistencia. Él puede tomar mi alma caída y moribunda y hacerme más que vencedor (*cf.* Ro. 8:37). ¿Por qué dices, oh alma mía: "'Escondido está mi camino del Señor, mi derecho pasa inadvertido a mi Dios?' ¿Acaso no lo sabes? ¿Es que no lo has oído? El Dios eterno, el Señor, el Creador de los confines de la tierra no se fatiga

> ni se cansa. Su entendimiento es inescrutable. El da fuerzas al fatigado, y al que no tiene fuerzas, aumenta el vigor. Aun los mancebos se fatigan y se cansan, y los jóvenes tropiezan y vacilan, pero los que esperan en el Señor renovarán sus fuerzas. Se remontarán con alas como las águilas, correrán y no se cansarán, caminarán y no se fatigarán". (Is. 40:27-31). Él puede hacer que el lugar seco de mi alma se convierta en un "estanque", y mi corazón sediento y estéril en "manaderos de aguas". Sí, Él puede hacer de esta "morada de chacales" —este corazón, tan lleno de abominables deseos y vehementes tentaciones— un lugar para la "hierba" y el fruto para sí mismo (*cf.* Is. 35:7).

De esta manera, Dios fortaleció a Pablo bajo su tentación con la consideración de la suficiencia de Su gracia: "Bástate mi gracia" (2 Co. 12:9). Aunque no fue inmediatamente hecho partícipe de ella en cuanto a ser liberado de su tentación, la suficiencia de ella en Dios, para ese fin y propósito, fue suficiente para mantener su espíritu. Digo entonces que por la fe tengan mucho en consideración esa provisión y plenitud de la misma que está en Jesucristo, y cómo Él puede en cualquier momento darles fortaleza y liberación.

Si por este medio no encuentran éxito en la conquista, serán apoyado en el carro para que no se retiren del campo hasta que la batalla haya terminado. Serán guardados del desánimo total, de que se tumben en su incredulidad o de que se desvíen a medios y remedios falsos, que al final no los aliviarán. La eficacia de esta consideración solo se encontrará en su práctica.

2) Esperen alivio de Cristo

Levanten sus corazones por la fe a una expectativa[1] de alivio de Cristo. El alivio de Cristo en este caso es como la visión del profeta: "Aunque la visión tardará aún por un tiempo, mas se apresura hacia el fin, y no mentirá; aunque tardare, espéralo, porque sin duda vendrá, no tardará" (Hab. 2:3). Aunque les parezca un poco largo mientras están bajo sus

---

[1] Espera.

aflicciones y perplejidades, ciertamente vendrá en el tiempo señalado por el Señor Jesús, el cual es el mejor tiempo. Si, entonces, pueden elevar sus corazones a una expectativa establecida de alivio de Jesucristo —si sus ojos están hacia Él "como los ojos de los siervos miran a la mano de sus señores" (Sal. 123:2) cuando esperan recibir algo de ellos—, sus almas quedarán satisfechas. Él ciertamente los librará. Él matará la concupiscencia, y el postrer estado de ustedes será la paz. Solo búsquenlo de Su mano; espera cuándo y cómo lo hará. "Si vosotros no creyereis, de cierto no permaneceréis" (Is. 7:9).

> **Isaías 7.8–9** "Porque la cabeza de Aram es Damasco, y la cabeza de Damasco es Rezín (y dentro de otros sesenta y cinco años Efraín será destrozado, dejando de ser pueblo), y la cabeza de Efraín es Samaria, y la cabeza de Samaria es el hijo de Remalías. Si ustedes no lo creen, de cierto no permanecerán." ' "

b. Jesucristo: El fundamento de la fe

Pero, dirán: "¿Sobre qué base puedo construir tal expectativa para que no espere ser engañado?"

Puesto que tienen la necesidad de ponerse en este curso, deben ser aliviados y salvados de esta manera o no serlo en absoluto. ¿A quién irán (*cf.* Jn. 6:68)? Así mismo hay en el Señor Jesús innumerables cosas para animarlos e involucrarlos en esta expectativa.

Su necesidad lo he demostrado en parte antes cuando mostré que esto es la obra de la fe y solo de los creyentes. "Separados de mí —dice Cristo— nada podéis hacer" (Jn. 15:5), hablando con especial relación de la limpieza del corazón del pecado (*cf.* v. 2). La mortificación de cualquier pecado debe ser por una provisión de gracia. ¡Nosotros mismos no podemos hacerlo! Ahora bien, "agradó al Padre que en Él habitase toda plenitud" (Col. 1:19), para que de Su plenitud recibiésemos gracia sobre gracia (*cf.* Jn. 1:16). Él es la cabeza de donde el hombre nuevo debe tener influencias de vida y fuerza, o decaerá cada día. Si somos "fortalecidos con todo poder" "en el hombre interior", es por la morada de Cristo "en nuestros corazones" por la fe (Col. 1:11; Ef. 3:16-17).

> **Efesios 3.16–19** Le ruego que El les conceda a ustedes, conforme a las riquezas de Su gloria, el ser fortalecidos con poder por Su Espíritu en el hombre interior; de manera que Cristo habite por la fe en sus corazones. *También ruego* que arraigados y cimentados en amor, ustedes sean capaces de comprender con todos los santos cuál es la anchura, la longitud, la altura y la profundidad, y de conocer el amor de Cristo que sobrepasa el conocimiento, para que sean llenos hasta *la medida de* toda la plenitud de Dios.

También he demostrado antes que esta obra no se puede hacer sin el Espíritu. ¿De dónde entonces esperamos al Espíritu? ¿De quién lo buscamos? ¿Quién nos lo ha prometido, habiéndolo procurado para nosotros? ¿No deberían todas nuestras expectativas para este propósito estar solo en Cristo? Que esto entonces se fije en sus corazones: ¡Si no tienen alivio de Él, nunca tendrán algún alivio en absoluto! Todos los caminos, esfuerzos y contiendas que no están animados por esta expectativa de alivio de Cristo, y únicamente de Él, no tienen ningún propósito y no les harán ningún bien. Si son apoyos para sus corazones en esta expectativa o si no son los medios designados por Él mismo para recibir ayuda de Él, son en vano.

Ahora bien, para comprometerlos más con esta expectativa, consideren lo siguiente:

1) Considera la misericordia, ternura y bondad de Cristo

Considera Su misericordia, ternura y bondad, ya que Él es nuestro gran Sumo Sacerdote a la diestra de Dios. Ciertamente Él se apiada de ustedes en sus angustias. Dice: "Como aquel a quien consuela su madre, así os consolaré yo a vosotros" (Is. 66:13). Tiene la ternura de una madre a un niño pequeño.

> **Hebreos 2.17–18** Por tanto, tenía que ser hecho semejante a Sus hermanos en todo, a fin de que llegara a ser un sumo sacerdote misericordioso y fiel en las cosas que a Dios atañen, para hacer propiciación por los pecados del pueblo. Pues por cuanto El mismo fue tentado en el sufrimiento, es poderoso para socorrer a los que son tentados.

¿Cómo se nos propone la capacidad de Cristo por razón de Su sufrimiento? "En que Él mismo padeció siendo tentado, es *capaz*". ¿Añadieron los sufrimientos y las tentaciones de Cristo a Su capacidad y poder? No, sin lugar a duda, considerado absolutamente y en sí mismo. Pero la capacidad aquí mencionada es la que va acompañada de disposición, inclinación y voluntad para presentarse; es una capacidad de la voluntad contra todas las disuasiones.

Él es capaz, habiendo padecido y habiendo sido tentado, de romper todas las disuasiones en sentido contrario para aliviar a las pobres almas tentadas: "Él es capaz de ayudar".[2] Es una metonimia del efecto, porque ahora Él puede ser movido a ayudar, habiendo sido tan tentado. Así es en Hebreos 4:15-16:

> **Hebreos 4.15–16** Porque no tenemos un Sumo Sacerdote que no pueda compadecerse de nuestras flaquezas, sino Uno que ha sido tentado en todo como *nosotros*, *pero* sin pecado. Por tanto, acerquémonos con confianza al trono de la gracia para que recibamos misericordia, y hallemos gracia para la ayuda oportuna.

La exhortación del versículo 16 es la misma en la que yo estoy —a saber, que alberguemos expectativas de alivio de Cristo, que el apóstol allí llama "gracia para el oportuno socorro".[3] "Si alguna vez —dice el alma— el socorro fuera oportuno, lo sería para mí en mi condición actual. Esto es lo que anhelo: Gracia para el oportuno socorro. Estoy listo para morir, perecer y perderme para siempre. La iniquidad prevalecerá contra mí si el socorro no llega". Dice el apóstol: "Espera este socorro, este alivio y esta

---

[2] Griego: Δύναται βοηθῆσαι.

[3] Griego: χάριν εἰς εὔκαιρον βοήθειαν.

gracia de Cristo". Sí, ¿pero sobre cuál razón? Lo que él establece en el versículo 15. Y podemos observar que la palabra que hemos traducido "*para alcanzar*" es literalmente "*para recibir*".[4] "Para que lo recibamos":[5]

Llegará el socorro adecuado y oportuno. Diré libremente que esta única cosa de establecer el alma por la fe en expectativa de alivio de Jesucristo (*cf.* Mt. 11:28), a causa de Su misericordia como nuestro sumo sacerdote, estará más disponible para la ruina de sus concupiscencias y corrupciones, y tendrá un resultado mejor y más rápido que todos los medios más rígidos de autoflagelación que cualquiera de los hijos de los hombres haya tenido alguna vez.

Sí, permítanme añadir que nunca un hombre que pudiera elevar su alma por la fe a una expectativa de alivio de Jesucristo (*cf.* Is. 55:1-3; Ap. 3:18), pereció o perecerá por el poder de alguna concupiscencia, pecado o corrupción.

> **Apocalipsis 3.18–20** "Te aconsejo que de Mí compres oro refinado por fuego para que te hagas rico, y vestiduras blancas para que te vistas y no se manifieste la vergüenza de tu desnudez, y colirio para ungir tus ojos y que puedas ver. "Yo reprendo y disciplino a todos los que amo. Sé, pues, celoso y arrepiéntete. "Yo estoy a la puerta y llamo; si alguien oye Mi voz y abre la puerta, entraré a él, y cenaré con él y él conmigo.

2) Considera la fidelidad de Cristo

Consideren la fidelidad de Aquel que ha prometido, que puede levantarlos y confirmarlos en esta espera en una expectativa de alivio. Él ha prometido aliviar en tales casos, y cumplirá Su Palabra al máximo. Dios nos dice que Su pacto con nosotros es como las "leyes" del cielo: El sol, la luna y las estrellas, que tienen sus cursos determinados (*cf.* Jer 31:35-36).

---

[4] Griego: λαβωμεν.

[5] Griego: Ἵνα λάβωμεν ἔλεον.

> **Jeremías 31.35–36** Así dice el Señor, El que da el sol para luz del día, Y las leyes de la luna y de las estrellas para luz de la noche, El que agita el mar para que bramen sus olas; El Señor de los ejércitos es Su nombre: "Si estas leyes se apartan De Mi presencia," declara el Señor, "también la descendencia de Israel dejará De ser nación en Mi presencia para siempre."

Por eso David dijo que esperaba el alivio de Dios "más que los vigilantes a la mañana" (Sal. 130:6) —algo que ciertamente vendrá en su tiempo señalado. Así será su alivio de Cristo. Vendrá a su tiempo, como el rocío y la lluvia sobre la tierra seca, porque fiel es Aquel que ha prometido (*cf.* He. 10:23). Las promesas particulares para este propósito son innumerables. Que el alma esté siempre provista con algunas de aquellas que parecen especialmente adecuadas para su condición.

c. Ventajas eminentes

Ahora bien, hay dos ventajas eminentes que siempre acompañan a esta expectativa de socorro de Jesucristo.

1) Asistencia rápida

Esta expectativa de socorro compromete a Cristo a una asistencia completa y rápida. Nada compromete más el corazón de un hombre para ser útil y servicial a otro que su expectativa de socorro de él, si es justamente elevado y apoyado por el que debe dar el alivio. Nuestro Señor Jesús ha elevado nuestros corazones a esta expectativa por Su bondad, cuidado y promesas; ciertamente nuestra elevación a ella debe ser necesariamente un gran compromiso sobre Él para que nos ayude en consecuencia.

Esto es lo que el salmista nos da como máxima confirmada: "Por cuanto tú, oh Jehová, no desamparaste a los que te buscaron" (Sal. 9:10). Cuando el corazón es una vez ganado para descansar en Dios, para reposar en Él, Él ciertamente lo saciará. Nunca será como el agua que falta; ni ha dicho en ningún momento a la descendencia de Jacob: "En vano me buscáis" (Is. 45:19). Si Cristo es escogido para el fundamento de nuestro suministro, no nos fallará.

2) Atiendan a todos los caminos de Cristo

Esta expectativa de socorro de Cristo compromete el corazón a atender diligentemente a todos las maneras y medios por los cuales Cristo está acostumbrado a comunicarse a sí mismo al alma, y así recibe la asistencia real de todas las gracias y ordenanzas. El que espera algo de un hombre, se entrega a las maneras y medios para obtenerlo. El mendigo que espera limosnas se establece en la puerta o en el camino de la persona de la que espera limosnas.

La manera por la cual y los medios en los cuales Cristo se comunica ordinariamente a sí mismo son Sus ordenanzas. El que espera algo de Él, debe atenderlo en ellas. Es la expectativa de la fe la que pone el corazón a trabajar. No es una esperanza vana e infundada de la que hablo. Si hay algún vigor, eficacia y poder en la oración o en el sacramento para este fin de mortificar el pecado, entonces el hombre ciertamente estará interesado en todo esto por esta expectativa de alivio de Cristo. Por este motivo, reduzco todos los actos particulares —por la oración, la meditación y cosas similares— a este apartado. Y así no insistiré más en ellos cuando estén cimentados en este fundamento y surjan de esta raíz. Son de singular utilidad para este fin, y no para otro.

d. Detalles de esta instrucción

Ahora bien, en esta instrucción para la mortificación de la corrupción predominante, ustedes pueden tener mil "testimonios".[6] ¿Quién ha caminado con Dios bajo esta tentación, y no ha encontrado el uso y el éxito de ella? Me atrevo a dejar el alma bajo ella, sin añadir nada más. Solo pueden mencionarse algunos detalles al respecto.

---

[6] Latín: *Probatum est.*

1) Actúen la fe sobre el Cristo crucificado

En primer lugar, actúen la fe peculiarmente sobre la muerte, la sangre y la cruz de Cristo —es decir, sobre Cristo como crucificado y muerto. La mortificación del pecado procede peculiarmente de la muerte de Cristo. Es un fin peculiar y eminente de la muerte de Cristo que seguramente será cumplido por ella. Murió para destruir las obras del diablo.

Todo lo que vino a nuestra naturaleza por la primera tentación del diablo, todo lo que recibe fuerza en nuestras personas por sus sugerencias diarias, Cristo murió para destruirlo todo. "Quien se dio a sí mismo por nosotros para redimirnos de toda iniquidad y purificar para sí un pueblo propio, celoso de buenas obras" (Ti. 2:14). Esta fue la meta y la intención de Cristo (en la cual no fallará) de darse a sí mismo por nosotros. Fue Su designio que pudiéramos ser librados del poder de nuestros pecados y purificados de todas nuestras concupiscencias profanadoras.

> **Efesios 5.25–27** Maridos, amen a sus mujeres, así como Cristo amó a la iglesia y se dio El mismo por ella, para santificarla, habiéndola purificado por el lavamiento del agua con la palabra, a fin de presentársela a sí mismo, una iglesia en toda su gloria, sin que tenga mancha ni arruga ni cosa semejante, sino que fuera santa e inmaculada.

Y esto se logrará en virtud de Su muerte, en varios y diversos grados. De ahí que nuestro lavamiento, purificación y limpieza del pecado se atribuya en todas partes a Su sangre (*cf.* 1 Jn 1:7; He. 1:3; Ap. 1:5).

> **Hebreos 9.13–14** Porque si la sangre de los machos cabríos y de los toros, y la ceniza de la novilla, rociadas sobre los que se han contaminado, santifican para la purificación de la carne, ¿cuánto más la sangre de Cristo, quien por el Espíritu eterno El mismo se ofreció sin mancha a Dios, purificará nuestra conciencia de obras muertas para servir al Dios vivo?

Esto es lo que procuramos, esto es lo que perseguimos: Que nuestras conciencias sean limpiadas de las obras muertas, que sean arrancadas de raíz, destruidas, y que ya no tengan cabida en nosotros. Esto ciertamente será llevado a cabo por la muerte de Cristo: De allí saldrá la virtud para este propósito. De hecho, todos los suministros del Espíritu, todas las comunicaciones de gracia y poder, provienen de Su muerte —como lo he mostrado en otra parte.[7]

Así lo dice el apóstol en Romanos 6:2, donde se propone el caso que estamos considerando: "¿Cómo viviremos aún en [el pecado] los que estamos muertos al pecado?" —es decir: "¿Cómo viviremos en el pecado cuando estamos muertos al pecado por profesión; muertos al pecado por obligación de serlo; muertos al pecado por participación de la virtud y poder para matarlo; muertos al pecado por unión e interés en Cristo, en y por quien es muerto?"

Esto lo insiste por varias consideraciones tomadas de la muerte de Cristo en los versículos siguientes. Esto no debe ser:

> **Romanos 6.2–3** ¡De ningún modo! Nosotros, que hemos muerto al pecado, ¿cómo viviremos aún en él? ¿O no saben ustedes que todos los que hemos sido bautizados en Cristo Jesús, hemos sido bautizados en Su muerte?

Tenemos en el bautismo una evidencia de nuestra implantación en Cristo; somos bautizados en Él. Pero, ¿qué ganancia tenemos al ser bautizados en Él? "Su muerte" —dice. Si en verdad somos bautizados en Cristo (más allá de la mera profesión externa), somos bautizados en Su muerte. La explicación de esto, de que uno es bautizado en la muerte de Cristo, el apóstol nos la da en los versículos 4 y 6:

> **Romanos 6.4–6** Por tanto, hemos sido sepultados con El por medio del bautismo para muerte, a fin de que como Cristo resucitó de entre los muertos por la gloria del Padre, así también nosotros andemos en novedad de vida. Porque si hemos sido unidos *a Cristo* en la semejanza de Su muerte, ciertamente lo seremos también *en la semejanza* de Su resurrección. Sabemos esto, que nuestro viejo hombre fue crucificado con *Cristo*, para que nuestro cuerpo de pecado fuera destruido, a fin de que ya no seamos esclavos del pecado.

---

[7] Véase John Owen, *Communion with God* (Comunión con Dios), capítulos 7–8, en *Works*, 2.

Él está diciendo: "Esto es ser bautizados en la muerte de Cristo, a saber, nuestra conformidad a esto: Estar muertos al pecado, tener nuestras corrupciones mortificadas, así como Él fue muerto por el pecado, para que, así como Él fue resucitado a la gloria, nosotros seamos resucitados a la gracia y a la vida nueva".

Él nos dice de dónde es que tenemos este bautismo en la muerte de Cristo en el versículo 6, y esto es de la muerte de Cristo misma: "Nuestro viejo hombre fue crucificado juntamente con Él, para que el cuerpo del pecado sea destruido". "Fue crucificado con Él",[8] no en cuanto al tiempo, sino en cuanto a la causa.

Somos crucificados con Él *meritoriamente*, en que Él procuró el Espíritu para que mortifiquemos el pecado; *eficientemente*, en que de Su muerte brota la virtud para nuestra crucifixión; como *representación* y *ejemplo*, en que seremos ciertamente crucificados al pecado como Él lo fue para nuestro pecado. Esto es lo que el apóstol pretende: Cristo por Su muerte —destruyendo las obras del diablo y procurando el Espíritu para nosotros— ha matado el pecado de tal manera que su reino en los creyentes no obtendrá su fin y dominio.

2). Actúen la fe en conformidad con el Cristo crucificado

En segundo lugar, actúen la fe en la muerte de Cristo bajo estas dos nociones: Primero, en la expectativa de *poder*. En segundo lugar, en los esfuerzos de *conformidad* (*cf.* Fil. 3:10; Col. 3:3; 1 P. 1:18-19).

> **1 Pedro 1.18–19** Ustedes saben que no fueron redimidos (rescatados) de su vana manera de vivir heredada de sus padres con cosas perecederas *como* oro o plata, sino con sangre preciosa, como de un cordero sin tacha y sin mancha: *la sangre* de Cristo.

Para el primero, la instrucción dada en general puede ser suficiente. En cuanto a este último, la del apóstol puede darnos algo de luz en nuestra instrucción. Que la fe mire a Cristo en el evangelio mientras Él es muerto y crucificado por nosotros (*cf.* Gá. 3:1). Mírenlo bajo el peso de nuestros

[8] Griego: συνεσταυρώθη.

pecados, orando, sangrando y muriendo (*cf.* 1 Co. 15:3, 31; 1 P. 1:16-19; 4:1-2; 5:1-2; Col. 1:13-14, 18).

> **1 Pedro 4.1–2** Por tanto, puesto que Cristo ha padecido en la carne, ármense también ustedes con el mismo propósito, pues quien ha padecido en la carne ha terminado con el pecado, para vivir el tiempo que *le* queda en la carne, ya no para las pasiones humanas, sino para la voluntad de Dios.
> **Colosenses 1.13–14** Porque El nos libró del dominio (de la autoridad) de las tinieblas y nos trasladó al reino de Su Hijo amado, en quien tenemos redención: el perdón de los pecados.

Llévenlo en esa condición a sus corazones por fe. Apliquen Su sangre así derramada a sus corrupciones; y háganlo diariamente. Podría alargar mucho esta consideración en varios aspectos, pero debo llegar a un cierre.

2. La obra del Espíritu

Solo tengo que añadir entonces la obra del Espíritu en este asunto de la mortificación, que se le atribuye tan peculiarmente. En pocas palabras:

> ***Toda esta obra, que he descrito como nuestro deber, es efectuada, llevada a cabo y realizada por el poder del Espíritu en todas sus partes y grados.***

a. Solo Él convence clara y plenamente al corazón del mal, de la culpa y del peligro de la corrupción, de la concupiscencia o del pecado que debe ser mortificado. Sin esta convicción, o mientras esta convicción sea tan débil que el corazón puede luchar con ella o extinguirla, no habrá un trabajo minucioso. Un corazón incrédulo (como en parte todos tenemos) tratará de encontrar una manera para evitar cualquier consideración del pecado a menos que sea dominado por convicciones claras y evidentes. Esta es entonces la obra apropiada del Espíritu: "Él convencerá de pecado" (Jn. 16:8). Solo Él puede hacerlo.

Si las consideraciones racionales de los hombres sobre la predicación de la carta fueran capaces de convencerlos de pecado, podría ser que veríamos más convicciones que las que vemos. Viene por la predicación de la Palabra una comprensión para el entendimiento de los hombres de que son pecadores, de que tal o cual cosa son pecados y de que ellos mismos son culpables de ellos. Pero esta luz no es poderosa, ni se aferra a los principios prácticos del alma, para conformar la mente y la voluntad a ellos para producir efectos adecuados a tal comprensión. Y es por eso que los hombres sabios y conocedores, destituidos del Espíritu, no piensan que son pecados en absoluto esas cosas en las que consisten los principales movimientos y acciones de la concupiscencia.

Es solo el Espíritu que puede hacer y que hace esta obra útil. Y esto es lo primero que hace el Espíritu para mortificar cualquier concupiscencia: Convence al alma de toda su maldad, elimina todas sus excusas, revela todos sus engaños, detiene todas sus evasivas, responde sus pretensiones y hace que el alma reconozca su abominación y se acueste bajo el sentido de ella. A menos que esto se haga, todo lo que sigue es en vano.

b. Solo el Espíritu nos revela la plenitud de Cristo para nuestro alivio, que es la consideración que aleja el corazón de los caminos falsos y del desánimo desesperado (*cf.* 1 Co. 2:8).

c. Solo el Espíritu establece el corazón en la expectativa de alivio de Cristo, que es el gran medio soberano de mortificación, como se ha demostrado (*cf.* 2 Co. 1:21).

d. Solo el Espíritu trae la cruz de Cristo a nuestros corazones con su poder para matar el pecado, porque por el Espíritu somos bautizados en la muerte de Cristo.

e. El Espíritu es el autor y el consumador de nuestra santificación. Él da nuevos suministros e influencias de gracia para la santidad y la santificación, cuando el principio contrario es debilitado o disminuido (*cf.* Ef. 3:16-18).

f. El alma tiene el apoyo del Espíritu en todas sus oraciones a Dios en esta condición. ¿De dónde proviene el poder, la vida y el vigor de la oración? ¿De dónde proviene su eficacia para prevalecer ante Dios?

¿Acaso no es del Espíritu? Es el "espíritu de gracia y de oración [prometido a los que] mirarán a mí, a quien traspasaron" (Zc. 12:10), capacitándoles para orar "con gemidos indecibles" (Ro. 8:26). Se confiesa que este es el gran medio o camino de la fe que prevalece con Dios. De esta manera Pablo trató con su tentación (sea cual fuere):

> **2 Corintios 12.8–9** Acerca de esto, tres veces he rogado al Señor para que *lo* quitara de mí. Y El me ha dicho: "Te basta Mi gracia, pues Mi poder se perfecciona en la debilidad." Por tanto, con muchísimo gusto me gloriaré más bien en mis debilidades, para que el poder de Cristo more en mí.

No es mi intención presente demostrar qué es la obra del Espíritu en la oración, de dónde y cómo Él nos ayuda y nos hace prevalecer, y qué debemos hacer para poder disfrutar de Su ayuda para ese propósito.

VICTORIA SOBRE LA TENTACIÓN

Su naturaleza y poder
El peligro de entrar en tentación
Los medios para prevenir ese peligro
Con la resolución de varios casos de conciencia relacionados con este asunto

Por cuanto has guardado la palabra de mi paciencia, yo también te guardaré de la hora de la prueba que ha de venir sobre el mundo entero, para probar a los que moran sobre la tierra.

Apocalipsis 3:10

JOHN OWEN

PREFACIO

LECTOR CRISTIANO

Si en algún grado estás despierto en estos días en que vivimos y si has notado las muchas, grandes y diversas tentaciones con las que todo tipo de personas que conocen al Señor y profesan Su nombre son asediadas y a las que están constantemente expuestas, y el éxito con que estas tentaciones han logrado atraer un innombrable escándalo sobre el evangelio, hiriendo y arruinando innumerables almas, supongo que no preguntarás por otras razones para publicar las advertencias y directrices que nos ocupan. Son adecuadas a los tiempos que corren y para tu propia preocupación en ellas.

Solamente diré esto a aquellos que piensan que es adecuado[1] persistir en tales preguntas: Mi primera implicación con la exposición de estas meditaciones al público surgió de los deseos de algunos que afirman el interés[2] de Cristo en el mundo por la santidad personal y que se adhieren constantemente a todo lo que es precioso en su relación con Él. Esto les ha dado poder sobre mí para requerir en cualquier momento servicios de mayor importancia.

Sin embargo, no me atrevería a decir que lo hice por ese motivo, pero en lo más mínimo sugiero no estimarlo oportuno y necesario, considerando el estado general de las circunstancias mencionadas. La variedad de providencias y dispensaciones externas que yo mismo he experimentado en este mundo, junto con las pruebas interiores que las

[1] Conveniente o apropiado.

[2] Porción o parte.

acompañan, sumado a la observación que he hecho de las ventajas de los caminos y andares de otros —de sus comienzos, progresos y fines, de sus levantamientos y caídas en su profesión y modo de vida, en las tinieblas y en la luz— han dejado un sentimiento e impresión tan constante sobre mi mente y espíritu del poder y peligro de las tentaciones que, sin otros ruegos o pretensiones, no puedo sino reconocer que a mi propio juicio ha sido necesario realizar en esta época un serio llamado a los hombres a estar alerta, mostrando algunas de las formas y medios más eminentes por los que prevalecen las actuales tentaciones.

Pero ahora, lector, si estás entre los que no se percatan de estas cosas o no se preocupan —quienes no sienten la eficacia y peligros de las tentaciones en su propio caminar y profesión, ni han observado el poder de estas sobre otros; quienes no disciernen las muchas ventajas que estas tienen en estos días, en los que todas las cosas se ven conmovidas, ni se preocupan o conmueven por el triste éxito que han tenido entre los profesantes,[3] sino que suponen que todo está bien de puertas para adentro y para afuera, y que sería mejor si pudiesen obtener una mayor satisfacción para algunos de sus deseos en los placeres y provechos del mundo— quiero que sepas que no escribo para ti, ni te estimo como un lector o juez adecuado de lo escrito aquí.

Mientras todos los resultados de las dispensaciones providenciales en referencia a las preocupaciones públicas de estas naciones están confusos y enredados —las pisadas de Dios yacen en lo más profundo donde Sus caminos no son conocidos; mientras, en particular, aflicciones sin igual y extrañas prosperidades se reparten sobre los hombres, incluso sobre los profesantes; mientras un espíritu de error, confusión y engaño avanza con tanta fuerza y eficacia como si hubiese recibido la comisión de ir adelante y prosperar; mientras hay entre los hermanos tales divisiones, luchas y celos, acompañadas con malignas conjeturas, ira y venganza; mientras los desesperantes resultados y productos de las tentaciones de los hombres se muestran diariamente en la apostasía total y parcial, en el decaimiento del amor y el colapso de la fe, estando

[3] Aquellos que hacen una confesión religiosa. Todo aquel que profesa haber depositado su fe en Cristo Jesús como Señor y Salvador.

nuestros días llenos con temibles ejemplos de reincidencia como nunca se han visto antes; mientras existe un abandono[4] de la reforma asediando a la parte profesante de estas naciones, tanto en lo que respecta a la santidad personal como en el celo por el interés de Cristo —aquel que no entiende que una "hora de tentación" ha venido sobre el mundo para "para probar a los que moran sobre la tierra" (Ap. 3:10), está sin duda o bien cautivado bajo el poder de algún deseo, corrupción o tentación lamentable, o bien está ciertamente ciego y no conoce en absoluto lo que es servir a Dios en medio de las tentaciones. Con los tales, pues, no tengo nada que hacer.

La advertencia que se hace aquí es para aquellos que tienen un sentimiento general de estas cosas, que también en alguna medida son capaces de considerar que ha comenzado la plaga, que pueden ser despertados para estar atentos a ella para que la infección no se les acerque de manera secreta e imperceptible de lo que comprenden o para no ser sorprendidos después por alguna de estas tentaciones que en estos días destruye en medio del día o anda en oscuridad (*cf.* Sal. 91:5).

> **Salmo 91.4–6** Con Sus plumas te cubre, Y bajo Sus alas hallas refugio; Escudo y baluarte es Su fidelidad. No temerás el terror de la noche, Ni la flecha que vuela de día, Ni la pestilencia que anda en tinieblas, Ni la destrucción que hace estragos en medio del día.

Y también estas directrices que vamos a tratar y considerar son para aquellos que se lamentan en secreto por todas las abominaciones que se encuentran entre y sobre los que profesan el evangelio, y que están bajo la dirección del autor de su salvación (*cf.* He. 2:10), luchando y resistiendo el poder de las tentaciones en cualquiera que sea la fuente desde la que se levantan.

Es la oración de aquel que recibió este puñado de semilla de Su almacén y tesoro que nuestro fiel y misericordioso Sumo Sacerdote, quien por Sus sufrimientos y tentaciones fue conmovido con el sentir de nuestras debilidades (*cf.* He. 2:17-18), quiera acompañar este pequeño discurso con oportunos suministros de Su Espíritu y una adecuada

[4] Declive moral.

misericordia a aquellos que quieran considerarlo, de modo que sea útil para Sus siervos en el fin para el cual fue diseñado.

> **Hebreos 2.17–18** Por tanto, tenía que ser hecho semejante a Sus hermanos en todo, a fin de que llegara a ser un sumo sacerdote misericordioso y fiel en las cosas que a Dios atañen, para hacer propiciación por los pecados del pueblo. Pues por cuanto El mismo fue tentado en el sufrimiento, es poderoso para socorrer a los que son tentados.

—John Owen

PARTE 1: LA NATURALEZA Y PODER DE LA TENTACIÓN

CAPÍTULO 1: EN QUÉ CONSISTE LA TENTACIÓN

Velad y orad, para que no entréis en tentación.
Mateo 26:41

1. La base textual acerca de la tentación: Mateo 26:41
2. La naturaleza general de la tentación
3. La naturaleza particular de la tentación
4. Consideraciones en cuanto al asunto de que Dios tienta o prueba
    a. El fin por el cual Dios prueba
    b. La forma en que Dios prueba
5. La forma en que Satanás tienta
    a. Tienta por él mismo
    b. Tienta haciendo uso del mundo
    c. Tienta tomando ayuda de nosotros mismos
6. Las definiciones de la tentación

1. La base textual acerca de la tentación: Mateo 26:41

Estas palabras de nuestro Salvador se repiten con una alteración mínima en los tres evangelios, la única diferencia es que, mientras Mateo y Marcos lo registran de la forma escrita arriba, Lucas lo hace así: "Levantaos, y orad para que no entréis en tentación" (Lc. 22:46). Así pues, la completa advertencia parece haber sido: "Levantaos, velad y orad, para que no entréis en tentación".

Salomón nos cuenta de algunos que "yacen en medio del mar, o que están en la punta de un mastelero" (Pr. 23:34) —hombres dominados por la seguridad en las fauces de la destrucción. Si alguna vez las pobres almas han estado en la punta del mastelero en medio del mar, estos discípulos lo estuvieron mientras estaban con nuestro Salvador en el jardín. Su maestro estaba a una corta distancia de ellos "ofreciendo ruegos y súplicas con gran clamor y lágrimas" (He. 5:7), tomando en Su mano y comenzando a probar la copa llena con la maldición y la ira debida a sus pecados —con los judíos, armados para *Su* destrucción y *la de ellos*, solo a una distancia un poco mayor, por otra parte.

Nuestro Salvador les había informado un poco antes que esa noche sería traicionado y entregado a la muerte. Ellos pudieron ver que estaba "entristecido y angustiado" (Mt. 26:37). Es más, Él les dijo claramente que "Su alma estaba muy triste, hasta la muerte" (v. 38). Por tanto, les rogó que permaneciesen y velasen con Él, ya que estaba muriendo por ellos.

> **Mateo 26.35–38** Pedro le dijo: "Aunque tenga que morir junto a Ti, jamás Te negaré." Todos los discípulos dijeron también lo mismo. Entonces Jesús llegó con ellos a un lugar que se llama Getsemaní, y dijo a Sus discípulos: "Siéntense aquí mientras Yo voy allá y oro." Y tomando con El a Pedro y a los dos hijos de Zebedeo, comenzó a entristecerse y a angustiarse. Entonces les dijo: "Mi alma está muy afligida, hasta el punto de la muerte; quédense aquí y velen junto a Mí."

En esta condición, cuando Él solo se había alejado una corta distancia, como hombres abandonados de todo amor hacia Él o cuidado por ellos mismos, ¡se durmieron! Incluso los mejores santos, si se les deja solos, pronto muestran ser menos que hombres —muestran ser nada. Toda nuestra fuerza es debilidad, y toda nuestra sabiduría necedad. Siendo Pedro uno de ellos —quien poco antes había con tanta confianza en sí mismo afirmado que, aunque todos los hombres le abandonasen, él nunca lo haría (v. 35)— nuestro Salvador le reprende[1] particularmente a él:

---

[1] Hablar seriamente.

"Dijo a Pedro: ¿Así que no habéis podido velar conmigo una hora?" (v. 40), como si hubiese dicho: "¿No eres tú Pedro, el que hasta ahora se jactaba de su resolución de nunca abandonarme? ¿Crees que es probable que soportes esto cuando no puedes velar conmigo una hora? ¿Así es cómo vas a morir por mí, estando muerto a toda seguridad, cuando yo estoy muriendo por ti?" De cierto resultaría asombroso pensar que Pedro pudiese hacer una promesa tan elevada, e inmediatamente después ser tan descuidado y remiso a la hora de buscar cumplirla, si no fuese porque encontramos la raíz de esa misma falsedad permaneciendo y obrando en nuestros propios corazones, y porque vemos el fruto que produce cada día —viendo como los más nobles compromisos a la obediencia terminan rápidamente en una negligencia deplorable (*cf.* Ro. 7:18).

En este estado, nuestro Salvador les amonesta por su condición, su debilidad, el peligro que corren, y los estimula a prevenir la destrucción que está a las puertas. Dice: "Levantaos, velad y orad".

No insistiré sobre el particular que nuestro Salvador tiene como objetivo aquí al realizar esta advertencia a los que estaban presentes con Él —sin duda vislumbraba la gran tentación que vendría sobre ellos a escandalizarse de la cruz. Pero consideraré que las palabras contienen una indicación general a todos los discípulos de Cristo que le siguen a través de todas las generaciones.

Existen tres cosas a considerar en las palabras:

I. El mal contra el que se advierte —la tentación.
II. Los medios por los que la tentación prevalece —cuando entramos en ella.
III. La forma de evitar la tentación —velando y orando.

No es mi objetivo tratar los tipos comunes de las tentaciones, sino solo su peligro en general y los medios para evitar ese peligro. Sin embargo, se sentarán las premisas de algunos de los aspectos de la naturaleza general de la tentación para que podamos saber lo que afirmamos y de lo que hablamos.

2. La naturaleza general de la tentación

El mal contra el que se advierte —la tentación

En primer lugar, la naturaleza general del tentar o la tentación se encuentra indistintamente en las cosas. Su significado es intentar, experimentar, probar o agujerear un recipiente para saber qué licor contiene. De ahí que a veces se diga que Dios tienta, y se nos ordena como un deber tentar, probar o examinarnos para saber lo que hay en nosotros, y orar para que Dios también lo haga. Así que la tentación es como un cuchillo que puede tanto cortar la carne como el cuello de un hombre. Puede ser su alimento o su veneno —su ejercicio o su destrucción.

3. La naturaleza particular de la tentación

En segundo lugar, la tentación en su naturaleza particular, en tanto que implica cualquier mal, se considera *activamente* (al dirigir hacia el mal) o *pasivamente* (cuando en sí misma contiene un mal y sufrimiento). De esta [última] forma la tentación es considerada aflicción (*cf.* Stg. 1:2), porque en este sentido hemos de "tener por sumo gozo cuando nos hallemos en diversas tentaciones"; y en el otro sentido se nos dice que "no entremos en ella".

> **Santiago 1.2–4** Tengan por sumo gozo, hermanos míos, cuando *se* hallen en diversas pruebas (tentaciones), sabiendo que la prueba de su fe produce paciencia (perseverancia), y que la paciencia tenga *su* perfecto resultado, para que sean perfectos y completos, sin que nada *les* falte.

Una vez más, considerándola de forma activa, denota un plan en el tentador para propiciar un fin especial de la tentación —es decir, *dirigir al mal*. En este sentido, se dice que "Dios no tienta a nadie" (Stg. 1:13) con la intención del pecado como tal. Y la naturaleza y fin general de la tentación denota la *prueba*. De esta forma, "Dios tentó a Abraham" (Gn. 22:1) y probó o tentó por medio de los falsos profetas (*cf.* Dt. 13:3).

Deuteronomio 13.1–3 "Si se levanta en medio de ti un profeta o soñador de sueños, y te anuncia una señal o un prodigio, y la señal o el prodigio se cumple, acerca del cual él te había hablado, diciendo: 'Vamos en pos de otros dioses (a los cuales no has conocido) y sirvámoslos,' no darás oído a las palabras de ese profeta o de ese soñador de sueños; porque el Señor tu Dios te está probando para ver si amas al Señor tu Dios con todo tu corazón y con toda tu alma.

4. Consideraciones en cuanto al asunto de que Dios tienta o prueba

Ahora bien, en cuanto a Dios tentando a alguien, se han de considerar dos cosas: El *fin* por el cual lo hace, y la *forma* en que lo hace.

a. El fin por el cual Dios prueba

Para el primero, sus objetivos generales son dos:

1) Para mostrarle al hombre lo que hay en él

Lo hace para mostrarle al hombre lo que hay en él —es decir, al hombre mismo; y esto con respecto a su *gracia* o su *corrupción* (aquí no estoy hablando de esto con respecto a cómo puede tener lugar y parte en el endurecimiento judicial). La gracia y la corrupción yacen en lo profundo del corazón; los hombres en ocasiones se engañan a ellos mismos en la búsqueda de la una o de la otra.

Cuando damos espacio al alma para probar la gracia que hay en ella, la corrupción emerge; y cuando buscamos la corrupción, la gracia aparece. De esta forma el alma queda en la incertidumbre y fracasamos en nuestras pruebas. Dios acude con una plomada que llega hasta el fondo. Él envía Sus instrumentos de prueba a las entrañas y lugares más internos del alma, y deja que el hombre vea lo que hay en él, el metal del cual está constituido. Así es como tentó a Abraham para mostrar su *fe*. Abraham no sabía la fe que poseía (quiero decir, el poder y vigor que tenía su fe) hasta que Dios la extrajo mediante esa gran prueba y tentación.

Donde Dios dijo que él la conocía (*cf.* Gn. 22:12), Él hizo que Abraham la conociese. Así probó a Ezequías para descubrir su *orgullo* (*cf.* 2 Cr. 32:25-31ss.).

> **2º Crónicas 32.25–31** Pero Ezequías no correspondió al bien que había recibido, porque su corazón era orgulloso; por tanto, la ira vino sobre él, sobre Judá y sobre Jerusalén. Pero después Ezequías se humilló, *quitando* el orgullo de su corazón, tanto él como los habitantes de Jerusalén, de modo que no vino sobre ellos la ira del Señor en los días de Ezequías. Ezequías tenía inmensas riquezas y honores. Hizo para sí depósitos para plata, oro, piedras preciosas, especias, escudos y toda clase de objetos de valor. *Hizo* también almacenes para el producto de granos, vino y aceite, corrales para toda clase de ganado y rediles para los rebaños. El edificó ciudades y adquirió rebaños y ganados en abundancia, porque Dios le había dado muchísimas riquezas. Ezequías fue el que cegó la salida superior de las aguas de Gihón y las condujo al lado occidental de la ciudad de David. Ezequías prosperó en todo lo que hizo. Aun *en el asunto* de los enviados por los gobernantes de Babilonia, que los mandaron a él para investigar la maravilla que había acontecido en el país, Dios lo dejó *solo* para probarlo, a fin de saber todo lo que había en su corazón.

Dios permitió que pudiese ver lo que había en su corazón, tan elevado como parecía ser, hasta que Dios lo probó, dejando salir su inmundicia y derramándola ante su propio rostro. No hablaré de los resultados que tales descubrimientos producen a los santos en agradecimiento, humillación y atesoramiento de experiencias.

2) Para mostrarse Dios al hombre

Dios lo hace para mostrarse a sí mismo a los hombres. Y eso lo hace de dos formas:

a) *En una forma de gracia preveniente.*[2] El hombre puede ver que es Dios solamente el que lo guarda de todo pecado. Hasta que somos tentados, pensamos que vivimos en nuestras propias fuerzas. Aunque todos los demás hagan esto o aquello, nosotros no lo haremos (*cf.* Mt. 26:35). Cuando la prueba viene, al sostenernos o caernos, rápidamente vemos de dónde proviene nuestra preservación al prevenirnos de pecar. Así fue el caso con Abimelec: "Yo te detuve" (Gn. 20:6).

> **Génesis 20.5–6** "¿No me dijo él mismo: 'Es mi hermana'? Y ella también dijo: 'Es mi hermano.' En la integridad de mi corazón y con manos inocentes yo he hecho esto." Entonces Dios le dijo en el sueño: "Sí, Yo sé que en la integridad de tu corazón has hecho esto. Y además, Yo te guardé de pecar contra mí, por eso no te dejé que la tocaras.

b) *En una forma de gracia renovadora.* Él permitió que la tentación continuara con Pablo para revelarse a él en la suficiencia de Su gracia renovadora (*cf.* 2 Co. 12:9).

> **2 Corintios 12.9–10** Y El me ha dicho: "Te basta Mi gracia, pues Mi poder se perfecciona en la debilidad." Por tanto, con muchísimo gusto me gloriaré más bien en mis debilidades, para que el poder de Cristo more en mí. Por eso me complazco en *las* debilidades, en insultos (maltratos), en privaciones, en persecuciones y en angustias por amor a Cristo, porque cuando soy débil, entonces soy fuerte.

No conocemos el poder y fuerza que Dios ejerce en nuestro favor ni la suficiencia de Su gracia hasta que, comparando la tentación con nuestra propia debilidad, se hace visible a nosotros. La eficacia de un antídoto se ve cuando el veneno ha sido anulado y lo precioso de las medicinas se da a conocer por las enfermedades.

Nunca sabríamos qué fuerza hay en la gracia si no sabemos la fuerza que hay en la tentación. Hemos de ser probados para que podamos sentir que somos preservados. Y tiene muchos otros fines buenos y llenos de

---

[2] Una gracia especial que precede a la voluntad humana y que protege contra un pecado mayor.

gracia que cumple para Sus santos por medio de pruebas y tentaciones, de los cuales no se insistirá ahora.

b. La forma en que Dios prueba

En cuanto a las formas en que Dios lleva a cabo Su examen, prueba o tentación, estas son algunas de ellas:

1) Pone a los hombres en grandes obligaciones

Tales deberes que ellos no pueden entender que tengan fuerzas para ellas, ni ciertamente las tienen. Así tentó a Abraham a esta gran obligación de sacrificar a su hijo —algo que era absurdo a la razón, amargo a la naturaleza y doloroso para él en todos los aspectos. Muchos hombres no saben lo que hay en ellos, o más bien lo que está preparado para ellos, hasta que son puestos en lo que parece estar completamente más allá de sus fuerzas —de hecho, lo que en realidad está más allá de sus fuerzas.

Las obligaciones que Dios de forma ordinaria exige de nuestras manos no están proporcionadas a las fuerzas que tenemos en nuestro interior, sino a la ayuda y alivio que se nos ofrece en Cristo. Y hemos de dedicarnos a las mayores obras con una persuasión bien establecida de que no tenemos la menor capacidad para ellas. Esta es la ley de la gracia. Sin embargo, cuando se nos requiere algún deber en el yugo de Cristo que es extraordinario y que es un secreto no descubierto a menudo —es una prueba o una tentación.

2) Pone a los hombres en grandes sufrimientos

¡Cuántos son los que han encontrado sin esperarlo fuerzas para morir en una estaca o para soportar torturas por Cristo! Aun así, su llamado a ello fue una prueba. Pedro nos dice que esta es una forma por la que somos llevados a tentaciones que nos prueban (*cf.* 1 P. 1:6-7).

> **1 Pedro 1.6–8** En lo cual ustedes se regocijan grandemente, aunque ahora, por un poco de tiempo si es necesario, sean afligidos con diversas pruebas (tentaciones), para que la prueba de la fe de ustedes, más preciosa que el oro

que perece, aunque probado por fuego, sea hallada que resulta en alabanza, gloria y honor en la revelación de Jesucristo; a quien sin haber visto, ustedes *Lo* aman, *y* a quien ahora no ven, pero creen en El, *y* se regocijan grandemente con gozo inefable y lleno de gloria.

Nuestras tentaciones surgen de la "prueba de fuego", y sin embargo el fin no es otro que la prueba de nuestra fe.

3) Pone a los hombres bajo eventos providenciales

Al disponer providencialmente las cosas de forma que las ocasiones para pecar son administradas a los hombres. Este es el caso mencionado en Deuteronomio 13:3, y muchos otros ejemplos podrían ser añadidos a este. Ahora bien, estas no son propiamente las tentaciones de Dios que se pretenden aquí —que vienen de Él junto con su fin sobre ellas. Por lo tanto, las apartaré de nuestra consideración presente. Lo que pretendo entonces es la tentación en su naturaleza particular, cuando muestra una eficiencia activa hacia el pecado (ya que está administrada por el mal para el mal).

5. La forma en que Satanás tienta

En este sentido la tentación puede proceder bien individualmente de Satanás, del mundo, de otros hombres en el mundo, de nosotros mismos, o de forma conjunta desde todos o algunos de ellos en sus distintas combinaciones:

a. Tienta por él mismo

Satanás en ocasiones tienta él mismo individualmente sin tomar ventaja del mundo, de las cosas, de las demás personas o de nosotros. Él es quien toma la dirección al inyectar pensamientos malvados y blasfemos de Dios en los corazones de los santos.

Esto es solamente obra suya sin ninguna ayuda del mundo o de nuestros propios corazones, ya que la naturaleza no contribuye en nada a esto, ni ninguna cosa ni ningún hombre en este mundo. Porque nadie puede concebir un Dios y concebir maldad en Él. En esto, Satanás actúa solo en el pecado y también lo estará en el *castigo*. Estos dardos incendiados con toda su ponzoña y veneno son preparados en la forja de su propia malicia y serán devueltos a su corazón para siempre.

b. Tienta haciendo uso del mundo

En ocasiones hace uso del mundo y une sus fuerzas contra nosotros sin tomar ayuda de nuestro interior. Así tentó a nuestro Salvador al "mostrarle todos los reinos del mundo y la gloria de ellos" (Mt. 4:8). Y es inexpresable la variedad de ayudas que encuentra en el mundo, en las personas y cosas (en las que no insistiré) —los innumerables instrumentos y armas que toma de estos, de todos los tipos y en todo tiempo.

c. Tienta tomando ayuda de nosotros mismos

En ocasiones toma ayuda de nosotros también. Con nosotros no sucede como con Cristo cuando Satanás vino a tentarle. Él declaró que él "nada tiene en mí" (Jn. 14:30). En nuestro caso es de otra forma: Él tiene un seguro aliado dentro de nuestros corazones/senos que le ayuda a cumplir la mayoría de sus planes (*cf.* Stg. 1:14-15).

> **Santiago 1.14–16** Sino que cada uno es tentado cuando es llevado y seducido por su propia pasión. Después, cuando la pasión ha concebido, da a luz el pecado; y cuando el pecado es consumado, engendra la muerte. Amados hermanos míos, no se engañen.

Así tentó a Judas. Él ya estaba trabajando en él al haber puesto en su corazón traicionar a Cristo (*cf.* Lc. 22:3). "Entró en él" para ese propósito y después hizo pleno uso de las cosas del mundo, proveyendo para él "treinta piezas de plata" así como también de los Sacerdotes y Fariseos que "convinieron en darle dinero" (v. 5).

> **Lucas 22.3–6** Entonces Satanás entró en Judas, llamado Iscariote, que pertenecía al número de los doce *apóstoles*. Y él fue y discutió con los principales sacerdotes y con los oficiales sobre cómo entregarles a Jesús. Ellos se alegraron y convinieron en darle dinero. El aceptó, y buscaba una oportunidad para entregar a Jesús sin hacer un escándalo.

Recluta también la ayuda de las propias corrupciones de Judas, considerando que él ya era codicioso: "Era ladrón y tenía la bolsa" (Jn. 12:6).

Podría también mostrar cómo el mundo y nuestra propia corrupción actúan en la tentación individualmente y de forma conjunta con Satanás y entre sí. Pero la verdad es que los principios, formas y medios de las tentaciones, y los tipos, grados, eficacia y causas de ellas son tan inexpresablemente amplios y variados —las circunstancias de ellas por la providencia, naturaleza, condiciones (espirituales y naturales), con los casos particulares que surgen de ellas, tan innumerables e imposibles de comprimir dentro de algún límite u orden— que tratar de dar un registro de ellas sería emprender algo interminable.

Me contentaré con dar una descripción de la naturaleza general de aquello contra lo que tenemos que velar, lo cual preparará el camino para mi objetivo.

6. Las definiciones de la tentación

De forma general, la tentación es entonces cualquier cosa, estado, forma o condición que, apoyándose en cualquier motivo, tiene la fuerza o eficacia para seducir y para desviar la mente y el corazón del hombre de la obediencia que Dios exige de él hacia cualquier grado de pecado.

De forma particular, la tentación es todo lo que causa o da ocasión para que el hombre peque o descuide su deber, ya sea trayendo maldad a su corazón o extrayendo el mal que hay en su corazón. La tentación es cualquier otra forma de desviar al hombre de la comunión con Dios y de esa obediencia constante, equitativa y universal, en sustancia y forma que se le exige.

Para aclarar esta definición solo haré la observación de que, aunque la tentación parece ser de una importancia más *activa* e indicar solamente el poder de seducción hacia el pecado mismo, en las Escrituras normalmente se toma en un sentido *neutro*: Expresa el objeto de la tentación o la cosa por la que somos tentados. Y esta es una de las bases de la descripción que he dado de ella. Cualquier cosa, dentro o fuera de nosotros, que tenga ventaja para obstaculizarnos en el deber o provocarnos a pecar o darnos ocasión a ello —eso es una tentación y, por tanto, hemos de prestarle atención.

Esto puede ser los negocios, el empleo, el curso de la vida, la compañía, los afectos, los designios naturales o corruptos, las relaciones, los deleites, el nombre, la reputación, la estima, las capacidades, distintas partes o excelencias del cuerpo o de la mente, la posición, la dignidad, el arte. En tanto avancen o den ocasión a promover los fines antes mencionados, ciertamente no son todas menos tentaciones que las más violentas insinuaciones de Satanás o atracciones del mundo. El alma que no lo discierne está al borde de la destrucción. Esto se descubrirá más ampliamente conforme avancemos en nuestro proceso.

PARTE 2: EL PELIGRO DE ENTRAR EN TENTACIÓN

CAPÍTULO 2: ENTRAR EN TENTACIÓN

1. Lo que es entrar en tentación y lo que no lo es
    a. No es simplemente ser tentado
    b. Es algo más que la labor ordinaria de Satanás y nuestras propias concupiscencias
    c. No es simplemente ser vencido por una tentación o cometer un pecado
    d. Es "caer en tentación" y verse enredado en ella
2. Condiciones para entrar en la tentación
3. La hora de la tentación
4. Cómo sabemos cuándo la tentación está en su hora
    a. Cómo o por cuales medios comúnmente alguna tentación alcanza su hora
5. Medios para prevenir la tentación prescritos por nuestro Salvador
    a. Velar
    b. Orar

1. Lo que es entrar en tentación y lo que no lo es

II. Los medios por los que la tentación prevalece —cuando entramos en ella

Habiendo mostrado en qué consiste la tentación, procedo en segundo lugar a manifestar qué es *entrar* en tentación.

a. No es simplemente ser tentado

Esto [es decir, entrar en tentación] no consiste en ser *tentado* simplemente. Es imposible que seamos tan libres de la tentación como para no ser tentados en absoluto. Mientras Satanás continúe teniendo su poder y malicia, mientras el mundo y las concupiscencias existan, seremos tentados. "Cristo —dijo alguien— fue hecho como nosotros para poder ser tentado, y nosotros somos tentados para poder ser hechos como Cristo".

La tentación en general comprende toda nuestra lucha —tal como nuestro Salvador llama el tiempo de Su ministerio el tiempo de Sus "tentaciones" (Lc. 22:28). No tenemos ninguna promesa acerca de que no seremos en absoluto tentados, ni hemos de orar por una libertad completa de las tentaciones, porque no tenemos promesa de ser escuchados en ello. La dirección que tenemos para nuestras oraciones es "no nos metas en tentación" (Mt. 6:13). Contra lo que hemos de orar es contra "entrar en tentación". Puede que seamos tentados, y no entremos en tentación.

b. Es algo más que la labor ordinaria de Satanás y nuestras propias concupiscencias

Por tanto, esta expresión implica algo más que la *labor ordinaria* de Satanás y nuestros propios deseos, que a buen seguro nos tentarán a diario. Hay algo señalado[1] en este "entrar en tentación", que no es la labor diaria de los santos. Es algo que les sucede peculiarmente en referencia a la seducción hacia el pecado de una forma u otra, por medio de la atracción o atemorizándolos.

c. No es simplemente ser vencido por una tentación o cometer un pecado

[1] Significativo, destacable o fuera de lo ordinario.

No es ser vencido por una tentación, caer bajo su peso, cometer el pecado o maldad a la que somos tentados u omitir las obligaciones que son opuestas. Un hombre puede "entrar en tentación" y aun así no caer bajo la tentación. Dios puede darle a ese hombre una vía de escape cuando está en ella, puede romper la trampa, pisotear a Satanás y hacer que el alma sea más que vencedora, a pesar de que haya entrado en tentación (*cf.* 1 Co. 10:13; Ro. 8:37).

> **1 Corintios 10.11–13** Estas cosas les sucedieron como ejemplo, y fueron escritas como enseñanza para nosotros, para quienes ha llegado el fin de los siglos. Por tanto, el que cree que está firme, tenga cuidado, no sea que caiga. No les ha sobrevenido ninguna tentación que no sea común a los hombres. Fiel es Dios, que no permitirá que ustedes sean tentados más allá de lo que pueden *soportar,* sino que con la tentación proveerá también la vía de escape, a fin de que puedan resistir*la.*

Cristo *entró* en ella, pero no se vio desbaratado en lo más mínimo por ella.

d. Es "caer en tentación" y verse enredado en ella

Es como el apóstol lo expresa "'caer'[2] en tentación" (1 Ti. 6:9). Es como un hombre que cae en un foso o en un lugar profundo en el que hay trampas o lazos donde se ve enredado. No queda muerto y destruido, pero se ve enmarañado y detenido —no sabe cómo zafarse o estar en libertad. Así se expresa de nuevo [el apóstol] con el mismo propósito "no os ha sobrevenido ninguna tentación" (1 Co. 10:13).

Es decir, ser tomado por una tentación y enredado con ella, atado por sus cuerdas y sin encontrar una forma de escapar. Por eso dice Pedro: "Sabe el Señor librar de tentación a los piadosos" (2 P. 2:9). Están enredados en ellas, y Dios sabe cómo librarlos.

> **2 Pedro 2.9–10a** El Señor, *pues,* sabe rescatar de tentación (de prueba) a los piadosos, y reservar a los injustos bajo castigo para el día del juicio,

[2] Griego: ἐμπίπτειν.

especialmente a los que andan tras la carne en *sus* deseos corrompidos y desprecian la autoridad.

Cuando permitimos que una tentación entre en nosotros, entonces "entramos en tentación". Mientras llama a la puerta, estamos libres. Pero "entramos en tentación" cuando cualquier tentación entra y charla con el corazón, razona con la mente, provoca y atrae nuestras emociones ya sea por un tiempo largo o corto, ya sea que lo haga de forma indiscernible e imperceptible o bien el alma se de cuenta de ello.

2. Condiciones para entrar en la tentación

Así pues, para entrar en tentación se requiere lo siguiente:

a. *Satanás sea más insistente de lo que es normalmente en sus invitaciones al pecado*

Por alguna *ventaja* u ocasión, Satanás sea más insistente de lo ordinario en sus invitaciones a pecar por medio de inducir al temor o atracción, por persecuciones o seducciones (por él mismo o por otros). O, por su instigación, alguna concupiscencia o corrupción nos indisponga interiormente más de lo normal, provocándonos con ventajas de elementos externos, como con la prosperidad, o aterrándonos, con las inquietudes. Requiere una actuación especial del autor y los principios de la tentación.

b. *El que escucha puede argumentar su defensa, pero no expulsar el pecado*

El corazón esté tan enredado con la tentación que empieza a *disputar* y argumentar en su propia defensa, pero que no sea plenamente capaz de expulsar o echar fuera el veneno y levadura que le han sido inyectados, sino que se ve sorprendido en un enredo que no es fácil evitar —incluso al no estar ni un poco fuera de su vigilancia—, de forma que el alma puede clamar, orar y clamar de nuevo, y aun así no verse librada. Tal y como Pablo que "rogó al Señor" en tres ocasiones para que apartase de él su tentación y no lo consiguió (*cf.* 2 Co. 12:7-9).

> **2 Corintios 12.7–9** Y dada la extraordinaria grandeza de las revelaciones, por esta razón, para impedir que me enalteciera, me fue dada una espina en la carne, un mensajero de Satanás que me abofetee, para que no me enaltezca. Acerca de esto, tres veces he rogado al Señor para que *lo* quitara de mí. Y El me ha dicho: "Te basta Mi gracia, pues Mi poder se perfecciona en la debilidad." Por tanto, con muchísimo gusto me gloriaré más bien en mis debilidades, para que el poder de Cristo more en mí.

La atadura continúa. Y normalmente sucede en dos ocasiones:

1) Cuando Satanás, con el permiso de Dios y por los fines que Él conoce, ha obtenido alguna ventaja *particular* contra el alma. Tal fue el caso de Pedro —Satanás buscó zarandearlo y lo consiguió (*cf.* Lc. 22:31-32).

> **Lucas 22.31–32** "Simón, Simón (Pedro), mira que Satanás los ha reclamado a ustedes para zarandearlos como a trigo; pero Yo he rogado por ti para que tu fe no falle; y tú, una vez que hayas regresado, fortalece a tus hermanos."

2) Cuando las concupiscencias y corrupciones de un hombre se encuentran con *objetos* y situaciones especialmente provocativas a través de las condiciones de la vida en las que ese hombre se encuentra y con las circunstancias de ella. Como sucedió con David (*cf.* 2 S. 11). Más sobre esto después.

3. La hora de la tentación

En este estado de las cosas, un hombre entra en tentación, y esto se llama la hora de la tentación (*cf.* Ap. 3:10), el tiempo en el que llega a su resultado final. El descubrimiento de esto arrojará una mayor luz en la investigación presente acerca de lo que es "entrar en tentación", porque cuando la hora de la tentación ha venido sobre nosotros, hemos entrado en ella.

Cada gran tentación que nos presiona tiene su hora, un tiempo en la que llega a su resultado final, donde es más vigorosa, activa, operativa y prevalente. Más o menos puede tardar en llegar y en insistir, pero tiene un tiempo en el que tiene una hora de peligro a partir de la combinación de las otras incidencias internas o externas como las que hemos mencionadas. Y entonces, en su mayor parte, los hombres entran en ella. De ahí que esa misma tentación que en cierto momento tuvo poco o ningún poder sobre alguien —podía despreciarla, burlarse de su actuación y resistirla fácilmente— en otro tiempo lo arrastra bastante delante de ella. Toma una nueva fuerza y eficacia en la presencia de otras circunstancias y sucesos o cuando el hombre se encuentra enervado[3] y debilitado. Llega la hora de la tentación, entra en la tentación y prevalece la tentación.

David probablemente tuvo tentaciones en sus años de juventud al adulterio y asesinato, como tuvo en el caso de Nabal (*cf.* 1 S. 25:13), pero la hora de la tentación no había llegado. No había reunido sus ventajas a su alrededor, y así él escapó hasta más tarde.

> **1º Samuel 25.10–13** Pero Nabal respondió a los siervos de David: "¿Quién es David y quién es el hijo de Isaí? Hay muchos siervos hoy día que huyen de su señor. "¿He de tomar mi pan, mi agua y la carne que he preparado para mis esquiladores, y he de dárselos a hombres cuyo origen no conozco?" Entonces los jóvenes de David se volvieron por su camino, y regresaron; y llegaron y le comunicaron todas estas palabras. Y David dijo a sus hombres: "Cíñase cada uno su espada." Y cada hombre se la ciñó. David también se ciñó la suya, y unos 400 hombres subieron tras David, mientras que otros 200 se quedaron cuidando el equipaje.

Los hombres que están expuestos a las tentaciones (¿y quién no lo está?) tengan cuidado. Tendrán tiempos en los que las invitaciones serán más urgentes, sus razonamientos más plausibles, sus pretensiones más gloriosas, sus esperanzas de recuperación más aparentes, las ocasiones

---

[3] Privado de fuerzas.

más amplias y abiertas y las puertas del mal más hermosas de lo que han sido nunca. Bienaventurado es aquel que está preparado para ese tiempo, del cual no hay escape sin preparación. Esto, como ya dije, es lo primero que se requiere para entrar en tentación. Si resistimos [esta hora], estaremos seguros.

4. Cómo sabemos cuándo la tentación está en su hora

Antes de ver en profundidad otras particularidades, en las que ahora he entrado, mostraré de forma general lo siguiente:

a. Cómo o por cuales medios comúnmente alguna tentación alcanza su *hora*.
b. Cómo podemos saber cuándo alguna tentación llega a su punto álgido, y está en su hora.

a. Cómo o por cuales medios comúnmente alguna tentación alcanza su hora

Hace lo primero de varias formas:

1) *Cuando la tentación, mediante largas invitaciones, hace que la mente converse con frecuencia con el mal al que se la invita, engendrando pensamientos que minimizan el mal.*
Si la tentación realiza este proceso, es porque se está acercando a su hora. Es posible que cuando comenzó a presionar el alma por primera vez, este se viese asombrado con la horrible apariencia de lo que estaba siendo propuesto y clamase: "¿Acaso soy un perro?" (*cf.* 1 S. 17:43). Pero si esta indignación no se eleva cada día, sino que el alma comienza a familiarizarse con ella por medio de conversar con la maldad, sin verse tan asombrado como al principio, sino inclinándose más bien a clamar: "¿Acaso no es pequeña?" (*cf.* Gn. 19:19-20).

> **Génesis 19.19–20** "Ahora tu siervo ha hallado gracia ante tus ojos, y has engrandecido tu misericordia la cual me has mostrado salvándome la vida. Pero no puedo escapar al monte, no sea que el desastre me alcance, y muera. "Mira, esta ciudad está *bastante* cerca para huir a ella, y es pequeña. Te ruego que me dejes huir allá (¿acaso no es pequeña?) para salvar mi vida."

Entonces la tentación está acercándose a su punto alto, la concupiscencia ya ha seducido y enredado, y está lista para concebir (*cf.* Stg. 1:14-15).

Se hablará más de esto después, en nuestra indagación de cómo podemos saber si hemos entrado o no en tentación.[4] Pero nuestra presente observación es acerca de la hora y poder de la tentación en sí mismos.

2) *Cuando la tentación ha prevalecido en otros y el alma no se llena con disgusto y aborrecimiento de ellos y sus caminos, ni con compasión y oración para que sean liberados.*

Esto prueba que la tentación tiene ventaja y que está elevándose hacia su altura. Cuando alguien experimenta la tentación que, al mismo tiempo, ha poseído y prevalecido contra muchos, la tentación tiene tan grandes y tantas ventajas que a buen seguro está llegando hacia su hora. El que haya prevalecido con otros es un medio para proporcionarle su hora contra nosotros. Las caídas de Himeneo y Fileto se dice que "trastornaron la fe de algunos" (2 Ti. 2:17-18).

> **2 Timoteo 2.16–18** Evita las palabrerías vacías *y* profanas, porque *los dados a ellas,* conducirán más y más a la impiedad, y su palabra (conversación) se extenderá como gangrena. Entre ellos están Himeneo y Fileto, que se han desviado de la verdad diciendo que la resurrección ya tuvo lugar, trastornando así la fe de algunos.

3) *Cuando la tentación se junta a sí misma con muchas consideraciones que quizás no son completamente malas.*

---

[4] Véase el capítulo 4.

Vemos esto en la tentación a los Gálatas para abandonar la pureza del evangelio. Se les prometió libertad de la persecución y tener unión y consentimiento con los judíos, que son cosas buenas en sí mismas, y esto dio vida a la tentación. Pero no insistiré ahora en las varias ventajas que cualquier tentación tiene para elevarse y agrandarse, para hacerse prevalente y efectiva con la contribución que recibe para este propósito de distintas circunstancias, oportunidades, ruegos y pretensiones especiales, necesidades para hacer aquello que no puede hacerse sin responder a la tentación, y cosas similares. Pero planeo hablar de algunas de ellas después.

b. ***Cómo podemos saber cuándo la tentación ha alcanzado su punto más alto***

Para lo segundo, se puede saber:

1) *Por su incansable urgencia y argumentación.*
Cuando una tentación está en su hora, es incansable. Es la hora de la batalla, y no da descanso al alma. Satanás ve su ventaja, considera su conjunción de fuerzas, y sabe que debe vencer ahora o perder la esperanza para siempre.

Hay oportunidades, ventajas y ruegos y pretensiones especiales. Ya se ha ganado algún terreno mediante las argumentaciones anteriores, haciendo que se minimice el mal y justificándolo con esperanzas de perdón después de hacerlo. Todo está listo, y si [Satanás] no puede hacer nada ahora, habrá de sentarse derrotado en su cometido. Así cuando tuvo todo listo en contra de Cristo, lo convirtió en la "hora de las tinieblas". Cuando una tentación descubre "mil artes para dañar"[5] —empuja desde el interior mediante imaginaciones y razonamientos, y desde fuera con invitaciones, ventajas y oportunidades—, que el alma sepa que la hora viene. La gloria de Dios y el bienestar para nuestra alma dependen de

[5] Latín: *Mille nocendi artes.* —Virgilio, *Eneida,* Libro 7.

nuestro comportamiento en esta prueba, como veremos en los casos particulares siguientes.

2) *Cuando elabora un conjunto de atracciones y temores.*
Estos dos comprenden toda la fuerza de la tentación. Cuando ambas cosas vienen juntas, la tentación está en su hora. Ambas estaban [presentes] en el caso de David con respecto al asesinato de Urías (*cf.* 2 S. 11). Existía el *temor* de su venganza sobre su esposa y probablemente sobre él mismo. Y existía al menos el *temor* en que su pecado fuera conocido públicamente.

Existía también una *atracción* respecto del disfrute que tenía de aquella a la que codiciaba. Los hombres a veces son llevados al pecado por el amor al mismo y se mantienen en él por temor a lo que pueda resultar de él. Pero, en cualquier caso, cuando ambas cosas se encuentran (algo que nos atrae y algo que nos atemoriza) y los razonamientos que hay entre ambas están dispuestos a enredarnos, entonces es la hora de la tentación.

Esto es, pues, "entrar en tentación" y la "hora" de ella, sobre lo cual exploraremos más en el transcurso de nuestro discurso.

5. Medios para prevenir la tentación prescritos por nuestro Salvador

III. La forma de evitar la tentación —velando y orando

Existen dos medios de prevención prescritos por nuestro Salvador, los cuales son: "Velar y orar".

a. Velar

El primero es una expresión general y de ningún modo debe ser limitado a su significado nativo de despertar del sueño. Velar consiste en estar en guardia, prestar atención y considerar todas las vías y medios por los que un enemigo se puede acercar a nosotros. Así indica el apóstol (*cf.* 1 Co. 16:13). Esto es "velar" en esta ocupación, "estar firme en la fe" (1 Co. 16:13) como buenos soldados, el "ser hombres" (*cf.* 1 S. 4:9).

> **1º Samuel 4.8–9** "¡Ay de nosotros! ¿Quién nos librará de la mano de estos dioses poderosos? Estos son los dioses que hirieron a los Egipcios en el desierto con toda *clase de* plagas. "Cobren ánimo y sean hombres, oh Filisteos, para que no lleguen a ser esclavos de los Hebreos como ellos han sido esclavos de ustedes. Sean hombres, pues, y peleen."

Es "tener cuidado"[6] o mirar por nosotros, que fue lo mismo que nuestro Salvador expresó con frecuencia (*cf.* Ap. 3:2). Es un cuidado y diligencia universal[7] sobre nuestros corazones y caminos, ejercitándose en y por las formas y medios prescritos por Dios. Debemos velar por los cebos y métodos de Satanás, y las ocasiones y ventajas del pecado en el mundo, de modo que no seamos enredados. Esto es lo que esta palabra nos empuja a hacer.

b. Orar

Con respecto a la segunda indicación, la de la oración, no es necesario que hable. Este deber y su importancia son conocidos por todos. Solamente añadiré que estas dos cosas comprenden la labor completa de la fe para la preservación del alma en la tentación.[8]

---

[6] Griego: προσέχειν.

[7] Total o completa.

[8] Cuando Owen solamente nombra la importancia de un punto sin desarrollarlo mas usualmente es porque ha desarrollado este punto con mayor detalle en otros libros, o en el mismo libro pero en otro lugar. La importancia de la oración para vencer la tentación es de suma importancia, por lo cual Owen le dedica un apartado especial.

PARTE 3: EL GRAN DEBER DE TODOS LOS CREYENTES

CAPÍTULO 3: EL GRAN DEBER DE TODOS LOS CREYENTES ES SER DILIGENTES PARA NO CAER EN TENTACIÓN

1. Nuestro Salvador nos instruye a orar para que no entremos en tentació
2. Cristo promete libertad o liberación como recompensa de la obediencia
3. Los resultados generales acerca de entrar en tentación
    a. Resultados generales de los hombres malos o profesantes vacilantes que entran en tentación
    b. Resultados generales de los hombres buenos o los mejores santos que entran en tentación
    c. Exhortación sobre estos resultados generales
4. Considerémonos a nosotros mismos y consideremos qué es la tentación
    a. Consideremos que somos la debilidad misma
    b. Consideremos el poder de la tentación que oscurece la mente
    c. Consideremos las tentaciones públicas y privadas
    d. Consideremos el objetivo de Satanás y del pecado en la tentación
    e. Consideremos cuál ha sido el resultado de nuestras antiguas tentaciones
5. Objeciones y respuestas

En los capítulos anteriores se mencionaron las palabras que abrieron camino a lo necesario para descubrir el fundamento de la verdad en la cual se insistirá y la cual será profundizada. Quiero establecer la siguiente observación:

> ***Es el gran deber de todos los creyentes usar toda diligencia en los caminos que Cristo ha designado para que no caigan en la tentación.***

Sé que Dios sabe "librar de tentación a los piadosos" (2 P. 2:9). Sé que Él es "fiel [...] que no os dejará ser tentados más de lo que podéis resistir, sino que dará también juntamente con la tentación la salida" (1 Co 10:13). Pero me atrevo a decir que convenceré a todos los que piensan en lo que es transmitido y escrito, que *es nuestro gran deber y preocupación usar toda diligencia, vigilancia y cuidado para que no entremos en tentación.* Y lo mostraré por medio de las siguientes consideraciones:

1. Nuestro Salvador nos instruye a orar para que no entremos en tentación

En ese breve conjunto de instrucciones sobre la oración que nos da nuestro Salvador, este énfasis de no entrar en la tentación es expresamente una sección. Nuestro Salvador sabía cuán importante era esto para nosotros de no "entrar en tentación", porque dio esto como un tema especial en nuestro trato diario con Dios (*cf.* Mt. 6:13). Y el orden de las palabras nos muestra cuán importante es: "No nos metas en tentación, mas líbranos del mal". Si somos llevados a la tentación, el mal nos sobrevendrá en cierta medida.

He mostrado antes cómo se puede decir que Dios nos tienta o nos mete en tentación. En esta instrucción, lo que se trata no es tanto de resistir la tentación sino más bien de ser guardados poderosamente *de ella*. Las últimas palabras son, por así decirlo, exegéticas o explicativas de las primeras: "No nos metas en tentación, mas líbranos del mal". Es como si se dijera: "Trata con nosotros para que podamos ser poderosamente liberados de ese mal que acompaña nuestro entrar en la tentación".

Nuestro bendito Salvador conoce muy bien nuestro estado y condición; Él conoce el poder de las tentaciones, habiéndolo experimentado (*cf.* He. 2:17-18).

> **Hebreos 2.17–18** Por tanto, tenía que ser hecho semejante a Sus hermanos en todo, a fin de que llegara a ser un sumo sacerdote misericordioso y fiel en las cosas que a Dios atañen, para hacer propiciación por los pecados del pueblo. Pues por cuanto El mismo fue tentado en el sufrimiento, es poderoso para socorrer a los que son tentados.

Él no solo conoce nuestra vana confianza y las reservas que tenemos con respecto a nuestra capacidad para lidiar con las tentaciones (tal como lo encontró en Pedro), sino que Él conoce también nuestra debilidad, nuestra insensatez y cuán pronto somos arrojados al suelo. Por lo tanto, decidió dar esta instrucción al comienzo de Su ministerio para hacernos diligentes (si es posible) en lo que es de tan gran importancia para nosotros. Si depositáramos entonces nuestra confianza en la sabiduría, el amor y el cuidado de Jesucristo hacia nosotros, debemos reconocer la verdad alegada aquí.

2. Cristo promete libertad o liberación como recompensa de la obediencia

Cristo promete esta libertad o liberación como una gran recompensa de la obediencia más aceptable. Esta es la gran promesa hecha a la iglesia de Filadelfia, en la cual Cristo no encontró nada que reprochar: "Serás guardado de la hora de la tentación" (Ap. 3:10). No dice: "Serás preservado *en* la hora de la tentación", sino que Él va más allá diciendo: "Serás guardado *de* ella". Es como si nuestro Salvador dijera:

> Hay una hora de tentación que ha de venir, un tiempo que causará estragos en el mundo. ¡En ese tiempo, multitudes caerán de la fe, me negarán y me

> vituperarán! ¡Oh, cuán pocos podrán mantenerse firmes y resistir! Algunos serán completamente destruidos y perecerán para siempre. Algunos recibirán heridas en sus almas que nunca sanarán completamente mientras vivan en este mundo. Tendrán sus huesos rotos, andando vacilantes todos sus días. Pero por cuanto has guardado la palabra de mi paciencia, yo seré tierno para contigo y te guardaré de la hora de la tentación.

Ciertamente no es algo pequeño lo que Cristo promete a Su amada iglesia como recompensa por su servicio, amor y obediencia. Todo lo que Cristo promete a Su esposa es un fruto del amor inefable. Esto es verdadero de una manera especial porque es prometido como recompensa por una obediencia especial.

3. Los resultados generales acerca de entrar en tentación

Con este propósito, consideremos los resultados generales de los hombres que entran en tentación. Esto incluye tanto de hombres malos como de hombres buenos, tanto de los profesantes vacilantes como de los mejores santos.

a. Resultados generales de los hombres malos o profesantes vacilantes que entran en tentación

Para el primer grupo de personas ofreceré solo uno o dos textos de la Escritura:

1) Ejemplo tomado de Lucas 8:13

> **Lucas 8.13** "Aquéllos sobre la roca son los que, cuando oyen, reciben la palabra con gozo; pero no tienen raíz *profunda;* creen por algún tiempo, y en el momento de la tentación sucumben.

Ahora bien, ¿cuánto tiempo creen? Se ven afectados por la predicación de la Palabra y creen en ella; hacen una profesión [de fe] y producen algunos frutos. ¿Pero hasta cuándo permanecen? Cristo dice: "Y en el tiempo de la tentación se apartan" (Lc. 8:13).

Una vez que entran en tentación, se apartan para siempre. La tentación marchita toda su profesión y mata sus almas. Vemos como se cumple esto todos los días. Los hombres que han asistido a la predicación del evangelio se han visto afectados y encantados, y han hecho una profesión. Quizás han sido considerados como creyentes y han continuado así durante algunos años. Pero tan pronto como les sobreviene una vigorosa y persistente tentación, entonces se apartan del camino y se marchan para siempre. El pecado los ha endurecido, empiezan a odiar la Palabra en la que se deleitaban y a despreciar a aquellos que la profesan.

2) Ejemplo tomado de Mateo 7:26

> **Mateo 7.26** "Todo el que oye estas palabras Mías y no las pone en práctica, será semejante a un hombre insensato que edificó su casa sobre la arena.

¿Pero qué hace esta casa de profesión? Los abriga, los mantiene caliente y permanece por un tiempo. Pero Él dice: "Cuando la lluvia desciende (cuando llega la tentación), [...] cae completamente: y su caída es grande" (v. 27 KJV). Judas siguió a nuestro Salvador durante tres años, y todo fue bien con él. Pero tan pronto como entró en tentación, Satanás se apoderó de él y lo aventó, y se apartó (*cf.* Jn. 13:27). Demas predicó el evangelio hasta que el amor al mundo le sobrevino, y entonces se apartó completamente (*cf.* 2 Ti. 4:10).

> **2 Timoteo 4.9–10** Procura venir a verme pronto, pues Demas me ha abandonado, habiendo amado este mundo presente, y se ha ido a Tesalónica. Crescente *se fue* a Galacia y Tito a Dalmacia.

Sería una tarea interminable dar más ejemplos de esto. Para estos hombres, entrar en tentación es lo mismo que entrar en apostasía, ya sea total o parcial; no falla.

b. Resultados generales de los hombres buenos o los mejores santos que entran en tentación

Con respecto a los *santos* de Dios mismos, veamos algunos ejemplos y qué resultados han tenido al entrar en tentación. Mencionaré a algunos:

1) El ejemplo de Adán

Adán fue el "hijo de Dios" (Lc. 3:38), creado a la imagen de Dios, lleno de aquella integridad, justicia y santidad que bien podría ser (¡y lo era!) un parecido eminente de la santidad de Dios. Él tenía una capacidad inherente mucho mayor que la de nosotros, y no había nada en él que lo tentara o sedujera. Sin embargo, tan pronto como entró en tentación, se apartó, se perdió y se arruinó —él y toda su posteridad con él. ¿Qué podemos esperar en una condición parecida donde no solo tenemos que lidiar con un *diablo astuto* (como él tuvo que lidiar), sino también con un *mundo maldito* y un *corazón corrupto*?

2) El ejemplo de Abraham

Abraham fue el padre de los fieles cuya fe es un modelo para todos los que creerán (*cf.* Gn. 17:4-5; Ro. 4; Gá. 3).

> **Génesis 17.4–5** "En cuanto a Mí, ahora Mi pacto es contigo, Y serás padre de multitud de naciones. "Y no serás llamado más Abram (Padre Enaltecido); Sino que tu nombre será Abraham (Padre de Multitud); Porque Yo te haré padre de multitud de naciones.

Sin embargo, él entró dos veces en la misma tentación —a saber, el temor sobre su esposa.[1] Dos veces fue vencido por esa tentación para la deshonra de Dios y sin lugar a duda para la inquietud de su propia alma (*cf.* Gn. 12:12-13; 20:2).

---

[1] Abraham dos veces mintió en que Sara era su hermana, debido a que tenía temor de que fuera asesinado si las personas conocían que ella era su esposa.

Génesis 12.11–13 Cuando se estaba acercando a Egipto, Abram dijo a Sarai su mujer: "Mira, sé que eres una mujer de hermoso parecer; y sucederá que cuando te vean los Egipcios, dirán: 'Esta es su mujer'; y me matarán, pero a ti te dejarán vivir. "Di, por favor, que eres mi hermana, para que me vaya bien por causa tuya, y para que yo viva gracias a ti."

3) El ejemplo de David

Dios mismo llama a David "un varón conforme al corazón de Dios" (1 S. 13:14). Sin embargo, ¡qué cosa tan terrible es la historia de cómo entró en tentación! Tan pronto como se enredó, se sumergió en adulterio. Luego, buscando la liberación por su propia cuenta, se enredó cada vez más como una pobre criatura en una trampa, hasta que quedó como un muerto bajo el poder del pecado y la insensatez.

c. Exhortación sobre estos resultados generales

Podría mencionar a Noé, Lot, Ezequías, Pedro y otros, cuyas tentaciones y caídas están registradas para nuestra instrucción. Si tienen corazón para considerar estos ejemplos, no pueden evitar unirse a los habitantes de Samaria con respecto a la carta de Jehú y decir: "He aquí, dos reyes no pudieron resistirle; ¿cómo le resistiremos nosotros?" (2 R. 10:4). ¡Oh, Señor! Si tales poderosos pilares han sido arrojados al suelo, y si tales cedros han sido derribados, ¿cómo estaré yo firme ante las tentaciones? ¡Oh, guárdame para que no siga sus pasos! "Las huellas me asustan".[2] He aquí los pasos de los que han entrado en tentación. ¿A quién ven retirándose sin una herida o una mancha al menos? Por esta razón, el apóstol nos pide que ejercitemos la ternura hacia aquellos que han caído en pecado: "Considerándote a ti mismo, no sea que tú también seas tentado" (Gá. 6:1).

Él no dice: "No sea que tú también peques o caigas o veas el poder de la tentación en los demás, y no sepas cuán pronto podrás ser tentado, ni cuál será el estado y la condición de tu alma en aquel momento". No

---

[2] Latín: "*Vestigia terrent*" —Horacio, *Epístolas* Libro I.1.74.

hay duda de que el que ha visto a muchos hombres mejores y más fuertes que él mismo fracasar y ser arrojados en la prueba, pensará que le corresponde recordar la batalla y (si es posible) no volver más allí. ¿Acaso no es una locura para un hombre que es tan débil que apenas puede subir y bajar (como es el caso de la mayoría de nosotros) no evitar aquello que ha visto que ha hecho fracasar a los gigantes en el intento? Aún están completos y sanos, entonces presten atención a la tentación, no sea que les ocurra lo mismo que le sucedió a Abraham, David, Lot, Pedro, Ezequías, y a los gálatas, que cayeron en el momento de la prueba.

En los días en que vivimos, no hay otra cosa en la cual se manifiesta más abiertamente la insensatez de los corazones de los hombres que en este maldito atrevimiento de correr hacia y ponerse sobre las tentaciones después de tantas advertencias de Dios y tantas tristes experiencias que están todos los días delante de sus ojos.

Se disponen a cualquier sociedad, a cualquier compañía y a cualquier condición de ventajas externas sin sopesar una sola vez su fuerza o cual es la implicación para sus pobres almas. Aunque pasen por encima de los muertos y asesinados (que en esos caminos y recorridos cayeron incluso ahora ante ellos), continuarán sin consideración ni temblor. De esta puerta han salido cientos o miles de profesantes en pocos años.

4. Considerémonos a nosotros mismos y consideremos qué es la tentación

Pero considerémonos a nosotros mismos —cuál es nuestra debilidad. Y consideremos qué es la tentación —su poder y eficacia con los cuales se conduce.

a. Consideremos que somos la debilidad misma

Por nosotros mismos, somos la debilidad misma. No tenemos fuerza y no tenemos poder para resistir. La confianza de cualquier fuerza en nosotros es una gran parte de nuestra debilidad, así fue con Pedro. El que dice que puede hacer cualquier cosa, no puede hacer nada como debería. Y lo que es peor, es la peor clase de debilidad que existe en nosotros —una debilidad de traición. Una debilidad que surge de ese cómplice que cada tentación tiene en nosotros. Por más fuerte y bien fortificado que sea un castillo o una fortaleza, si hay un traidor dentro que está listo para traicionarlo en cualquier oportunidad, entonces no hay forma de preservarlo ante el enemigo.

Hay traidores en nuestros corazones que están listos para participar, comprometerse y aliarse con cada tentación, y entregarles todo. Incluso para solicitar y sobornar las tentaciones para que hagan el trabajo, así como los traidores incitan al enemigo. No se ilusionen pensando que podrán resistir, porque hay concupiscencias secretas que acechan calladamente en sus corazones. Quizás ahora no se muevan, pero tan pronto como venga alguna tentación, se levantarán, se agitarán, clamarán, inquietarán, seducirán y nunca se rendirán hasta que estén muertas o sean satisfechas.

El que se promete a sí mismo que el estado de su corazón será el mismo bajo una tentación como lo fue antes, se equivocará grandemente. Hazael dijo: "Pues, ¿qué es tu siervo, este perro, para que haga tan grandes cosas?" (2 R. 8:13).

> **2º Reyes 8.12–13** Y Hazael dijo: "¿Por qué llora mi señor?" Entonces respondió: "Porque sé el mal que harás a los Israelitas: incendiarás sus fortalezas, matarás a espada a sus jóvenes, estrellarás a sus niños y rasgarás *el vientre* a sus mujeres encinta." Entonces Hazael dijo: "Pero, ¿qué es su siervo, *sino* un perro, para que haga tan enorme cosa?" Y Eliseo respondió: "El Señor me ha mostrado que usted será rey de Aram."

¡Sí! Serás tal perro cuando llegues a ser el rey de Siria. La tentación del interés de ustedes los descorazonará. El que ahora aborrece los pensamientos de tal o cual cosa, una vez que entra en tentación encontrará que su corazón se inflama y todos los razonamientos contrarios son derrotados y silenciados. Se burlará de sus miedos anteriores, desechará sus escrúpulos y condenará la consideración en las que vivió. Poco pensó

Pedro que negaría o se retractaría de su Maestro cuando se le preguntó si lo conocía o no. No fue mejor cuando llegó la hora de la tentación. Todas las resoluciones fueron olvidadas y todo amor por Cristo fue sepultado. La tentación presente asociada con su miedo carnal arrasó con todo.

Para tratar esto un poco más claramente, consideraré los medios de seguridad que podemos esperar de nosotros mismos ante el poder de la tentación —si entramos en ella. En términos generales hablaré del origen y ascenso de ellos, y en términos particulares acerca de las formas de ejercer la fuerza que tenemos (o parece que tenemos):

1) Medios de seguridad que podemos esperar de nosotros mismos de forma general

En general, todo lo que podemos esperar sale de nuestros *corazones*. Tal como es el corazón del hombre, así es él. Pero ahora, ¿cuál es el corazón del hombre en tal tiempo?

a) *Supongamos que un hombre no es un creyente, sino solo un profesante del evangelio.*
¿Qué puede hacer el corazón de alguien así? "El corazón de los impíos vale poco" (Pr. 10:20 KJV), y seguramente lo que vale poco en algo, no vale mucho en esto. En las cosas externas, un hombre impío puede ser de gran utilidad, pero cuando se llega a su corazón, él es falso y equivale a nada. Ahora bien, resistir la tentación es un trabajo del corazón, y cuando llegue como un diluvio, ¿puede una vil nimiedad como lo es el corazón de un hombre impío permanecer ante ella? Pero de estas cosas hemos discutido antes. Para ellos es lo mismo entrar en tentación como la apostasía.

b) *Sea el corazón de quien sea: "El que confía en su propio corazón es necio" (Pr. 28:26).*
El que confía en su corazón, sea quienquiera que fuera, al hacerlo se hace necio. Pedro lo hizo en su tentación, confiando en su propio corazón: "Aunque todos se escandalicen de ti, yo nunca me escandalizaré" (Mt.

26:33). Esta fue su insensatez. ¿Pero por qué fue su insensatez? Porque no escaparía; no lo preservaría de las trampas; no lo libraría de las tentaciones. Antes de que llegue la tentación, el corazón del hombre le prometerá mucho.

Dice Hazael: "Pues, ¿qué es tu siervo, este perro, para que haga tan grandes cosas?" (2 R. 8:13). Dice Pedro: "Aunque todos los hombres te negaren, yo no lo haré" (Mt. 26:35). Es como si dijera: "¿Haré este mal? No puede ser". Se reúnen todos los argumentos que son adecuados para refrenar al corazón en tal condición. ¿No es esto lo que Pedro pensó antes de su tentación? ¿No lo crees? "¡Qué! ¿Negar a mi Maestro, al Hijo de Dios, mi Redentor, el que me ama? ¿Puede acaso una semejante ingratitud, incredulidad o rebelión recaer sobre mí? ¡No lo haré!" Entonces, ¿debe un hombre descansar en el hecho de que su corazón será firme? Deja que el sabio responda: "El que confía en su propio corazón es necio". "Engañoso es el corazón" (Jer. 17:9).

No confiaríamos voluntariamente en algo que contiene engaño o falacia, pero aquí está lo que es engañoso más que todas las cosas. Tiene mil variaciones y traiciones con las que se ocupará. Cuando viene la prueba, la tentación lo robará (*cf.* Os. 4:11).

> **Oseas 4.11–13** La prostitución, el vino y el vino nuevo quitan el juicio. Mi pueblo consulta a su ídolo de madera, y su vara les informa; Porque un espíritu de prostitución *los* ha descarriado, Y se han prostituido, *apartándose* de su Dios. Ofrecen sacrificios sobre las cumbres de los montes Y queman incienso sobre las colinas, Debajo de las encinas, los álamos y los terebintos, Porque su sombra es agradable. Por tanto, sus hijas se prostituyen, Y sus nueras cometen adulterio.

En general, los corazones de los hombres no los engañan más de lo que estos confían en ellos, y en ese caso nunca fallan en hacerlo.

2) Medios de seguridad que podemos esperar de nosotros mismos de forma particular

Consideren las formas y medios particulares que tal corazón tiene o puede usar para protegerse a sí mismo en la hora de la tentación. Esto revelará rápidamente su insuficiencia para ese propósito. Citaré como ejemplos algunos pocos solamente:

a) *El amor por el honor en el mundo*

Una de las armas del corazón para defenderse en la hora de la tentación es la reputación y la estima en la iglesia que se obtuvo a través de una profesión o manera de vivir pasada. "¿Alguien como yo huirá? Yo, que he tenido tal reputación en la iglesia de Dios, ¿la perderé ahora al ceder a esta concupiscencia o a esta tentación y al arriesgarme con este o aquel mal público?" Esta consideración tiene tal influencia en los espíritus de algunos que piensan que será un blindaje y un broquel[3] contra cualquier asalto que pueda sobrevenirles. ¡Morirán mil veces antes de renunciar a la reputación que tienen en la iglesia de Dios! ¡Pero ay! Esto no es más que atar con mimbre[4] o con una cuerda delgada una tentación gigante. ¿Qué piensan acerca de la "tercera parte de las estrellas del cielo"? (Ap. 12:4). ¿No habrían brillado en el firmamento de la iglesia? ¿No fueron más que suficientemente conscientes de su propio honor, su eminencia, utilidad y reputación? Pero cuando el dragón viene con sus tentaciones, las arroja sobre la tierra.

Sí, las grandes tentaciones harán que los hombres —que no tienen una mejor defensa— se fortalezcan de una manera imperceptible contra ese deshonor y la falta de reputación con los que sus caminos son acompañados. "La gente me silba, pero yo aplaudo".[5] ¿Acaso no conocemos los casos de algunos que aún viven que se han aventurado en alianza con los hombres impíos para la gloria de una profesión larga y

---

[3] Un pequeño escudo de mano.

[4] Grillete hecho de ramitas verdes "que aún no estén enjutos" [véase Jue. 16:7]

[5] Latín: *Populus [me] sibilat, at mihi plaudo.* Versión truncada de una cita de Horacio, *Satirás*, I.1.66. El manuscrito original tiene erróneamente "sibilet" en lugar de "sibilat". La misma cita se encuentra en el libro de Juan Calvino *Commentary on a Harmony of the Evangelists, Matthew, Mark, and Luke* (Grand Rapids, Mich.:Eerdmans, 1965), 2:182.

útil? Y después de un tiempo, cuando se encuentran a sí mismos destituidos de su reputación con los santos, se endurecen en contra de ella y terminan en apostasía (*cf.* Jn. 15:6).

> **Juan 15.5–6** "Yo soy la vid, ustedes los sarmientos; el que permanece en Mí y Yo en él, ése da mucho fruto, porque separados de Mí nada pueden hacer. "Si alguien no permanece en Mí, es echado fuera como un sarmiento y se seca; y los recogen, los echan al fuego y se queman.

La reputación no preservó a Judas, a Himeneo, a Fileto o a las estrellas del cielo, ni los preservará a ustedes.

b) *Vergüenza, reproche, pérdida y cosas similares*

Por otro lado, existe la consideración de vergüenza, reproche, pérdida y cosas por el estilo. En esto también los hombres pueden depositar su confianza y tenerla como defensa contra las tentaciones. ¡Y no temen, sino que asumen que serán salvaguardados y preservados por ella! ¡No traerían por el mundo esa vergüenza y reproche sobre sí mismos que acompañan tales y cuales extravíos! Ahora bien, esta consideración se aplica solo a los *pecados abiertos* de los que el mundo se fija y aborrece, de modo que no sirve de nada en los casos en que se pueden inventar y usar pretensiones y simulaciones.[6]

Tampoco es efectivo en las tentaciones públicas a andar de manera indisciplinada y descuidada, como vemos en nuestros días. Tampoco se aplica a los casos que son discutibles en sí mismos, aunque expresamente pecaminosos para las conciencias de las personas bajo las tentaciones. Y no protege contra los pecados del corazón. En todos estos casos y en la mayoría de los demás casos de tentación, hay innumerables justificaciones listas para ser argumentadas al corazón contra esta consideración. Además de todo esto, digo, vemos por experiencia lo fácil que se rompe este cordón una vez que el corazón comienza a enredarse. Cada rincón de la tierra está lleno de ejemplos que prueban este punto.

---

[6] Adornos que ocultan la verdad.

c) *La pérdida de la paz interior*

Aún tienen algo que sobrepasa estas consideraciones menores —a saber, que no herirán sus propias conciencias, no perturbarán su paz y no se pondrán en peligro de sufrir el fuego del infierno. Ciertamente si algo preservará a los hombres en la hora de la tentación, esto será. ¡No se desprenderán de su paz, ni aventurarán sus almas corriendo en contra de Dios y la espesa barrera de su escudo! (*cf.* Job 15:26).

> **Job 15.24–26** La ansiedad y la angustia lo aterran, Lo dominan como rey dispuesto para el ataque; Porque él ha extendido su mano contra Dios, Y se porta con soberbia contra el Todopoderoso (Shaddai). Corre contra El con cuello erguido, Con su escudo macizo.

¿Qué puede ser de mayor eficacia y prevalencia? Confieso que esto es de gran importancia. ¡Si tan solo se ponderara más en ello de lo que se hace! ¡Si tan solo pusiéramos más peso y énfasis en preservar nuestra paz para con Dios de lo que hacemos! Sin embargo, digo que incluso esta consideración no mantendrá firme a aquel que está en otra parte fuera de su vigilancia y que no se dedica a seguir las otras reglas que se insisten aquí.

(1) *Esta consideración no mantendrá firme cuando la paz es falsa*

Porque la paz de tal persona puede ser *falsa paz* o seguridad, resultado de presunción y falsas esperanzas. Incluso con el creyente, puede ser así. Tal fue la paz de David después de su pecado antes de que Natán viniera a él (*cf.* 2 S. 11-12). Tal fue la paz de la iglesia de Laodicea cuando estaba a punto de perecer o la paz de Sardis al morir (*cf.* Ap. 3). ¿Qué puede asegurarle a un alma que su seguridad no es falsa cuando ve que no está trabajando de manera universal[7] para guardar la palabra de la paciencia de Cristo y que no está vigilante en todas las cosas? ¿Piensas que en estos días la paz de muchos será hallada como paz verdadera al final?

---

[7] Completa o total.

Nada menos. Ellos van vivos al infierno, y la muerte tendrá dominio sobre ellos en la mañana. Ahora bien, si esta es la paz de un hombre, ¿crees que puede preservarlo algo que no puede preservarse a sí mismo? Cederá ante el primer asalto vigoroso de una tentación en su punto álgido y hora. Como una caña frágil, atravesará la mano de aquel que se apoya en ella (*cf.* Is. 36:6).

> **Isaías 36.5–6** "Yo digo: '*Tu* consejo y poderío para la guerra sólo son palabras vacías.' Ahora pues, ¿en quién confías que te has rebelado contra mí? "Yo sé que tú confías en el báculo de esta caña quebrada, *es decir,* en Egipto, en el cual, si un hombre se apoya, penetrará en su mano y la traspasará. Así es Faraón, rey de Egipto, para todos los que confían en él.

(2) *Esta consideración no mantendrá firme cuando confiamos únicamente en ella*

Pero supongamos que la *paz* por la cual nos preocupamos y que tiene el propósito de salvaguardar el alma es verdadera y buena. Sin embargo, cuando todo esté apoyándose en este único fundamento, cuando llegue la hora de la tentación, se ofrecerán tantas justificaciones en contra de esta consideración que se volverá inútil.

Dirás: "Este mal es *pequeño*; es *cuestionable*; no cae abierta y directamente sobre la *conciencia.* Yo solo temo las *consecuencias*, pero puede ser el caso que a pesar de todo ello pueda guardar mi paz. Otros del pueblo de Dios han caído y, sin embargo, han mantenido o recuperado su paz. Si se pierde por un tiempo, se puede volver a obtener. No solicitaré más su posición; aunque la paz se pierda, la seguridad puede permanecer". Y hay mil excusas de este tipo que se plantan todas como tropas contra esta fortaleza, de modo que no puede mantenerse firme por mucho tiempo.

(3) *Esta consideración no mantendrá firme cuando descuidamos las demás consideraciones*

Fijarse solamente en esta consideración particular es como proteger un *pasaje* o una entrada mientras el enemigo nos asalta por todos los lados. Es cierto que una pequeña armadura serviría para que un hombre se defienda, siempre y cuando él pueda elegir que el enemigo le ataque en ese lugar específico. Pero a nosotros se nos ordena tomar toda la armadura de Dios si tenemos la intención de resistir y mantenernos firmes (*cf.* Ef. 6).

Solo estamos hablando de una pieza, y cuando nuestro ojo está puesto solo en ella, la tentación puede entrar y prevalecer de otras veinte formas. Por ejemplo, un hombre puede verse tentado a la mundanalidad, a la ganancia injusta, a la venganza, a la vanagloria o cosas por el estilo.

Si se fortalece solo con esta consideración, no hará tal cosa, herirá su conciencia y perderá su paz. Fijándose en este punto particular, poniendo su atención en este aspecto y sintiéndose seguro mientras no sea vencido en esta área, puede descuidar la comunión privada con Dios, la sensualidad y cosas por el estilo que le van a tumbar. Por ende, no está para nada en una mejor condición que si hubiera caído bajo el poder de aquella tentación que lo presionaba más visiblemente.

La experiencia muestra que esta consideración puede y de hecho hace *fallar* también. No hay un santo de Dios que no valore la paz que tiene. Sin embargo, ¡cuántos de ellos fallan en el día de la tentación!

(4) *Esta consideración no mantendrá firme incluso cuando se considera la vileza de pecar contra Dios*

No obstante, hay otra consideración que tienen y es la vileza de pecar contra Dios. ¿Cómo harían esto y pecarían contra Dios —el Dios de sus misericordias y de su salvación? (*cf.* Gn. 39:9) ¿Cómo herirían a Jesucristo, que murió por ellos? Esto seguramente no puede sino preservarlos.

Génesis 39.9–10 "No hay nadie más grande que yo en esta casa, y nada me ha rehusado excepto a usted, pues es su mujer. ¿Cómo entonces podría yo

> hacer esta gran maldad y pecar contra Dios?" Y ella insistía a José día tras día, pero él no accedió a acostarse con ella *o* a estar con ella.

(a) En primer lugar, respondo que vemos cada día que esta consideración también falla. No hay un hijo de Dios que sea vencido por la tentación que no venza esta consideración. Por tanto, no es una infalible y segura defensa.
(b) En segundo lugar, esta consideración es doble: Si expresa los pensamientos del alma con referencia particular a la tentación con la que se enfrenta, entonces no preservará el alma. Pero si expresa la condición universal y habitual del corazón que está en nosotros refiriéndose a todos los aspectos, entonces cae en lo que presentaré como la medicina y el remedio universal en este caso en el proceso de este discurso, de lo cual hablaré después.

b. Consideremos el poder de la tentación que oscurece la mente

Consideremos el poder de la tentación, en parte por lo que se mostró antes (hablando acerca de los efectos y frutos en los santos de la antigüedad) y en parte por los demás efectos en general que encontramos atribuidos a ella.

Tales como que *oscurecerá la mente* hasta tal punto que un hombre no podrá hacer un juicio correcto de las cosas como lo solía hacer antes de entrar en tentación. Así como el dios de este mundo ciega la mente de los hombres del mundo para que no vean la gloria de Cristo en el evangelio (*cf.* 2 Cor. 4: 4) y así como la "fornicación, vino y mosto quitan el corazón" (Os. 4:11 RVA), así también es la naturaleza de cada tentación: Quita el corazón y oscurece la comprensión de la persona tentada.

> **2 Corintios 4.3–4** Y si todavía nuestro evangelio está velado, para los que se pierden está velado, en los cuales el dios de este mundo ha cegado el entendimiento (la mente) de los incrédulos, para que no vean el resplandor del evangelio de la gloria de Cristo, que es la imagen de Dios.

> **Oseas 4.10–11** Comerán, pero no se saciarán; Se prostituirán, pero no se multiplicarán, Porque han dejado de hacer caso al Señor. La prostitución, el vino y el vino nuevo quitan el juicio.

Y esto lo hace de diversas maneras:

1) Oscurece la mente al fijar los pensamientos en el objeto al cual inclina

Fijando la imaginación y los pensamientos en el objeto al cual inclina, de modo que la mente se desvíe y no tome en consideración las cosas que la aliviarían y socorrerían en el estado en cual se encuentra. Por ejemplo, consideren a un hombre que es tentado a creer que es abandonado por Dios, que es objeto de Su odio y que no tiene interés en/parte con Cristo. Por el designio de Satanás, la mente estará tan *fija* en esta consideración de su estado y condición (junto con la angustia que causa) que no podrá manejar ninguno de los alivios sugeridos y ofrecidos en contra de ello.

En cambio, siguiendo la plenitud de sus propios pensamientos, caminará en la oscuridad y no tendrá luz. Digo que la tentación poseerá y llenará tanto la mente con los pensamientos de ello y sus asuntos respectivos que removerá esa clara consideración de las cosas que de otra manera podría y habría tenido. Y de este modo, aquellas cosas en las cuales la mente acostumbraba tener un sentido vigoroso y que le ayudaban a evitar el pecado, llegan a no tener fuerza o eficacia.

Es más, comúnmente traerá a los hombres a tal estado y condición que cuando otros —que saben de su condición— quieren hablarles acerca de las cosas que tienen que ver con su liberación y paz, simplemente no podrán entender y apenas escucharán una palabra que se les habla porque sus mentes están tan poseídas con el asunto de su tentación.

2) Oscurece la mente al enredar lamentablemente los afectos

Por el enredo lamentable de los afectos. Se sabe que cuando los afectos están involucrados, tienen una influencia enorme para cegar la mente y oscurecer la comprensión. Si alguien duda de esto, que abra simplemente los ojos en estos días y lo comprenderá rápidamente. De qué manera y por cuales medios los afectos involucrados nublarán y oscurecerán la mente, no lo explicaré ahora.

Denme solamente un hombre involucrado con la esperanza, el amor o el miedo, en referencia a cualquier particularidad en la que no debe tener esperanza, amar y temer, y rápidamente te mostraré en qué está oscurecido y cegado.

Si entras en la tentación, entonces fracasarás en esto: El juicio actual que tienes de las cosas no se modificará por completo, sino que se oscurecerá y se volverá incapaz[8] de influir en la voluntad y dominar los afectos. Estos afectos, una vez puestos en libertad por la tentación, se precipitarán en la insensatez. Inmediatamente el odio al pecado, el aborrecimiento del mismo, el temor del Señor, el sentido de Su amor y la presencia de Cristo crucificado, todas estas cosas se apartarán y dejarán el corazón como una presa fácil para su enemigo.

3) Oscurece la mente al proporcionar combustible para las concupiscencias

La tentación proporcionará aceite y combustible para nuestras concupiscencias. Las incitará, provocará y hará que se conviertan en tumultos y furor más allá de toda medida. Al ofrecerle a la concupiscencia o corrupción un objeto, una ventaja o una ocasión adecuada, la aumenta, la intensifica y la hace totalmente predominante por un tiempo. Este fue el caso con el miedo carnal en Pedro (*cf.* Lc. 22:56-60), con el orgullo en Ezequías (*cf.* 2 Cr. 32:25), con la codicia en Acán (*cf.* Jos. 7:1), con la impureza en David (*cf.* 2 S. 11:4), con la mundanalidad en Demas (*cf.* 2 Ti. 4:10), con la ambición en Diótrefes (*cf.* 3 Jn. 9).

> **2º Crónicas 32.25** Pero Ezequías no correspondió al bien que había recibido, porque su corazón era orgulloso; por tanto, la ira vino sobre él, sobre Judá y sobre Jerusalén.

---

[8] Débil o endeble.

Josué 7.1 Pero los Israelitas fueron infieles en cuanto a las cosas dedicadas al anatema (a la destrucción), porque Acán, hijo de Carmi, hijo de Zabdi, hijo de Zera, de la tribu de Judá, tomó de las cosas dedicadas al anatema. Entonces la ira del Señor se encendió contra los Israelitas.
2º Samuel 11.4 David envió mensajeros y la tomaron; y cuando ella vino a él, él durmió con ella. Después que ella se purificó de su inmundicia, regresó a su casa.

Pondrá las riendas en el cuello de una concupiscencia y espoleará sus costados, haciéndola precipitarse impetuosamente como un caballo hacia la batalla. Un hombre no conoce el orgullo, la furia o la locura de la corrupción hasta que ella encuentre una tentación adecuada. ¿Y entonces qué pensará hacer una pobre alma? Su mente está oscurecida, sus afectos enredados, sus concupiscencias inflamadas y provocadas, y su alivio es derrotado. ¿Y cuál será el resultado de tal condición?

c. Consideremos las tentaciones públicas y privadas

Consideren que las tentaciones son públicas o privadas. Y veamos un poco la eficacia y el poder de ellas separadamente:

1) Tentaciones públicas

Hay tentaciones públicas como las que se mencionan en Apocalipsis, que vendrán al mundo "para probar a los que moran sobre la tierra" (Ap. 3.10); o una combinación de persecución y seducción para probar a la generación descuidada de profesantes. Ahora, con respecto a tales tentaciones, consideremos lo siguiente:

a) *Cumplen el propósito de Dios*

Tienen una *eficacia* con respecto a Dios, quien las envía para vengarse de la negligencia y el desprecio del evangelio por un lado, y la traición de los falsos profesantes por el otro. Por lo tanto, ciertamente cumplirán lo que

Él les ha comisionado hacer. Cuando Satanás ofreció su servicio para salir y seducir a Acab para que pudiera caer, Dios le dice: "Le inducirás, y aun lo conseguirás; ve, pues, y hazlo así" (1 R. 22:22).

> **1º Reyes 22.21–22** "Entonces un espíritu se adelantó, y se puso delante del Señor, y dijo: 'Yo lo persuadiré.' "El Señor le preguntó: '¿Cómo?' Y él respondió: 'Saldré y seré espíritu de mentira en boca de todos sus profetas.' Entonces El dijo: '*Lo* persuadirás y también prevalecerás. Ve y hazlo así.'

Es permitido en cuanto a su maldad, y es comisionado en cuanto a la consecuencia y al castigo propuesto. Cuando el mundo cristiano iba a ser abandonado a la locura y a la falsa adoración por su negligencia de la verdad y por su profesión pobre, estéril e infructuosa que deshonraba a Cristo, se dice acerca de la tentación que cayó sobre ellos que "Dios les envía un poder engañoso, para que crean la mentira" (2 Ts. 2:11).

> **2 Tesalonicenses 2.11–12** Por esto Dios les enviará un poder engañoso, para que crean en la mentira (en lo falso), a fin de que sean juzgados (condenados) todos los que no creyeron en la verdad sino que se complacieron (aprobaron) en la iniquidad.

Aquello que viene así de parte de Dios de una manera *judicial* tiene un poder intrínseco que prevalecerá. Casi todo el cuerpo de profesantes en estos días se ha infectado con ese espíritu egoísta, perezoso con respecto a todo lo espiritual, descuidado y mundano.

Si la tentación tiene una comisión de parte de Dios para matar a los hipócritas y herir a los santos negligentes, quebrantando sus huesos y haciéndolos un escándalo para que sean avergonzados, ¿acaso no tendrá poder y eficacia para hacerlo? ¡Qué trabajo ha hecho el espíritu de error entre nosotros! ¿Acaso no es por esta razón que, como algunos hombres no tuvieron a bien reconocer a Dios en sus corazones, Dios los "entregó a una mente reprobada" (Ro. 1:28)?

> **Romanos 1.26–28** Por esta razón Dios los entregó a pasiones degradantes; porque sus mujeres cambiaron la función natural por la que es contra la

> naturaleza. De la misma manera también los hombres, abandonando el uso natural de la mujer, se encendieron en su lujuria unos con otros, cometiendo hechos vergonzosos hombres con hombres, y recibiendo en sí mismos el castigo correspondiente a su extravío. Y así como ellos no tuvieron a bien reconocer a Dios, Dios los entregó a una mente depravada, para que hicieran las cosas que no convienen.

Un hombre pensaría que es extraño (incluso que es una cuestión de asombro) ver a las personas de espíritu sobrio que pretendían grandes cosas en los caminos de Dios ser vencidas, cautivadas, atrapadas y destruidas por medios débiles, opiniones e imaginaciones tontas.

Tales que un hombre pensaría que es imposible que alguna vez se apoderen de hombres sensatos o racionales, y mucho menos de los que profesan el evangelio. Pero aquello que Dios quiere que sea fuerte, no pensemos que sea débil. Ninguna fuerza sino solo la fuerza de Dios puede interponerse en el camino de las cosas más débiles del mundo que están comisionadas por Dios para cualquier fin o propósito.

b) *Son propagadas por el ejemplo*

Hay en tales tentaciones la insinuación secreta de *ejemplos* en aquellos que se consideran *piadosos* y son profesantes: "Y por haberse multiplicado la maldad, el amor de muchos se enfriará" (Mt. 24:12). La abundancia de iniquidad en algunos arrojará de manera imperceptible agua sobre el celo y el amor de otros que poco a poco se enfriará.

Algunos comienzan a volverse negligentes, descuidados, mundanos e inmorales. Rompen el hielo para agradar a la carne. Enseguida su amor también se enfría. Y una vez que ha pasado la perturbación, también se ajustan a ellos y se asemejan a ellos. "Un poco de levadura leuda toda la masa". Pablo repite esas palabras dos veces (*cf.* 1 Co. 5:6; Gá. 5:9).

> **1 Corintios 5.6** La jactancia de ustedes no es buena. ¿No saben que un poco de levadura fermenta toda *la masa*?
> **Gálatas 5.8–9** Esta persuasión no *vino* de Aquél que los llama. Un poco de levadura fermenta toda la masa.

Él quiere que prestemos atención al peligro de la infección de todo el cuerpo. Nos habla de los malos ejemplos de algunos. Sabemos cómo la levadura de manera indistinguible procede a dar sabor a todo; por eso se denomina la "raíz de amargura" que brota y contamina a muchos (He. 12:15).

Si un pedacito de levadura o una raíz amarga puede poner en peligro todo, ¡cuánto más cuando hay muchas raíces de esa naturaleza y mucha levadura esparcida! Es fácil seguir a una multitud para hacer el mal y llamar "conspiración" a todo lo que la gente llama "conspiración" (Is. 8:12). ¿Alguien hubiera pensado que fuera posible que tales y cuales profesantes en nuestros días hubieran caído en los caminos del yo, de la carne y del mundo? ¿Jugaran cartas y a los dados, y se entregaran a los deleites y al baile? ¿Descuidaran a la familia y las devociones privadas? ¿Llegaran a ser orgullosos, altaneros, ambiciosos, mundanos, codiciosos y opresivos? ¿O que iban a irse en pos de opiniones absurdas, vanas y ridículas, abandonando así el evangelio de Cristo?

En estos dos[9] se encuentra la gran tentación que ha venido sobre nosotros, los habitantes de este mundo, para probarnos. ¿Pero no puede ver todo hombre que esto sucede? ¿Y no podemos ver cómo sucede? Algunos profesantes flojos y vanos (que nunca tuvieron más que una forma de piedad), una vez que se han llenado de esto, comenzaron el camino hacia ellos. Entonces otros empezaron a consentir un poco y a agradar a la carne al hacerlo.

Así, poco a poco, ha llegado incluso a las ramas y ramillas superiores de nuestra profesión hasta que casi toda la carne ha corrompido su camino (*cf.* Gn. 6:12). Y el que se aparta de estas iniquidades hace de su *nombre* presa, para no decir de su *persona*.

> **Génesis 6.11–12** Pero la tierra se había corrompido delante de Dios, y estaba la tierra llena de violencia. Dios miró a la tierra, y vio que estaba corrompida, porque toda carne (toda la gente) había corrompido su camino sobre la tierra.

---

[9] Es decir, caer en los caminos del mundo e irse en pos de las vanas opiniones.

c) *Son acompañadas usualmente con razonamientos y pretensiones fuertes*

Las tentaciones públicas suelen estar acompañadas de *fuertes razones y pretensiones* que son demasiado duras para los hombres o que por lo menos los convencen de manera imperceptible a una minimización del mal al que conduce la tentación, para así fortalecer la tentación compleja que en estos días incluso ha derribado el pueblo de Dios de su excelencia, cortando sus rizos y haciéndolos como los demás hombres (*cf.* Jue. 16). ¡Qué lleno está el mundo de engañosas pretensiones y alegaciones!

Como cristianos, hemos sido liberados de un estado de esclavitud y ahora tenemos libertad y liberación. Sin embargo, esta es una puerta de la cual —en mi observación— he visto salir a muchos a la sensualidad y la apostasía. Empezando con una conversación ligera, procediendo a descuidar el día de reposo y los deberes públicos y privados, y terminando en la inmoralidad y la blasfemia. Y luego, dejando las cosas públicas a la Providencia, contentándose con lo que es.

Cosas buenas en sí mismas, pero torcidas en observancias impías y carnales hasta llegar a la total ruina de todo celo por Dios, el interés de Cristo o Su pueblo en el mundo. Estas y otras consideraciones (unidas con la comodidad y la abundancia, la grandeza y la promoción de los profesantes) así han dado lugar a las cosas. Mientras que por la providencia hemos cambiado de lugar con los hombres del mundo, por el pecado hemos cambiado también el espíritu con ellos.

Somos como un grupo de hombres llevados a un país extranjero. En poco tiempo, se degeneran de los modales de su propio pueblo y caen en los del país donde han sido llevados, como si hubiera algo en la tierra y el aire que los transformara. Permíteme seguir un poco en mi metáfora.

Aquel que ve la multitud que prevalece en estas naciones (muchos que están en el gobierno, en el poder, teniendo favores, con todos sus seguidores) y recuerda que fueron una colonia de Puritanos —cuya morada era "en un lugar bajo" como el profeta habla de la ciudad de Dios (*cf.* Is. 32:19)— trasladados por una mano poderosa a las montañas que ahora poseen, no puede sino sorprenderse cuán pronto abandonaron las costumbres, los modales y las maneras de su propio pueblo pasado, y cuán pronto olvidaron imitar a los que fueron antes que ellos en los lugares en los que son trasladados. Hablo de todos nosotros, especialmente de nosotros que estamos entre los más bajos del pueblo donde tal vez abunda más la iniquidad. ¿Qué fueron los que nos precedieron que nosotros no somos? ¿Qué hicieron ellos que nosotros no hicimos? La prosperidad ha matado a los necios y ha herido a los sabios.

2) Tentaciones Privadas

Supongamos que la tentación es privada. Acerca de esto se ha hablado antes, añadiré dos cosas:

a) *Se unen con el deseo*

Su unión e incorporación con el deseo, que es el fundamento de su actividad y su medio para entrar en el alma. Juan nos dice que las cosas que están en el mundo son "los deseos de la carne, los deseos de los ojos, y la vanagloria de la vida" (1 Jn. 2:16). Ahora bien, es evidente que todas estas cosas están principalmente en el *sujeto*, no en el *objeto* —en el *corazón*, no en el *mundo*. Pero se dice que están "en el mundo" porque el mundo se mete en ellos, mezclándose, uniéndose e incorporándose con ellos. Así como se dice que la fe y las promesas están "mezcladas" (He. 4:2 RVA), de la misma manera se mezclan el deseo y la tentación, entretejiéndose y recibiendo mutua mejora entre sí.

> **1 Juan 2.15–17** No amen al mundo ni las cosas *que están* en el mundo. Si alguien ama al mundo, el amor del Padre no está en él. Porque todo lo que hay en el mundo, la pasión de la carne, la pasión de los ojos, y la arrogancia de la vida (las riquezas), no proviene del Padre, sino del mundo. El mundo pasa, y *también* sus pasiones, pero el que hace la voluntad de Dios permanece para siempre.

Cada una se vuelve más y más fuerte por la mutua fuerza que se administran entre sí. Ahora, por este medio, la tentación se adentra de tal manera en el corazón que ningún razonamiento contrario puede alcanzarla. Nada más que lo que puede matar el deseo puede vencer la tentación.

Como la lepra que se ha mezclado con la pared, la pared debe ser derribada o la lepra permanecerá (*cf.* Lv. 14: 33-53). Como la gangrena que mezcla su veneno con la sangre y los espíritus/principios vitales, y no puede ser separado del lugar donde se encuentra, sino que ambos deben cortarse juntos. Por ejemplo, en la tentación de David a la impureza, diez mil consideraciones podrían haber llegado para taparle la boca a la tentación, pero se había unido a su deseo, y nada más que el asesinato [de ese deseo] podía destruirla o conseguirle la conquista. Esto engaña a muchos.

Tienen una tentación apremiante que, habiendo obtenido algunas ventajas, está insistentemente sobre ellos. Oran en contra de ella y se oponen a ella con todas las consideraciones poderosas, cada una de las cuales parece suficiente para conquistarla y destruirla (o al menos dominarla) para que nunca vuelva a molestarlos. Pero no funciona y no se obtiene ni se gana ningún terreno. Es más, la tentación se vuelve más y más insistente. ¿Cuál es la razón de ello? Se ha incorporado y se ha unido al deseo, de modo que está a salvo de toda la oposición que se le hace.

Si queremos tener éxito, debemos atacar el deseo mismo —su ambición, orgullo, mundanalidad, sensualidad o todo lo que está unido con la tentación. Todos los demás esfuerzos con ella son como atenuar una gangrena establecida —la parte o el todo se pueden conservar por un momento con gran tormento, pero la amputación o la muerte son los únicos dos resultados. El alma quizás pueda atormentarse por un tiempo con tal procedimiento, pero debe llegar a esto: Su deseo debe morir, o el alma debe morir.

b) *Afectan toda el alma*

No importa en qué parte del alma se asiente el deseo que está unido con la tentación, inevitablemente atrae *toda el alma* por un medio u otro y de esta manera impide o anticipa cualquier oposición.

Supongamos que sea el deseo de la mente —dado que hay deseos de la mente y también impureza del espíritu, como la ambición, la vanagloria y cosas similares—, ¡qué mundo de formas tiene el entendimiento para controlar los afectos para que no se aferren tan tenazmente a Dios, considerando que en lo que apunta hay tanto para darles contentamiento y satisfacción! No solo impide todos los razonamientos de la mente (que hace necesariamente, siendo como una enfermedad sangrienta en los ojos), sino que presenta todas las cosas para atraer toda el alma —en otros motivos y consideraciones colaterales— a la misma condición. Promete a toda el alma una parte del botín en el que apunta.

Como el dinero de Judas, que primero deseaba por la codicia, debía ser compartido entre todos sus deseos. O las tentaciones pueden estar en la parte más sensual[10] y primero posee los afectos. No puede expresarse fácilmente (como se mostró antes) qué prejuicios aportarán a la comprensión, cómo la sobornarán a una aquiescencia,[11] qué argumentos y qué esperanzas le suministrarán. En resumen, no hay una tentación particular, cuando está en su hora, que no tenga una contribución de ayuda de las cosas buenas, malas o indiferentes. La tentación se alimenta de tantas consideraciones que parecen ser las más extrañas y ajenas a ella. En algunos casos tiene tales alegaciones y pretensiones engañosos que su fuerza será fácilmente reconocida.

d. Consideremos el objetivo de Satanás y del pecado en la tentación

Consideren el fin de cualquier tentación. Este es el objetivo de Satanás y el objetivo del pecado —es decir, la deshonra de Dios y la ruina de nuestras almas.

---

[10] Percibido por los sentidos (no necesariamente sexual).

[11] Consentimiento o conformidad.

e. Consideremos cuál ha sido el resultado de nuestras antiguas tentaciones

Consideren cuál ha sido el resultado de sus anteriores tentaciones que han tenido. ¿Acaso no han contaminado sus consciencias, han perturbado su paz, los han debilitado en su obediencia y han nublado el rostro de Dios? Aunque no fueron persuadidos en la maldad exterior o en el resultado más extremo de sus tentaciones, ¿acaso no han sido arruinados? ¿No han sido sus almas contaminadas y profundamente perplejas? ¿Acaso alguna vez en sus vidas han salido bien, sin perdidas notables, de alguna tentación con la que casi tuvieron que lidiar? ¿Y estarían dispuestos a ser enredado en ella de nuevo? Si están en libertad, presten atención. No vuelvan a entrar en tentación, si es posible, no sea que algo peor les acontezca (*cf.* Jn. 5:14).

> **Juan 5.14–15** Después de esto Jesús lo halló en el templo y le dijo: "Mira, has sido sanado; no peques más, para que no te suceda algo peor." El hombre se fue, y dijo a los Judíos que Jesús era el que lo había sanado.

Estas, digo, son algunas de las muchas consideraciones en las que se podría insistir para manifestar la importancia de la verdad propuesta y la plenitud de nuestra preocupación en procurar que "no entremos en tentación".

5. Objeciones y respuestas

En contra de lo que se ha dicho, algunas objeciones deben ser consideradas y removidas. Objeciones que secretamente se insinúan a sí mismas en las almas de los hombres y que tienen una eficacia para volverlos negligentes y descuidados en este asunto que es de gran importancia para ellos —un deber de tal indispensable necesidad para aquellos que procuran caminar con Dios en cualquier paz o con cualquier fidelidad. Y son las siguientes:

***Objeción 1.* ¿Por qué deberíamos temer y trabajar tanto para evitar la tentación?**

Se nos ordena que tengamos "por sumo gozo cuando cayéramos en diversas tentaciones" (Stg. 1:2 RVA). Ahora bien, ciertamente no necesito evitar solícitamente la caída en aquello en lo que, cuando caigo, debo considerarlo como sumo gozo. Ante lo cual respondo lo siguiente:

Respuesta 1. No debes guardar esta regla en todas las cosas —es decir, que un hombre no necesita tratar de evitar aquello que, cuando no puede sino caer, es su deber en lo cual regocijarse. El mismo apóstol ordena a los ricos "regocíjense que son humillados" (Stg. 1:10). Y, sin duda, para aquel que conoce la bondad, la sabiduría y el amor de Dios en Sus dispensaciones, en toda condición que le sea necesaria, será una cuestión de regocijo. No obstante, ¡a cuántos pocos hombres ricos y piadosos puedes persuadir a que no presten atención y no usen todos los medios lícitos para que no sean hechos pobres y sean humillados! Y en la mayoría de casos, la verdad es que sería su pecado si no lo hicieran.

Es nuestra responsabilidad asegurar nuestras posiciones y protegernos como podamos. Si Dios altera nuestra condición, debemos regocijarnos en ello. Si las tentaciones aquí mencionadas nos acontecen, podemos tener motivo para regocijarnos, pero no si caemos en ellas por descuido del deber.

Respuesta 2. Las tentaciones se toman de dos maneras:

1) *Pasivamente o materialmente/meramente material*, porque tales cosas son (o en algunos casos pueden ser) como tentaciones.
2) *Activamente*, porque tales incitan a pecar.

Santiago habla de las tentaciones solo en el primer sentido. Porque después de haber dicho: "Tened por sumo gozo cuando cayereis en diversas tentaciones" (v. 2 RVA), él añade: "Bienaventurado el varón que soporta la tentación; porque cuando haya resistido la prueba, recibirá la corona de vida" (v. 12). A partir de esto un hombre podría decir: "Si es así, entonces las tentaciones son buenas y de Dios". "Pero no —dice Santiago—; tomado en tal sentido de que la tentación es algo que incita y dirige a pecar, Dios no tienta a nadie (v. 13). De lo contrario, cada uno es tentado por su propia concupiscencia (v. 14).

Tener tales tentaciones (ser tentado a pecar) no es la bendición a la que me refiero, sino el soportar las aflicciones que Dios nos envía para la prueba de nuestra fe, esa es la bendición. Por lo tanto, aunque debo tener por sumo gozo cuando, a través de la voluntad de Dios, caigo en diversas aflicciones para mi prueba (que tiene la sustancia de la tentación en ellas), debo tener cuidado y diligencia de que mi concupiscencia no obtenga ocasiones o ventajas para tentarme a pecar".

> **Santiago 1.12–14** Bienaventurado el hombre que persevera bajo la prueba, porque una vez que ha sido aprobado (ha pasado la prueba), recibirá la corona de la vida que *el Señor* ha prometido a los que Lo aman. Que nadie diga cuando es tentado: "Soy tentado por Dios." Porque Dios no puede ser tentado por el mal y El mismo no tienta a nadie. Sino que cada uno es tentado cuando es llevado y seducido por su propia pasión.

Objeción 2. ¿Pero no fue nuestro Salvador (Cristo mismo) tentado? ¿Acaso es malo el ser llevado al mismo estado y condición con Él?

De hecho, no solo se dice que fue tentado, sino que Su experiencia de ser tentado es expresada como algo ventajoso y que ha conducido a Su misericordia como nuestro Sacerdote: "Pues en cuanto Él mismo padeció siendo tentado, es poderoso para socorrer a los que son tentados" (He. 2:18). Y lo convierte en la base de una gran promesa para Sus discípulos, de que habían "permanecido con Él en Sus tentaciones" (Lc. 22:28).

Respuesta. Es verdad que nuestro Salvador fue tentado, pero Sus tentaciones son contadas entre los *males* que le sobrevinieron en los días de Su carne. Cosas que vinieron sobre Él a través de la maldad del mundo y su príncipe. No se colocó a sí mismo voluntariamente en tentación, lo cual dijo que era "tentar al Señor nuestro Dios" (Mt. 4:7). Así, pues, entrar voluntariamente a cualquier tentación es en gran manera tentar a Dios.

Ahora bien, incluso si usáramos la mayor diligencia y vigilancia que pudiéramos, nuestra condición es tal que estaremos seguros de ser tentados y ser hechos semejantes a Cristo en ella. Esto no quiere decir que no sea nuestro deber evitar caer en la tentación en la medida de lo posible. Y esto por esta razón: Cristo tuvo solamente la parte de *sufrimiento* de la tentación cuando entró en ella; nosotros tenemos también la parte de *pecar* de ella. Cuando el príncipe de este mundo vino a Cristo, "no tenía parte en Él" (Jn. 14:30). Pero cuando viene a nosotros, él sí tiene parte en nosotros.

En un efecto de las tentaciones (a saber, las pruebas y las inquietudes) somos hechos semejantes a Cristo, y debemos regocijarnos en cualquier medio que produzca este resultado. Pero en el otro efecto somos hechos diferentes a Él, siendo contaminados y enredados. Por este motivo, debemos buscar por todos los medios evitarlas. Nunca salimos como Cristo. ¿Quién de nosotros "entra en tentación" y no es contaminado?

Objeción 3. ¿Pero cuál es la necesidad de este gran esfuerzo y cuidado? ¿No se dice que "fiel es Dios, que no nos dejará ser tentados más de lo que podemos resistir, sino que dará también juntamente con la tentación la salida" (1 Co. 10:13), y que "Él sabe cómo librar a los piadosos de la tentación" (2 P. 2:9)?

¿Qué necesidad tenemos entonces de ser solícitos en no entrar en las tentaciones?

Respuesta. Me pregunto grandemente qué ayuda obtendrá de Dios en su tentación aquel que entra voluntariamente en ella porque supone que Dios ha prometido librarlo de ella. El Señor sabe que cuando hemos hecho todo lo posible, aún caeremos en diversas tentaciones a través de las artimañas de Satanás, la sutileza y malicia del mundo, el engaño del pecado, que tan fácilmente nos aquejan.

En Su amor, cuidado, ternura y fidelidad, Él ha provisto tal cantidad suficiente de gracia para nosotros que aquellos no prevalecerán completamente para causar una separación eterna entre Él y nuestras almas. Sin embargo, tengo tres cosas que decir a esta objeción:

En primer lugar, aquel que *voluntariamente* o negligentemente entra en tentación no tiene razón alguna en el mundo para prometerse a sí mismo cualquier ayuda por parte de Dios o cualquier liberación de la tentación a la que ha entrado. La promesa es hecha a aquellos a quienes las tentaciones sí les acontecen en su camino, lo quieran o no. Pero no es hecha a aquellos que voluntariamente caen en ellas o que salen de su camino para encontrarse con ellas. Y, por tanto, cuando el diablo (como se suele observar) tentó a nuestro Salvador, dejó de lado la siguiente expresión del texto de la Escritura que torció para su propósito: "Todos tus caminos" (*cf.* Sal. 91:11; Mt. 4:6).

> **Salmo 91.10–12** No te sucederá *ningún* mal, Ni plaga se acercará a tu morada. Pues El dará órdenes a Sus ángeles acerca de ti, Para que te guarden en todos tus caminos. En sus manos te llevarán, Para que tu pie no tropiece en piedra.

La promesa de liberación es para aquellos que están en sus caminos, de lo cual esto es un método principal para guardarse de la tentación.

En segundo lugar, aunque haya una cantidad suficiente de gracia provista para todos los *elegidos* para que no caigan completamente de Dios por ninguna tentación, cualquier corazón lleno de gracia temblaría al pensar qué deshonra es para Dios, qué escándalo es para el evangelio, qué oscuridad e inquietud lamentables puede traer sobre sus almas, aunque no perezcan. En mi opinión, aquellos que no temen a nada salvo al infierno —en quienes otras consideraciones en sí no tienen influencia— tienen más razones para temerle de las que quizá son conscientes.

En tercer lugar, entrar en tentación en este sentido es aventurarse al pecado o perseverar "en el pecado para que la gracia abunde" (Ro. 6:1-2), lo cual el apóstol rechaza con la mayor de las aversiones.

> **Romanos 6.1–2** ¿Qué diremos, entonces? ¿Continuaremos en pecado para que la gracia abunde? ¡De ningún modo! Nosotros, que hemos muerto al pecado, ¿cómo viviremos aún en él?

¿Acaso no es locura que un hombre permita voluntariamente que el barco en el que está se parta en una roca perdiendo irrevocablemente su mercancía porque supone que él mismo nadará de forma segura a la orilla en una tabla? ¿Es la locura menor en aquel que se aventura al naufragio de todo su bienestar, paz, gozo y tanto de la gloria de Dios y el honor del evangelio que se le ha confiado, simplemente en la suposición de que su alma aún escapará? Estas cosas un hombre consideraría que no merecen ser mencionadas. No obstante, con tales como estas las pobres almas se engañan algunas veces a sí mismas.

PARTE 4: CASOS PARTICULARES E INSTRUCCIONES GENERALES

CAPÍTULO 4: CÓMO UNO SABE QUE HA ENTRADO EN LA TENTACIÓN

1. Cuando un hombre es atraído a cualquier pecado
2. Cuando la tentación agita la concupiscencia
3. Cuando se alimenta a la tentación con aquello que es bueno o no pecaminoso
4. Cuando la tentación encuentra ocasiones para ser provocada por las circunstancias
5. Cuando el hombre descuida sus deberes espirituales

Siendo estas cosas premisas en general, procedo a la consideración de *tres casos particulares que surgen* de la verdad propuesta: El primero se relaciona con la *cosa* en sí misma; el segundo con el *comportamiento* en referencia a la prevención del mal tratado; y el último con su *tiempo* o temporada.

Se puede preguntar:
I. Cómo un hombre puede saber cuándo ha entrado en tentación.
II. Qué instrucciones se deben dar para prevenir que entremos en tentación.
III. Qué tiempos hay en los que un hombre puede y debe temer que la hora de la tentación se aproxima.

I. Cómo uno sabe que ha entrado en tentación

Digo, pues, lo siguiente:

1. Cuando un hombre es atraído a cualquier pecado

Cuando un hombre es atraído a cualquier pecado, puede estar seguro de que ha entrado en tentación. Todo pecado proviene de la tentación (*cf.* Stg. 1:14). El pecado es el fruto que viene solo de esa raíz. Cuando un hombre se encuentra a sí mismo sorprendido tan repentina o violentamente en o con algún pecado, es de alguna u otra tentación que ha sido grandemente sorprendido. De esta manera el apóstol explica que cuando un hombre es sorprendido o alcanzado con una falta, él ha sido tentado a ella; porque dice:

> **Gálatas 6.1** Hermanos, aun si alguien es sorprendido en alguna falta, ustedes que son espirituales, restáurenlo en un espíritu de mansedumbre, mirándote a ti mismo, no sea que tú también seas tentado.

"Considérate a ti mismo, no sea que tú también seas tentado" (Gá. 6:1) — es decir, él estaba, por así decirlo, inconsciente cuando fue grandemente sorprendido. Los hombres a veces no se dan cuenta de esto para su gran desventaja. Cuando son alcanzados con un pecado, se arrepienten de ese pecado, pero no evalúan la tentación que fue la causa de ese pecado para oponerse también a ella y cuidarse de que no entren más en ella. Por lo tanto, rápidamente se enredan de nuevo en la tentación, aunque tienen la mayor aversión posible hacia el pecado. Aquel que en verdad quisiera obtener victoria sobre cualquier pecado debe evaluar su tentación que lo lleva a pecar y atacar esa raíz. Si no se libera de allí, no será sanado.

Esta es una insensatez que posee a muchos, incluso entre aquellos que tienen un sentido rápido y vivo del pecado. Son conscientes de sus *pecados*, pero no de sus *tentaciones*. Están disgustados con el fruto amargo, pero aprecian la raíz venenosa. Por lo tanto, en medio de sus humillaciones por el pecado, continuarán en aquellos caminos, aquellas asociaciones y en la búsqueda de aquellos fines, que los han llevado a pecar. Hablaré más delante de esto.

2. Cuando la tentación agita la concupiscencia

Las tentaciones tienen varios grados. Algunas ascienden a tal altura que realmente oprimen el alma, atormentándola e inquietándola. Cuando luchan contra toda oposición que se les hace, ese es el poder peculiar de la tentación contra el que se debe luchar. Cuando aparece la fiebre, un hombre sabe que está enfermo (a menos que su enfermedad lo haya enloquecido).

Las concupiscencias de los hombres, como Santiago nos dice, atraen, apartan y los seducen a pecar (*cf.* Stg. 1:14); pero hacen esto por sí mismas en una forma más tranquila, calmada y sosegada, sin incitación particular. Si se volviesen violentas y agitaran el alma sin darle descanso, entonces comprende que han obtenido la ayuda de las tentaciones para su asistencia.

Toma una vasija vacía y colócala en algún arroyo que se dirija al mar, infaliblemente será llevada allí según el curso y la velocidad del arroyo. Pero si se producen fuertes vientos sobre ella, será llevada con violencia por todas las orillas y todas las rocas hasta que, rota en pedazos, sea tragada por el océano.

Las concupiscencias de los hombres los llevarán infaliblemente (si no son mortificadas en la muerte de Cristo) a la ruina eterna — frecuentemente sin mucho ruido, según el curso del arroyo de sus corrupciones. Pero si el viento de las fuertes tentaciones recae sobre ellas, son apresurados a innumerables pecados escandalosos, y así, quebrantados en todos los sentidos, son tragados en la eternidad. Así es en general con los hombres, pero también es así en particular.

Ezequías tuvo siempre la raíz del *orgullo* en él, pero no le hizo presumir sus tesoros y riquezas hasta que cayó en la tentación por el embajador del rey de Babilonia (*cf.* 2 Cr. 32:31; 2 R. 20:12-19).

> **2º Reyes 20.12–18** En aquel tiempo Berodac Baladán, hijo de Baladán, rey de Babilonia, envió cartas y un regalo a Ezequías, porque oyó que Ezequías había estado enfermo. Y Ezequías los escuchó y les mostró toda su casa del tesoro: la plata y el oro, las especias y el aceite precioso, su arsenal y todo lo que se hallaba en sus tesoros. No hubo nada en su casa ni en todo su dominio que Ezequías no les mostrara. Entonces el profeta Isaías vino al rey Ezequías, y le dijo: "¿Qué han dicho esos hombres y de dónde han venido a ti?" Y Ezequías respondió: "Han venido de un país lejano, de Babilonia." Y él dijo: "¿Qué han visto en tu casa?" Y Ezequías respondió: "Han visto todo lo que hay en mi casa; no hay nada entre mis tesoros que yo no les haya mostrado." Entonces Isaías dijo a Ezequías: "Oye la palabra del Señor: 'Vienen días cuando todo lo que hay en tu casa y todo lo que tus padres han atesorado hasta el día de hoy, será llevado a Babilonia; nada quedará,' dice el Señor. 'Y *algunos* de tus hijos que saldrán de ti, los que engendrarás, serán llevados, y serán oficiales en el palacio del rey de Babilonia.' "

De igual manera, David se abstuvo de censar al pueblo hasta que Satanás se presentó, lo provocó y le solicitó que lo hiciera (*cf.* 1 Cr. 21). Judas era codicioso desde el principio, pero no planeó satisfacer su codicia vendiendo a su Maestro hasta que el diablo entró en él y, por ende, en la tentación (*cf.* Lc. 22:3).

Lo mismo se puede decir de Abraham, Jonás, Pedro y los demás. Así que cuando cualquier concupiscencia o corrupción agita e inquieta el alma, la incita con violencia al pecado, que el alma sepa que la concupiscencia ha obtenido la ventaja de alguna tentación externa (aunque aún no perciba de qué manera). O, por lo menos, se ha convertido en una tentación particular por alguna incitación o provocación que le ha acontecido. En este caso, se debe velar más de lo normal.

3. Cuando se alimenta a la tentación con aquello que es bueno o no pecaminoso

Entrar en tentación puede verse en sus grados menores. Por ejemplo, cuando el corazón empieza secretamente a gustar de la esencia de la tentación y se contenta con alimentarla e incrementarla por cualquier medio que pueda sin pecar realmente. En particular, un hombre empieza a tener reputación por su piedad, sabiduría, aprendizaje o cosas similares —es decir, se le alaba por esas características.

Su corazón se deleita en escuchar esta alabanza, y da lugar a su orgullo y su ambición. Ahora bien, si este hombre usa toda su fuerza para desarrollar sus habilidades de las cuales su reputación, estima y gloria entre los hombres emanan, con el ánimo de incrementar estas cosas secretamente, él ha entrado en tentación. Si no tiene cuidado, esto lo convertirá rápidamente en esclavo de la concupiscencia. Así fue con Jehú. Notó que su reputación de hombre de celo comenzó a expandirse en el extranjero y obtuvo honores por ella. Cuando Jonadab, un hombre bueno y santo, vino hacia él, Jehú pensó: "Ahora, tengo la oportunidad para crecer en el honor de mi celo". Así que llama a Jonadab y procede con la máxima seriedad (*cf.* 2 R. 10:16ss).

Las cosas que hizo fueron buenas en sí mismas, pero entró en tentación y sirvió a su concupiscencia en lo que hizo. Así sucede con muchos eruditos. Se han sentido estimados y favorecidos a causa de lo que han aprendido. Este sentimiento se apodera del orgullo y de la ambición de sus corazones. Así que se ponen a estudiar con gran diligencia de día y de noche —algo bueno en sí mismo, pero lo hacen para que puedan satisfacer los pensamientos y las palabras de los hombres, en los cuales se deleitan. Y así en todo lo que hacen, hacen provisión para la carne para que satisfaga sus concupiscencias (*cf.* Ro. 13:14).

> **Romanos 13.13–14** Andemos decentemente, como de día, no en orgías y borracheras, no en promiscuidad sexual y lujurias, no en pleitos y envidias. Antes bien, vístanse del Señor Jesucristo, y no piensen en proveer para las lujurias de la carne.

Es cierto que Dios a menudo saca luz de esta oscuridad y convierte las cosas en algo mejor. Después de que quizás un hombre haya estudiado durante varios años, levantándose temprano y acostándose tarde buscando satisfacer sus concupiscencias —su ambición, orgullo y vanagloria—, Dios viene con Su gracia y convierte su alma hacia Él. De esta manera, Él despoja aquellas concupiscencias egipcias (*cf.* Nm. 11:5) y consagra los estudios del hombre (los cuales fueron provistos para los ídolos anteriormente) para el uso de Su tabernáculo.

> **Números 11.5–6** "Nos acordamos del pescado que comíamos gratis en Egipto, de los pepinos, de los melones, los puerros, las cebollas y los ajos; pero ahora no tenemos apetito. Nada hay para nuestros ojos excepto este maná."

Los hombres incluso pueden enredarse en cosas mejores que el aprendizaje —a saber, en la *profesión* de la piedad, en su labor en el ministerio y otras cosas similares. La profesión de algunos hombres es una trampa para ellos mismos. Tienen gran reputación y son muy honrados a causa de su profesión y su estricto caminar. Esto a menudo sucede en nuestros días, en donde todas las cosas son realizadas por grupos.

Algunos se encuentran a sí mismos en lo mencionado anteriormente, quizás al ser el tesoro, "el gran ornamento"[1] o la gloria de su grupo. Si los pensamientos mencionados se insinúan secretamente a sí mismos en su corazón y los influencian a ir más allá de la diligencia y actividad ordinarias en su forma de ser y su profesión, están enredados. Y en lugar de apuntar a más gloria, deben yacer en el polvo con un sentido de su propia vileza. Esta tentación está tan cerca/consumada que a menudo no requiere de alimento. Incluso cuando aquel que está enredado en ella evita todas los medios y formas de honor y reputación, la tentación no pueda dejar de susurrar en el corazón que tal evasión es honorable.

La misma condición puede ser la de aquellos hombres (como se mencionó) en la labor del ministerio que *predican el evangelio*. Muchas cosas en esa labor pueden hacer que estimen su habilidad, su sencillez, su actividad y su éxito. Y todo esto puede ser combustible para las tentaciones. Por lo tanto, que el hombre sepa que cuando se agrada de aquello que alimenta su concupiscencia y la mantiene por formas buenas o no directamente pecaminosas, él ha entrado en tentación.

---

[1] Latín: *Ingentia decora.*

4. Cuando la tentación encuentra ocasiones para ser provocada por las circunstancias

Cuando por el estado del hombre, la condición de su vida o por cualquier medio, sucede que su concupiscencia y cualquier tentación encuentran ocasiones y oportunidades para su provocación y agitación, sepa ese hombre que (sea que lo perciba o no) ha entrado ciertamente en tentación.

Te he comentado antes que el entrar en tentación no es solamente el ser tentado, sino el estar bajo su *poder* para ser enredado por ella. Ahora bien, es casi imposible para un hombre tener oportunidades, ocasiones y ventajas adecuadas para su concupiscencia y corrupción, sin llegar a ser enredado. Si viniesen embajadores del rey de Babilonia, el orgullo de Ezequías lo pondría en tentación. Si Hazael se convirtiese en rey de Siria, su crueldad y ambición harían que su ira se levante contra Israel (*cf.* 2 R. 8:12-13).

> **2º Reyes 8.12–13** Y Hazael dijo: "¿Por qué llora mi señor?" Entonces respondió: "Porque sé el mal que harás a los Israelitas: incendiarás sus fortalezas, matarás a espada a sus jóvenes, estrellarás a sus niños y rasgarás *el vientre* a sus mujeres encinta." Entonces Hazael dijo: "Pero, ¿qué es su siervo, *sino* un perro, para que haga tan enorme cosa?" Y Eliseo respondió: "El Señor me ha mostrado que usted será rey de Aram."

Si los sacerdotes viniesen con sus piezas de plata, la codicia de Judas estaría trabajando instantáneamente para vender a su Maestro. Y se pueden dar muchos ejemplos similares en los días en que vivimos. Algunos hombres creen que pueden jugar en la cueva del áspid y no ser mordidos (*cf.* Is. 11:8), tocar la brea y no ensuciarse,[2] colocar fuego en sus ropas y no ser quemados (*cf.* Pr. 6:27); pero cometen un error.

> **Proverbios 6.25–28** No codicies su hermosura en tu corazón, Ni dejes que te cautive con sus párpados. Porque por causa de una ramera uno es reducido

---

[2] Esta es una referencia al libro de Eclesiástico 13:1. Véase también William Shakespeare, *Much Ado About Nothing,* III, iii.

> a un pedazo de pan, Pero la adúltera anda a la caza de la vida preciosa. ¿Puede un hombre poner fuego en su seno Sin que arda su ropa? ¿O puede caminar un hombre sobre carbones encendidos Sin que se quemen sus pies?

Si tus negocios, curso de vida, grupos o cualquier cosa similar, te empujan verdaderamente a tales cosas, caminos o personas que benefician a tu concupiscencia o corrupción, has de saber que has entrado en tentación. ¿Cómo saldrás de ella? Solo Dios sabe. Por ejemplo, consideremos a un hombre que tiene algunas semillas de inmundicia en su corazón. Si, en el curso de su vida, participa en grupos ligeros, vanos y necios, indudablemente ha entrado en tentación (sin importar en qué grado llegue a notarlo o no). De igual manera es con la ambición en los altos cargos, la pasión en una multitud de asuntos desconcertantes, las aficiones corruptas y contaminadas en las sociedades vanas, y la lectura profunda de libros o tratados inútiles sobre la vanidad y la necedad.

Es más fácil inducir al fuego y a los combustibles a estar juntos sin que se afecten el uno al otro a que coexistan concupiscencias *específicas* y situaciones u objetos *convenientes* para su actividad.

5. Cuando el hombre descuida sus deberes espirituales

Cuando un hombre se debilita, se vuelve negligente o formal en su deber (cuando puede omitir los deberes o contentarse a sí mismo con cumplirlos de manera descuidada y anodinada, sin deleite, gozo o satisfacción para su alma —cuando antes no actuaba así), que sepa esto: Aunque no perciba esta enfermedad específica, ha entrado en tentación, y al final se volverá evidente para su aflicción y peligro. ¡Cuántos hemos visto y conocido en nuestros días que, después de una profesión cálida, han caído en la negligencia, el descuido y la indiferencia en la oración, en la lectura, en la predicación de la Palabra de Dios y cosas similares!

Dame un ejemplo de alguien que haya salido ileso y me atrevo a decirte que podrás encontrar cien que se han encontrado dormidos en lo alto de un mástil (*cf.* Pr. 23:34) y que han quedado atrapados en las fauces de alguna vil tentación u otra, que después les produjo un fruto amargo en sus vidas y caminos.

> **Proverbios 23.31–35** No mires al vino cuando rojea, Cuando resplandece en la copa; Entra suavemente, *Pero* al final muerde como serpiente, Y pica como víbora. Tus ojos verán cosas extrañas, Y tu corazón proferirá perversidades. Y serás como el que se acuesta en medio del mar, O como el que se acuesta en lo alto de un mástil. *Y dirás:* "Me hirieron, *pero* no me dolió; Me golpearon, *pero* no lo sentí. Cuando despierte, Volveré a buscar más."

De unos pocos que regresan de la necedad, escuchamos diariamente estas lastimeras quejas:

> ¡Oh! Descuidé la oración privada, no medité en la Palabra y no acudí a la predicación. En cambio, desprecié estas cosas, diciendo: 'Soy rico y no carezco de nada'. Poco consideré que esta concupiscencia inmunda estaba madurando en mi corazón. Este ateísmo y estas abominaciones se estaban suscitando allí.

Esta es una regla cierta: Si su corazón se enfría, se vuelve negligente o formal en los deberes de la adoración a Dios (ya sea en cuanto a la esencia o la forma de ellos), una o varias tentaciones se han apoderado de él. El mundo, el orgullo, la impureza, la búsqueda de sí mismo, la malicia y la envidia, o una cosa u otra, se ha adueñado de su espíritu.

Es como un hombre con unas pocas canas aquí y allá en él, aunque no las perciba. Y esto debe ser observado respecto a la forma de los deberes, así como en la esencia. Los hombres pueden mantener y realizar frecuentemente los deberes de la religión por diferentes motivos siniestros (especialmente para satisfacer su consciencia), pero los realizan sin corazón y sin vida, contrario a la espiritualidad requerida para realizarlos. La iglesia de Sardis continuaba realizando sus deberes, dándole una reputación de estar viva, pero carecía de vida espiritual en la realización de sus deberes y, por tanto, estaba "muerta" (Ap. 3:1).

Es como sucede con las enfermedades del cuerpo. Cuando un hombre siente que su espíritu desfallece, que su corazón está oprimido, que su cabeza está pesada y que todo su ser está indispuesto, aunque todavía no arda ni prevalezca incontrolablemente, exclamará: "¡Me temo que estoy entrando en fiebre! Me encuentro mal e indispuesto".

De la misma manera, el hombre puede hacer esto mismo en esta enfermedad del alma. Si nota que su pulso no es acorde y parejo respecto a los deberes de la adoración y comunión con Dios, y si su espíritu está decaído y su corazón desfallece en ellos, que concluya entonces que ha entrado en tentación y que es el momento adecuado para evaluar las causas particulares de su enfermedad, aunque su concupiscencia aún no arda ni prevalezca incontrolablemente.

Si la cabeza está pesada y adormecida en los asuntos de la gracia, si el corazón se ha enfriado respecto a los deberes, el mal yace a la puerta. Y si tal alma verdaderamente escapa de la gran tentación para pecar, no escapará de la gran tentación por la deserción. La esposa clama: "Yo dormía", y que se había "desnudado de su ropa" y no podía vestirse (Cnt. 5:2-3) —estaba indispuesta a sus deberes y la comunión con Cristo.[3] ¿Cuál es la siguiente noticia que se tiene de ella? Su "amado se había ido" (v. 6) —Cristo se había retirado, y ella lo busca ampliamente y no lo encuentra.

> **Cantares 5.4–6** Mi amado metió su mano por la abertura *de la puerta,* Y se estremecieron por él mis entrañas. Yo me levanté para abrir a mi amado; Y mis manos destilaron mirra, Y mis dedos mirra líquida, Sobre las manecillas de la cerradura. Abrí yo a mi amado, Pero mi amado se había retirado, se había ido. Tras su hablar salió mi alma. Lo busqué, y no lo hallé; Lo llamé, y no me respondió.

Hay tal idoneidad entre la nueva naturaleza que es forjada y creada en los creyentes y los deberes de la adoración a Dios, que no serán separados a

---

[3] Owen —junto con la mayoría de los intérpretes del siglo XVII— interpretó el Cantar de Salomón (o Cantares, como se referían a él) como una "descripción de la comunión que existe entre el Señor Cristo y Sus santos" (*Works*, 2:46).

menos que sea por la intervención de una enfermedad/corrupción desconcertante.

La nueva criatura se alimenta de ellos, es fortalecida y desarrollada por ellos, encuentra dulzura en ellos, e incluso se encuentra con su Dios y Padre en ellos. Así que no puede hacer otra cosa que deleitarse en ellos y desear estar ejerciéndolos, a menos que se enferme por alguna tentación. Este estado es descrito a lo largo del Salmo 119. Digo que no se le expulsa de este estado y disposición u otro.

Existen muchas otras evidencias de que un alma ha entrado en tentación, las cuales pueden ser descubiertas tras indagar. Propongo esto para quitarnos la *seguridad* a la que somos propensos a caer y para manifestar cuál es el deber especial al que debemos dedicarnos en los tiempos específicos de tentación, porque aquel que ya ha entrado en tentación debe dedicarse a desenredarse, no a prevenir el caer en tentación. Cómo esto puede ser hecho, lo indicaré más adelante.

CAPÍTULO 5: INSTRUCCIONES GENERALES PARA EVITAR QUE EL ALMA ENTRE EN TENTACIÓN

1. Debemos tener una clara comprensión del gran mal que existe en entrar en tentación
2. Reconozcamos nuestra incapacidad
3. Ejerzan la fe sobre las promesas de Dios
4. Oren

Habiendo visto el peligro de entrar en tentación y habiendo también descubierto las formas y los tiempos a través de los cuales y en los cuales los hombres usualmente entran, nuestra segunda indagación es esta:

II. Qué instrucciones generales se pueden dar para proteger el alma de la condición de la que se ha hablado

Y vemos la instrucción de nuestro Salvador respecto a esto en Mateo 26:41. Lo resume todo en estas dos palabras: "Velad y orad". Me esforzaré un poco para desarrollar estas palabras y mostrar qué se encuentra envuelto en ellas, tanto en conjunto como individualmente.

1. Debemos tener una clara comprensión del gran mal que existe en entrar en tentación

Estas palabras implican que debemos tener una clara y permanente comprensión del gran mal que existe en entrar en tentación. Aquello por lo que el hombre vela y ora, lo considera malo y lo evita por todos los medios. Esta es, entonces, la primera instrucción:

> ***Tengan siempre presente el gran peligro que es para cualquier alma el entrar en tentación.***

Es algo lamentable considerar qué pensamientos ligeros tiene la mayoría respecto a esto. Si los hombres pueden mantenerse a sí mismos lejos del pecado en lo público, con eso están satisfechos y pocas veces apuntan a más.

Toda clase de hombres se aventurarán en cualquier momento hacia cualquier tentación en el mundo. ¡Cómo se ponen los jóvenes a sí mismos en compañía de malvados —al principio solo se fascinan con su compañía y luego con la maldad de esta compañía! ¡Cuán vanas son todas las amonestaciones y exhortaciones respecto a que tengan cuidado de tales personas que son disolutas en sí mismas, corruptoras de otras y destructoras de almas! Al principio se aventurarán a juntarse con ellos, aborreciendo la idea de participar en su depravación, pero ¿cuál es el resultado? Salvo uno que otro a quienes Dios arrebata con Su mano poderosa de las fauces de la destrucción, están todos perdidos, enamorándose después de un tiempo del mal que al principio aborrecían.

Esta puerta abierta a la ruina de las almas es muy evidente, y la experiencia lamentable no hace menos evidente que es casi imposible atar sobre muchas pobres criaturas algún miedo o terror de la tentación, quienes aún profesan un miedo y aversión al pecado. ¡Ojalá solo fuera así con los jóvenes, quienes no están acostumbrados al yugo de su Señor! ¿Qué clase de hombre está libre de esta necedad en una cosa u otra? ¡Cuántos cristianos profesantes he conocido que abogarían por su libertad, así como ellos la llaman! Podrían escuchar cualquier cosa —todas las cosas; podrían estar con todo tipo de hombre —todos los hombres; probarían todo —sin importar si es acorde a la voluntad de Dios o no.

A este respecto, correrían a escuchar y a prestar atención a todo aquel que hable opiniones falsas y abominables, y a todo seductor, aunque estuviera estigmatizado por la mayoría de los santos. Antes odiaban las opiniones como muchos, pero ahora tienen su "libertad" y pueden hacer esto. ¿Cuál ha sido el resultado? Apenas he conocido a alguien que salga ileso —la mayoría ha perdido la fe. Ningún hombre puede pretender temer al pecado sin temer a la tentación que conduce al pecado. Son muy afines como para ser separados. Satanás los ha unido de tal manera que es muy difícil para cualquier hombre separarlos. No odia el fruto aquel que se deleita en la raíz.

Cuando los hombres observan que tales formas, tales compañías, tales rumbos, tales actividades, tales estudios y objetivos los enredan, los enfrían, los vuelven descuidados, apagan su celo religioso, los indisponen a una obediencia uniforme, universal y constante —si se aventuran en ellos, el pecado yace a la puerta.

Solamente un estado sensible del espíritu (consciente de su propia debilidad y corrupción, consciente de la astucia de Satanás, consciente de la maldad del pecado, consciente de la eficacia de la tentación) puede realizar su deber. No obstante, hasta que llevemos nuestros corazones a este estado (sobre las consideraciones antes mencionadas) o a algún estado similar que sea propuesto, jamás nos libraremos de los enredos pecaminosos. Innumerables cristianos profesantes en estos días (como es sabido) han sido arruinados por su osadía ante la tentación, que se origina de varias pretensiones. Y esto aún continúa derribando a muchos de su excelencia.

No tengo la más mínima esperanza de una profesión de fe más fructífera entre nosotros hasta que vea que tenemos más temor a la tentación. El pecado no le parecerá por mucho tiempo grande o pesado a cualquiera a quien las tentaciones le parecen ligeras o pequeñas.
Esto es el primer asunto envuelto en esta instrucción general:

> ***El ejercicio diario de nuestros pensamientos con una comprensión del gran peligro que yace en entrar en la tentación se requiere de nosotros.***

El entristecimiento del Espíritu de Dios, la inquietud de nuestras propias almas, la pérdida de paz y la amenaza al bienestar eterno, yacen a la puerta. Si el alma no es convencida con esto para observar esta instrucción, todo lo que sigue es en vano. La tentación menospreciada conquistará. Pero si el corazón se vuelve sensible y vigilante en esto, la mitad del trabajo para asegurar una buena forma de vida será hecha. Que no prosiga aquel que no ha resuelto aprovechar esta instrucción a través de una observación concienzuda diaria de la misma.

2. Reconozcamos nuestra incapacidad

Implica esto también:

> ***No hay algo que esté en nuestro propio poder que nos guarde y nos proteja de entrar en tentación.***

Por tanto, debemos orar para que seamos protegidos de ello porque no podemos salvarnos a nosotros mismos. Esta es otra forma de protección. Así como no tenemos fuerza para resistir la tentación cuando viene (cuando hemos entrado en ella, pero que caeremos bajo ella) sin un suministro de la cantidad suficiente de la gracia de Dios, así mismo reconocer que no tenemos poder o sabiduría para guardarnos a nosotros mismos de entrar en tentación, sino que debemos ser guardados por el poder y la sabiduría de Dios, es un principio protector:

En todo somos "guardados por el poder de Dios" (1 P. 1:5). En esto nos instruye nuestro Salvador, no solo al indicarnos que oremos para que no seamos metidos en tentación, sino también cuando Él rogó por nosotros para que seamos guardados de ella: "No ruego que los quites del mundo, sino que los guardes del mal" (Jn. 17:15) —es decir, de las tentaciones del mundo hacia el mal y hacia el pecado ("del mal"[1] que está en el mundo, que es la tentación, lo cual es todo lo que es malo en el mundo; o del maligno que, en el mundo, se sirve del mundo para la tentación).

Cristo ruega a Su Padre para que nos guarde y nos instruye a orar para que seamos guardados. Por lo tanto, no es algo que esté en nuestro propio poder. Las formas en que entramos en tentación son tantas, tan variadas y tan imperceptibles; sus medios son tan eficaces y poderosos; nuestra debilidad y nuestra falta de vigilancia son tan indescriptibles, que no podemos en lo más mínimo guardarnos o protegernos de ello. Fallamos tanto en sabiduría como en poder para esta obra.

Que el corazón entonces esté en íntima comunión consigo mismo y diga:

> Soy pobre y débil. Satanás es sutil, astuto, poderoso y está constantemente buscando ventajas sobre mi alma. El mundo es vehemente, apremiante, lleno de promesas falsas, de innumerables pretensiones y de formas de engaño. Mi propia corrupción es violenta, tumultuosa, seductora, enredadora, procreadora de pecado y beligerante dentro de mí y contra mí. Las ocasiones y los aprovechamientos de la tentación son innumerables en todas las cosas que hago y permito, en todos los asuntos y personas con los que me relaciono. Los principios de la tentación son imperceptibles y plausibles, de modo que, dejado a mi propia cuenta, no sabré que estoy enredado hasta que mis ataduras sean fuertes y el pecado se haya arraigado en mi corazón. Por tanto, solo en Dios confiaré para mi protección y continuamente miraré a Él para esto.

Esto hará que el alma siempre se entregue al cuidado de Dios, descansando en Él y no haciendo nada y no emprendiendo nada sin pedirle consejo a Dios. De modo que de la observación de esta instrucción surgirá una doble ventaja, ambas de uso particular para la protección del alma del mal temido:

[1] Griego: ἐκ τοῦ πονηροῦ

a. *El compromiso con la gracia y compasión de Dios, quien ha llamado a los huérfanos y desamparados a descansar en Él (cf. Sal. 104:14).* Ningún alma que ha puesto su cuidado sobre Él, en tiempo de necesidad, nunca le ha faltado provisiones como consecuencia de Su invitación llena de gracia.
b. *Mantener el alma en tal estado, en diferentes aspectos, es útil para su protección.* Aquel que mira a Dios de la manera debida para que lo socorra es tanto consciente de su peligro y meticulosamente diligente en el uso de los medios para protegerse a sí mismo. La importancia de estas dos cosas en este caso puede ser fácilmente comprendido por aquellos que tienen su corazón ejercitado en estas cosas.

3. Ejerzan la fe sobre las promesas de Dios

Esto también está implicado:

Ejerzan la fe en la promesa de Dios para la protección.

Creer que Dios nos protegerá es una forma de protección. Bajo tal condición de fe, ciertamente Dios hará o nos dará la salida para que escapemos de la tentación si caemos en ella. Debemos orar por lo que Dios ha prometido. Nuestras peticiones deben ser reguladas por Sus promesas y mandamientos, los cuales son de la misma importancia. La fe se junta con las promesas, proveyendo alivio en este caso.

Santiago nos instruye en esto en Santiago 1:5-7. Lo que necesitamos debemos "pedirle a Dios", pero debemos "pedir con fe", porque de lo contrario no debemos "pensar que recibiremos cosa alguna del Señor".

> **Santiago 1.5–8** Y si a alguno de ustedes le falta sabiduría, que se *la* pida a Dios, quien da a todos abundantemente y sin reproche, y le será dada. Pero que pida con fe, sin dudar. Porque el que duda es semejante a la ola del mar, impulsada por el viento y echada de una parte a otra. No piense, pues, ese

> hombre, que recibirá cosa alguna del Señor, *siendo* hombre de doble ánimo (que duda), inestable en todos sus caminos.

Esto también se encuentra en la instrucción de nuestro Salvador, que ejerzamos la fe sobre las promesas de Dios para nuestra protección de la tentación. Él ha prometido que nos guardará en todos nuestros caminos; que seremos conducidos de tal forma que, aunque seamos torpes, "no nos extraviaremos" (Is. 35:8); y que nos dirigirá, nos guiará y nos librará del maligno. Pongan la fe a trabajar sobre estas promesas de Dios y esperen un resultado bueno y cómodo.

No es fácil concebir con qué serie de gracias se atiende a la fe cuando esta sale a encontrarse con Cristo en las promesas. Hay en esto un gran poder para la protección del alma, pero he hablado de esto en otra parte.[2]

4. Oren

Sopesen estas cosas grandemente, pero primero tomen en consideración la oración.

> ***Orar para que no entremos en tentación es un medio para protegernos de ella.***

Todos los hombres que saben algo de estas cosas han dicho cosas gloriosas sobre este deber (*cf.* Sal. 87:3), pero la verdad es que ni la mitad de su excelencia, poder y eficacia es conocida. No es mi intención hablar de la oración en general, pero digo esto en lo que a mi propósito actual corresponde: Aquel que desea ser tentado poco, deber orar mucho. Esto llama a la ayuda y socorro adecuados que se hallan en Cristo para nosotros (*cf.* He. 4:16).

> **Hebreos 4.15–16** Porque no tenemos un Sumo Sacerdote que no pueda compadecerse de nuestras flaquezas, sino Uno que ha sido tentado en todo como *nosotros*, *pero* sin pecado. Por tanto, acerquémonos con confianza al

---

[2] La mortificación del pecado en los creyentes.

> trono de la gracia para que recibamos misericordia, y hallemos gracia para la ayuda oportuna.

Esto coloca a nuestras almas en un estado de oposición a toda tentación. Cuando Pablo dio instrucción de que nos colocásemos "toda la armadura de Dios" para que podamos resistir y soportar en el momento de la tentación (*cf.* Ef. 6:11-13):

> **Efesios 6.11–13** Revístanse con toda la armadura de Dios para que puedan estar firmes contra las insidias del diablo. Porque nuestra lucha no es contra sangre y carne, sino contra principados, contra potestades, contra los poderes (gobernantes) de este mundo de tinieblas, contra las fuerzas espirituales de maldad en las regiones celestes. Por tanto, tomen toda la armadura de Dios, para que puedan resistir en el día malo, y habiéndolo hecho todo, estar firmes.

Pablo, añade esta conclusión final de todo lo dicho: "Orando en todo tiempo con toda oración y súplica en el Espíritu, y velando en ello con toda perseverancia y súplica" (Ef. 6:18). Sin esto, todo lo demás será de ninguna eficacia para el fin propuesto. Y, por tanto, consideren qué peso coloca al decir: "Orando en todo tiempo" –es decir, en todo momento y tiempo, o estar siempre listo y preparado para desempeñar este deber (*cf.* Lc. 18:1; Ef. 6:18). "Con toda oración y súplica en el Espíritu" –es decir, presentando ante Dios toda clase de deseos que son apropiados para nuestra condición, de acuerdo a Su voluntad, no sea que seamos desviados por alguna cosa. Y esto no por poco tiempo, sino "con toda perseverancia" —es decir, persistiendo largamente por cuanto sea posible. De esta manera nos mantendremos firmes.

El alma que se encuentra en este estado está en una posición segura. Y este es uno de los medios sin el cual este trabajo no podría ser hecho. Si no permanecemos en la oración, permaneceremos en las malditas tentaciones. Que esto sea entonces otra instrucción:

> ***Permanezcamos en oración, y eso expresamente para este propósito: Para que "no entremos en tentación".***

Que esto sea parte de nuestra contienda diaria con Dios: Que Él preserve nuestras almas y guarde nuestros corazones y nuestros caminos, de modo que no seamos enredados; que Su buena y sabia providencia ordene nuestros caminos y asuntos, de modo que no nos sobrevenga ninguna tentación apremiante; que nos dé diligencia, cuidado y vigilancia sobre nuestros propios caminos. Así seremos librados cuando otros sean retenidos con las cuerdas de su propia necedad.

CAPÍTULO 6: TIEMPOS EN LOS QUE UN HOMBRE PUEDE TEMER QUE LA HORA DE LA TENTACIÓN SE APROXIMA

1. En el tiempo de inusual prosperidad externa
2. En el tiempo de descuido
3. En el tiempo de grandes goces espirituales
4. En el tiempo de autoconfianza

La otra instrucción de nuestro Salvador (a saber: "velar"[1]) inicia en lo general, pero se extiende a muchos detalles. Debemos entonces fijarnos en lo que está implicado en ello.

III. Observemos los tiempos en los que usualmente se entra en tentación

Hay tiempos variados en los que es común tener la hora de la tentación cerca. En estos tiempos, inevitablemente la tentación se apodera del alma

[1] O vigilar.

a menos que sea librada por misericordia mediante la disciplina de la vigilancia. Cuando estemos bajo un tiempo así, entonces debemos especialmente ponernos en guardia para que no entremos en o caigamos bajo el poder de la tentación. Algunos de esos tiempos pueden ser identificados:

1. En el tiempo de inusual prosperidad externa

El tiempo de inusual prosperidad externa suele ir acompañado de la hora de la tentación. Prosperidad y tentación van juntas. De hecho, la prosperidad es una tentación. Es la fuente de muchas tentaciones porque, sin provisiones eminentes de gracia, es capaz de poner al alma en un estado o disposición donde es expuesta a cualquier tentación, proporcionándole combustible y alimento para pecar. Provee para la concupiscencia y dardos para Satanás.

El hombre sabio nos dice que "la prosperidad de los necios los destruye" (Pr. 1:32). Esta los *endurece* en su camino, los hace despreciar la instrucción y pone el día malo (en el que el temor debiera influir en ellos para ser cambiados) lejos de ellos. Sin la ayuda apropiada, este tiempo tiene una influencia inconcebiblemente maligna sobre los creyentes también. De ahí que Agur orara contra las riquezas por la tentación que las acompaña: "No sea que me sacie, y te niegue, y diga: ¿Quién es Jehová?" (Pr. 30:8-9).

> **Proverbios 30.7–9** Dos cosas te he pedido, No me *las* niegues antes que muera: Aleja de mí la mentira y las palabras engañosas, No me des pobreza ni riqueza; Dame a comer mi porción de pan, No sea que me sacie y *te* niegue, y diga: "¿Quién es el Señor?" O que sea menesteroso y robe, Y profane el nombre de mi Dios.

Es como si dijera: "No sea que lleno de riquezas olvide al Señor". Dios hace esta misma reclamación de Su pueblo (*cf.* Os. 13:6). Sabemos cómo se equivocó David en este caso: "En mi prosperidad dije yo: 'No seré jamás conmovido'" (Sal. 30:6). David pensó: "Todo está bien y todo estará bien", pero ¿qué estaba cerca y qué yacía a la puerta, que David no había considerado? "Escondiste tu rostro, fui turbado" (v. 7). Dios estaba listo para esconder Su rostro, y David entró en una tentación de deserción, pero él no lo sabía.

En cuanto a la condición *próspera*, no vayamos contra el consejo de Salomón que dice: "Alégrate en el día de la prosperidad" (Ec. 7:14). Regocíjate en el Dios de tus misericordias, porque Él es bueno con Su paciencia y tolerancia, a pesar de tu indignidad. Sin embargo, debemos agregarle a esto, desde la misma fuente de sabiduría, considerar que el mal puede yacer a la puerta. Un hombre en ese estado está en medio de trampas. Satanás tiene muchas ventajas contra él. Él forja dardos llenos de todos sus placeres, y si él no está vigilando, se enredará antes de darse cuenta.

Tú quieres lo que puede dar serenidad y estabilidad a tu corazón. La formalidad en la religión está lista para sorprenderte y dejar al alma vulnerable a todas las tentaciones en todo su poder y fuerza. La satisfacción y deleite en las comodidades terrenales (el veneno del alma) están listos para crecer sobre ti. En tal momento, sé vigilante y prudente, o serás tomado desprevenido. Job dice que en su aflicción Dios enervó su corazón (*cf.* Job 23:16).

> **Job 23.13–16** Pero El es único, ¿y quién Lo hará cambiar? *Lo que* desea Su alma, eso hace. Porque El hace lo que está determinado para mí, Y muchos *decretos* como éstos hay con El. Por tanto, me espantaría ante Su presencia; *Cuando lo* pienso, siento terror de El. *Es* Dios *el que* ha hecho desmayar mi corazón, Y el Todopoderoso *el que* me ha perturbado.

Hay una dureza y una falta de sensibilidad espiritual que se acumula en la prosperidad, de modo que, si no se observa, expondrá el corazón a los engaños del pecado y a los anzuelos de Satanás. "Velad y orad" en este tiempo. La negligencia de muchos hombres en este deber les ha costado caro; su lamentable experiencia nos llama a prestar atención. Bienaventurado el que teme a Dios siempre, pero especialmente en tiempos de prosperidad.

2. En el tiempo de descuido

Como en parte se mencionó antes, el momento de descuido de la gracia, abandono de la comunión con Dios y de la formalidad en el deber, es el tiempo en el que debemos vigilar porque ciertamente tendremos otra tentación.

Si algún alma está en tal estado, que despierte y se cuide. Su enemigo está cerca, y tal persona está lista para caer en una condición que puede costarle caro todos los días de su vida. Su estado actual es suficientemente malo en sí mismo, pero es una indicación de que es peor lo que está a la puerta. Los discípulos que estaban con Cristo en la montaña no solo tenían una somnolencia corporal, sino también espiritual. ¿Qué les dice nuestro Salvador? "Levántense, velen y oren, para que no entren en tentación". Sabemos lo cerca que estaba uno de ellos [Pedro] de una amarga hora de tentación, y no estuvo vigilando como debía, entonces simplemente entró en la tentación.

Mencioné antes el caso de la esposa (*cf.* Cnt. 5: 2-8). Ella se durmió, estaba somnolienta y no estaba dispuesta a realizar una actuación vigorosa en una comunión rápida y activa con Cristo. Antes de que ella se dé cuenta, ha perdido a su amado; entonces ella gime, pregunta, llora, sufre heridas, reproches y todo, antes de que lo vuelva a obtener. ¡Considera, entonces, oh pobre alma, tu estado y condición! ¿Tu luz arde débilmente? (*cf.* Mt. 25:8).

> **Mateo 25.6–10** "Pero a medianoche se oyó un clamor: '¡Aquí está el novio! Salgan a recibir*lo*.' "Entonces todas aquellas vírgenes se levantaron y arreglaron sus lámparas. "Y las insensatas dijeron a las prudentes: 'Dennos de su aceite, porque nuestras lámparas se apagan.' "Pero las prudentes respondieron: 'No, no sea que no haya suficiente para nosotras y para ustedes; vayan más bien a los que venden y compren para ustedes.' "Mientras ellas iban a comprar, vino el novio, y las que estaban preparadas entraron con él al *banquete* de bodas, y se cerró la puerta.

O, aunque da a otros una luz tan grandiosa y resplandeciente como antes, ¿ya no ves tan claramente el rostro de Dios en Cristo como lo has hecho antes? (*cf.* 2 Co. 4:6).

¿Se enfría tu celo? O, aunque haces las mismas obras, ¿ya no se aviva tu corazón con el amor de Dios —y para Dios— como antes en estas obras, sino que solo estás siguiendo el curso en el que has estado? ¿Eres negligente en los deberes de orar o escuchar [la Palabra predicada]? O, si los observas, ¿no tienes esa vida y vigor de antes? ¿Decaes en tu profesión? O, si la mantienes, ¿están tus ruedas engrasadas con algunos aspectos siniestros desde dentro o fuera? ¿Tu deleite con el pueblo de Dios se desvanece o se enfría? O, ¿tu amor para con ellos está cambiando de lo que es puramente espiritual a lo que es simplemente carnal, basado en la conveniencia de los principios y los espíritus naturales (si no en peores fundamentos)? ¡Si te estás ahogando en una condición como esta, presta atención! Estás cayendo en una lamentable tentación que quebrantará todos tus huesos y que te dará heridas que permanecerán contigo todos los días de tu vida. Cuando despiertes, descubrirás que la tentación ya se ha apoderado de ti, aunque lo no percibas; te ha golpeado y herido, aunque no te hayas quejado ni hayas buscado alivio o curación.

Tal era el estado de la iglesia de Sardis (*cf.* Ap. 3:1-2), las cosas que quedaban están listas para morir.

> **Apocalipsis 3.1–3** "Escribe al ángel de la iglesia en Sardis: '**E**l que tiene los siete Espíritus de Dios y las siete estrellas, dice esto: "Yo conozco tus obras, que tienes nombre de que vives, pero estás muerto. "Ponte en vela y afirma las cosas que quedan, que estaban a punto de morir, porque no he hallado completas tus obras delante de Mi Dios. "Acuérdate, pues, de lo que has recibido y oído; guárda*lo* y arrepiéntete. Por tanto, si no velas, vendré como ladrón, y no sabrás a qué hora vendré sobre ti.

Nuestro Salvador dice: "Sé vigilante y afírmate, o te sucederá lo peor". Si alguien lee las palabras de esta instrucción y está en esta condición, si tiene alguna preocupación por su pobre alma, que despierte ahora antes que se enrede al punto de no poder recuperarse. Toma esta advertencia de Dios y no la desprecies.

3. En el tiempo de grandes goces espirituales

El tiempo de grandes goces espirituales es a menudo una ocasión de peligro frente a la tentación por la malicia de Satanás y la debilidad de nuestros corazones.

Sabemos cómo fue el caso de Pablo (*cf.* 2 Co. 12:7). Él tuvo gloriosas revelaciones espirituales de Dios y de Jesucristo. Al instante Satanás cae sobre él y lo abofetea un mensajero suyo, de modo que pide fervorosamente que le sea quitado. Pero es dejado para que luche con él. Dios se complace a veces en darnos manifestaciones/revelaciones especiales de sí mismo y de Su amor para llenarnos el corazón con Su bondad.

Cristo nos lleva al lugar del banquete y da a nuestros corazones la llenura de amor (*cf.* Cnt. 2.4). Hace esto mediante una obra notable de Su Espíritu, sobrecogiéndonos con un sentido de amor en el inefable privilegio de la adopción. De esta manera, llena nuestras almas con un gozo indescriptible y glorioso. Un hombre pensaría que esta es la condición más segura del mundo. ¿Qué alma no clamaría como Pedro en la montaña: "Es bueno para mí estar aquí" y permanecer aquí para siempre? (Mt. 17:4).

Pero con frecuencia alguna tentación amarga está a la puerta. Satanás ve que cuando estamos absortos por el gozo que tenemos ante nosotros, rápidamente abandonamos muchas formas de cuidar nuestras almas, y allí él busca y encuentra ventajas contra nosotros. ¿Es este entonces nuestro estado y condición? ¿Nos da Dios en algún momento de beber de los ríos de delicia que están a Su diestra (*cf.* Sal. 36:8), y satisface nuestras almas con Su bondad como con meollo y grosura? (*cf.* Sal. 63:5). Ante ello, no digamos: "Nunca seremos conmovidos" (*cf.* Sal. 10:6), pues no sabemos cuán pronto Dios puede esconder Su rostro, o un mensajero de Satanás puede abofetearnos.

> **Salmo 36.8–9** Se sacian de la abundancia de Tu casa, Y les das a beber del río de Tus delicias. Porque en Ti está la fuente de la vida; En Tu luz vemos la luz.

> **Salmo 63.4–5** Así Te bendeciré mientras viva, En Tu nombre alzaré mis manos. Como con médula y grasa está saciada mi alma; Y con labios jubilosos Te alaba mi boca.

Además, a menudo hay un peor y mayor engaño en este asunto. Los hombres engañan a sus almas con sus propias fantasías en lugar de recibir un sentido del amor de Dios por el Espíritu Santo. Y cuando están llenos de sus imaginaciones, no se puede expresar cuán terriblemente están expuestos a todo tipo de tentaciones. ¿Cómo entonces pueden encontrar alivio contra sus conciencias de sus propias imaginaciones y engaños necios con los que se entretienen a sí mismos? ¿Acaso no vemos todos los días tales personas que van caminando en las vanidades y en las formas de este mundo, pero alardeando de su sentido del amor de Dios? ¿Deberíamos creerles? No debemos. Entonces creamos a la verdad misma. / Si les creemos, no debemos entonces creer a la verdad misma. ¡Cuán terrible entonces debe ser su condición!

4. En el tiempo de autoconfianza

El cuarto tiempo es el de autoconfianza. Entonces es cuando usualmente la tentación está cerca. El caso de Pedro es un claro ejemplo: "Aunque todos se escandalicen de ti, yo nunca me escandalizaré" (Mt. 26:33). "Aunque me sea necesario morir contigo, no te negaré" (v. 35).

> **Mateo 26.33–35** Pedro Le respondió: "Aunque todos se aparten por causa de Ti, yo nunca me apartaré." Jesús le dijo: "En verdad te digo que esta *misma* noche, antes que el gallo cante, Me negarás tres veces." Pedro le dijo: "Aunque tenga que morir junto a Ti, jamás Te negaré." Todos los discípulos dijeron también lo mismo.

El pobre hombre dijo esto cuando estaba al borde de la tentación que le costó lágrimas amargas al final. Y esto le enseñó acerca de su estado todos sus días y le dio familiaridad con el estado de todos los creyentes, de modo que cuando recibió más del Espíritu y de poder, tuvo menos confianza y vio que era apropiado para los demás que tuvieran menos también. De ahí que persuada a todos los hombres a conducirse "en temor todo el tiempo de vuestra peregrinación" (1 P. 1:17) —es decir, que no se confíen y no se eleven como él, no sea que al final caigan como él. En la primera prueba se compara con los demás y él mismo se pone por encima de ellos: "Aunque todos se escandalicen de ti, yo nunca me escandalizaré".

Le teme más a cada hombre que lo que se teme a sí mismo. Pero cuando nuestro Salvador se acerca a él y lo pone directamente en la comparación: "Simón, hijo de Jonás, ¿me amas más que éstos?" (Jn. 21:15), él ya ha terminado de compararse con los demás, y solo clama: "Señor, tú sabes que te amo" (v. 15-17). Ya no se pondrá por encima de los demás. Tal tiempo a menudo ocurre.

El mundo está lleno de tentaciones, falsas doctrinas e innumerables atractivos y provocaciones. Entonces estamos listos para confiar en que no vamos a ser sorprendidos por ellos. "Aunque todos caigan en estas necedades, nosotros no caeremos. Ciertamente nunca nos alejaremos de nuestro caminar con Dios. Es imposible que nuestros corazones sean tan necios". Pero dice el apóstol: "No te ensoberbezcas, sino teme". "El que piensa estar firme, mire que no caiga". (Ro. 11:20; 1 Cor. 10:12).

¿Pensarías que Pedro —quien había caminado sobre el mar con Cristo, quien confesó que Él era el Hijo de Dios y quien estuvo con Él en la montaña cuando escuchó la voz de la excelente gloria— podía ante la palabra de una sierva, sin ningún interrogatorio legal sobre él, sin ningún proceso en su contra y sin nadie presionando su condición, caer instantáneamente maldiciendo y jurando que no lo conocía? Aquellos que tienen alguna intención de cuidarse del pecado, deben cuidarse de la autoconfianza. Y esto es lo primero en nuestra vigilancia: Considerar bien los tiempos en los que usualmente la tentación se acerca al alma para estar preparados contra ellos. Y estos son algunos de los tiempos en los que las tentaciones están cerca.

CAPÍTULO 7: VIGILEMOS EL CORAZÓN MISMO

1. Conozcan sus corazones
2. Eviten las ocasiones que provocan sus corrupciones
3. Almacenen provisiones en contra de las tentaciones
4. Otras instrucciones para vigilar el corazón
    a. Estén atentos
    b. Consideren el propósito y la tendencia de sus tentaciones
    c. Hagan frente a sus tentaciones con pensamientos de fe con respecto a Cristo
    d. Medios que evitan que el alma sorprendida por la tentación se hunda en ella

La parte de velar contra la tentación que hemos considerado hasta ahora se ocupa de los medios externos, las ocasiones y las ventajas de la tentación, ahora procederemos a lo que tiene que ver con el corazón mismo cuando es atrapado y enredado en la tentación. Vigilar o guardar el corazón es algo que estamos ordenados hacer por encima de todo (*cf.* Pr. 4:23). Y para el correcto cumplimiento de este deber tenemos que tomar las siguientes instrucciones:

1. Conozcan sus corazones

Aquel que no quiere entrar en tentaciones, ocúpese en conocer su propio corazón. Familiarícese con su propio espíritu, su disposición y temperamento naturales, sus concupiscencias y corrupciones, y sus debilidades naturales, pecaminosas o espirituales. Descubra donde se encuentra su debilidad, y luego tenga cuidado y manténgase alejado de todas las ocasiones de pecar.

Nuestro Salvador les dice a los discípulos que "ellos no sabían de qué espíritu eran" (Lc. 9:55), lo cual los traicionó en ambición y deseo de venganza bajo la pretensión de tener celo de Dios. Si lo hubieran sabido, se habrían cuidado a sí mismos. David nos dijo que él consideró sus caminos y se alejó de su propia iniquidad a la que era particularmente propenso (*cf.* Sal. 18:23).

> **Salmo 18.21–23** Porque he guardado los caminos del Señor, Y no me he apartado impíamente de mi Dios. Pues todas Sus ordenanzas *estaban* delante de mí, Y no alejé de mí Sus estatutos. También fui íntegro para con El, Y me guardé de mi iniquidad.

Hay ventajas para las tentaciones basadas en los temperamentos y constituciones naturales de las personas. Algunas personas son naturalmente apacibles, de buenos modales y flexibles. Aunque tengan el temperamento más noble en su naturaleza y la mejor tierra cuando es labrada para que la gracia crezca, si no son vigilados, serán una fuente de innumerables sorpresas y enredos en las tentaciones. Otros son terrenales, obstinados y malhumorados, de modo que la envidia, la malicia, el egoísmo, el descontento y los pensamientos ásperos de los demás se encuentran a la puerta de sus naturalezas.

Difícilmente pueden salir sin llegar a ser atrapados por uno u otro de estos estados. Otros son apasionados y cosas similares. Aquel que quiere guardarse para no entrar en tentación, tiene que conocer su propio temperamento natural para poder vigilar las traiciones que yacen en él continuamente. Presta atención, no sea que tengas un Jehú en ti que te haría conducirte furiosamente; o un Jonás en ti que te dispondría para quejarte; o a un David en ti que te haría apresurarte en tus determinaciones, como él lo fue a menudo en lo cálido y bondadoso de su temperamento natural.

El que no vigila esto por completo y no se conoce profundamente a sí mismo, nunca se desenredará de una tentación u otra el resto de sus días. Ahora bien, así como los hombres tienen temperamentos naturales particulares que, según cómo sean atendidos o administrados, resultan ser un gran combustible para el pecado o ventaja para el ejercicio de la gracia, así también tienen concupiscencias o corrupciones particulares que, ya sea por su constitución natural, educación u otras tendencias, han tenido un profundo enraizamiento y fuerza en ellos.

Esto también debe ser descubierto por aquel que busca no entrar en tentación. A menos que conozca esto, a menos que mantenga sus ojos siempre en ello y a menos que observe sus acciones, movimientos y ventajas, estará continuamente enredado y atrapado. Ésta entonces es nuestra primera instrucción de este tipo:

Dedíquense a conocer su propia constitución y temperamento.

¿De qué espíritu son? ¿Qué cómplices tiene Satanás en sus corazones? ¿Dónde la corrupción es fuerte? ¿Dónde la gracia es débil? ¿Qué concupiscencia es fuerte en sus constituciones naturales? Y cosas similares. ¡Cuántos tienen sus consuelos arruinados y su paz perturbada por su pasión natural y su terquedad! ¡Cuántos se vuelven inútiles en el mundo por su frustración y descontento! ¡Cuántos están inquietos por su propia pasividad y tranquilidad! Familiarícense entonces con sus propios corazones.

Aunque sea profundo, dedíquense a ello. Aunque esté oscuro, indaguen. Aunque sus corazones les den a todos sus males otros nombres distintos de los que se les deben dar, no les crean. Si los hombres no fueran extraños a sí mismos, no les darían títulos aduladores a sus tendencias naturales, ni preferirían justificar, minimizar o excusar los males de sus corazones que se adaptan a sus temperamentos y constituciones naturales, sino que los destruirían. De esta manera, se mantienen alejados de tener una visión clara de ellos. Si no fueran extraños a sí mismos, sería imposible que permanecieran todos sus días en los mismos arbustos espinosos sin intentar ser liberados.

La inutilidad y el escándalo entre los profesantes son ramas creciendo constantemente de esta raíz de desconocimiento de su propia constitución y temperamento. ¡Y cuán pocos hay que se estudian a sí mismos o que soporten a aquellos que los instan a ello!

2. Eviten las ocasiones que provocan sus corrupciones

Después de que conozcas el estado y la condición de tu corazón en cuanto a las particularidades mencionadas, ponte en guardia contra todas esas ocasiones, oportunidades, empleos, sociedades, pasatiempos o negocios que están listos para enredar tu temperamento natural o provocar tu corrupción. Puede ser que haya algunos caminos, sociedades o negocios de los que nunca puedas escapar en tu vida sin sufrir en cierta medida su idoneidad para atraer o provocar tu corrupción. Puede que estés actualmente en un estado o una condición de la vida que te desgaste cada día debido a tu ambición, pasión, descontento o cosas similares.

Si tienes algún amor por tu alma, es hora de que despiertes y que te libres como un ave de la trampa malvada. Pedro no volvería de nuevo al patio del sumo sacerdote, tampoco David volvería a caminar sobre la parte superior de su casa cuando debería haber estado en los lugares altos del campo. Pero todas las instancias particulares de tentación son tan variadas y de tantas naturalezas que es imposible enumerarlas (*cf.* Pr. 4:14-15).

> **Proverbios 4.13–15** Aférrate a la instrucción, no la sueltes; Guárdala, porque ella es tu vida. No entres en la senda de los impíos, Ni vayas por el camino de los malvados. Evítalo, no pases por él; Apártate de él y sigue adelante.

Aquí tenemos una pequeña parte de sabiduría que nos ayudará en este asunto. Al ver que tenemos tan poco poder sobre nuestros corazones una vez que se encuentran con las provocaciones adecuadas, debemos mantenerlas aparte, como el hombre que separaría el fuego de las partes inflamables de su propia casa.

3. Almacenen provisiones en contra de las tentaciones

Asegúrense de tener provisiones a su alcance en contra del acercamiento de cualquier tentación. Esto también pertenece a la vigilancia sobre nuestros corazones. Dirán: "¿Qué provisión se pretende y dónde debe estar?" Nuestros corazones, como habla nuestro Salvador, son nuestro tesoro. Allí guardamos todo lo que tenemos, bueno o malo, y de allí lo sacamos para nuestro uso (*cf.* Mt. 12:35). Por lo tanto, es el corazón donde la provisión debe estar contra la tentación.

Cuando un enemigo se acerca a una torre o a un castillo para asediarlo o tomarlo, si lo encuentra bien protegido y equipado con provisiones contra un ataque, se retira y no lo asalta. Si Satanás, el príncipe de este mundo, viene y encuentra nuestro corazón fortificado contra sus artimañas y equipado para resistir, no solo se marcha, sino que, como dice Santiago: "Huirá de vosotros" (Stg. 4:7).

La provisión que debemos almacenar es suministrada del evangelio. Las provisiones del evangelio harán esta obra —a saber, mantener el corazón lleno de un sentido del amor de Dios en Cristo. Este es el mayor protector contra el poder de la tentación en el mundo. José mostró esto cuando en la primera aparición de la tentación, clamó: "¿Cómo, pues, haría yo este grande mal, y pecaría contra Dios?" (Gn. 39:9). Y este es el final de la tentación para él; esta no se apodera de él, sino que se marcha. Él estaba protegido con un sentido tan fuerte del amor de Dios que la tentación no pudo permanecer.

Pablo declara: "El amor de Cristo nos constriñe" (2 Co. 5:14), para vivir para Él y, en consecuencia, resistir la tentación. Un hombre puede (de hecho, debería) almacenar provisiones de la ley también —el miedo a la muerte, al infierno, al castigo, y el terror del Señor en estos. Pero estas cosas son mucho más fáciles de vencer que lo anterior, pues nunca se mantendrán contra un asalto vigoroso de la tentación. Son vencidas en personas convencidas cada día.

Los corazones llenos de ellas lucharán por un tiempo, pero luego se entregarán rápidamente. Pero llenen sus corazones con un sentido del amor de Dios en Cristo y Su amor derramado; tengan un sentido del privilegio de ser adoptados, justificados y aceptados para con Dios; llenen sus corazones con pensamientos de la belleza de Su muerte —y tendrán una gran paz y seguridad en cuanto a la perturbación de las tentaciones en el curso ordinario de caminar con Dios. Si los hombres viven y continúan en su profesión y no pueden decir cuándo tuvieron algún sentido vivo del amor de Dios o de los privilegios que tenemos en la sangre de Cristo, no sé qué puede guardarlos de no caer en las trampas.

El apóstol nos dice que "la paz de Dios 'guardará nuestros corazones'[1]" (Fil. 4:7). El término "*frourá*"[2] denota una palabra militar: Una guarnición. Por lo tanto, "guardará nuestros corazones como en una guarnición". Ahora bien, una guarnición implica dos cosas: 1. Que está expuesto a los asaltos de sus enemigos. 2. Que la seguridad reside en sus límites. Es así también con nuestras almas. Ellas están expuestas a las tentaciones y son continuamente asaltadas, pero si hay una guarnición en ellas (o si se mantienen como en una guarnición) la tentación no entrará y, en consecuencia, no entraremos en tentación. ¿Cómo entonces se hace esto? El apóstol dice que "la paz de Dios" lo hará. ¿Qué es esta "paz de Dios"? Es un sentido de Su amor y favor en Jesucristo. Deja que esto permanezca en ti, y te protegerá contra todos los asaltos.

> **Filipenses 4.6–7** Por nada estén afanosos; antes bien, en todo, mediante oración y súplica con acción de gracias, sean dadas a conocer sus peticiones delante de Dios. Y la paz de Dios, que sobrepasa todo entendimiento, guardará sus corazones y sus mentes en Cristo Jesús.

Además, de una manera especial, hay algo en esto que está también en todas las demás instrucciones —a saber, que la cosa misma yace en oposición directa a todas las formas y medios que la tentación puede hacer uso para acercarse a nuestras almas. Contender por obtener y mantener un sentido del amor de Dios en Cristo, en su naturaleza, previene todas las operaciones e insinuaciones de la tentación. Dejemos entonces que esta sea la tercera instrucción en nuestra vigilancia contra la tentación:

---

[1] Griego: φρουρήσει τὰς καρδίας.
[2] Griego: φρουρά.

Almacenen en sus corazones las provisiones del Evangelio para que sus almas sean un lugar protegido contra todos los asaltos.

4. Otras instrucciones para vigilar el corazón

En el primer acercamiento de cualquier tentación (porque todos somos tentados) es adecuado seguir las siguientes instrucciones para llevar a cabo el trabajo de vigilancia que buscamos:

a. Estén atentos

Manténganse despiertos para que puedan tener un descubrimiento temprano de su tentación y para que puedan conocerla. La mayoría de las personas no perciben a sus enemigos hasta que son heridos por ellos. Incluso otros pueden a veces verlos profundamente inmersos en la tentación, mientras que ellos mismos no la distinguen completamente.

Duermen sin ningún sentido del peligro hasta que otros vienen y los despiertan para decirles que su casa está en llamas. La tentación en un sentido neutro no es fácil de descubrir —es decir, cuando denota tal camino, cosa o asunto que es o puede usarse para los fines de la tentación. Pocos se dan cuenta de ello hasta que ya es demasiado tarde, y se encuentran enredados, si es que no están ya heridos. Vigilen entonces para que vean pronto las trampas que están tendidas para ustedes y para que vean las ventajas que sus enemigos tienen contra ustedes antes de que obtengan fuerza y poder, y antes de que se incorporen con sus concupiscencias y hayan destilado el veneno en sus almas.

b. Consideren el propósito y la tendencia de sus tentaciones

Consideren el propósito y la tendencia de sus tentaciones, cualesquiera que sean, y todo lo que está implicado en ellas. Aquellos que cooperan activamente en sus tentaciones son Satanás y sus propias concupiscencias. Respecto a la concupiscencia, he manifestado en otra parte cuál es su objetivo en todas sus acciones y seducciones. Esta nunca se levanta sin procurar el peor de los males.

Todo acto de ella sería una enemistad establecida contra Dios. Por lo tanto, considérenla desde sus primeros intentos como su enemigo mortal, sin importar qué pretensiones haga. Dice el apóstol: "Lo [que] aborrezco" (Ro. 7:15) —a saber, la obra de la concupiscencia en mí. Es como si dijera: "Lo aborrezco. Es el mayor enemigo que tengo. ¡Oh, cuanto desearía que fuera aniquilada y destruida! ¡Oh, cuanto deseo que sea librado de su poder!" Comprendan entonces que, en el primer intento o asalto de cualquier tentación, el más maldito y declarado enemigo está cerca y está atacándolos para causar su total ruina, de modo que sería la mayor locura del mundo entregarse a sus brazos para ser destruido.

Pero de esto he hablado en mi discurso sobre la mortificación. ¿Tiene Satanás algún objetivo e intención amistosa para con ustedes, aquel que participa de todas las tentaciones? Engañarlos como serpiente y devorarlos como león es la amistad que les ofrece. Solamente añadiré que el pecado al que él los tienta contra la ley no es a lo que apunta, su designio es en contra de su interés/parte en el evangelio.

El solo quiere hacer del pecado un puente para atravesar a un mejor territorio para asaltarlos en cuanto a su interés/parte en Cristo. Puede que hoy les diga que pueden aventurarse al pecado porque tienen un interés en/parte con Cristo, pero mañana les dirá que realmente no lo tienen por haber pecado.

c. Hagan frente a sus tentaciones con pensamientos de fe con respecto a Cristo

Hagan frente a sus tentaciones en la entrada con pensamientos de fe con respecto a Cristo en la cruz. Esto hará que caigan delante de ustedes. No mantengan ninguna conversación o no discutan con la tentación si no quieren entrar ella. Digan: "Es Cristo quien murió por tales pecados como estos". Esto se llama tomar "el escudo de la fe para apagar los dardos de fuego de Satanás" (Ef. 6:16).

La fe hace esto al aferrarse del Cristo crucificado, considerando Su amor en cómo Él sufrió por el pecado. Sea la tentación lo que sea —ya sea para pecar, temer, dudar o para debilitar su estado y condición—, no es capaz de permanecer delante de la fe que levanta el estandarte de la cruz.

Sabemos qué medios usan los papistas, quienes han perdido el poder de la fe, para mantener la figura/forma. Hacen una señal en sí mismos con la señal de la cruz o hacen cruces en el aire, y en virtud de ese acto realizado, piensan que asustan al diablo. Ejercer la fe en el Cristo crucificado es realmente señalarnos a nosotros mismos con la señal de la cruz. De esta manera venceremos al maligno (*cf.* 1 P. 5:9).

> **1 Pedro 5.8–9** Sean *de espíritu* sobrio, estén alerta. Su adversario, el diablo, anda *al acecho* como león rugiente, buscando a quien devorar. Pero resístanlo firmes en la fe, sabiendo que las mismas experiencias de sufrimiento se van cumpliendo en sus hermanos en *todo* el mundo.

d. Medios que evitan que el alma sorprendida por la tentación se hunda en ella

Supongamos que el alma ha sido sorprendida por la tentación y se ha enredado de forma desprevenida, de modo que ahora ya es demasiado tarde para poder resistir sus primeras entradas. ¿Qué debe hacer tal alma para no hundirse en la tentación y ser arrastrada por su poder?

1) Oren

En primer lugar, hagan lo que Pablo hizo. Vayan a Dios una y otra vez para que pueda apartarlo de ustedes (*cf.* 2 Co. 12:8). Si permanecen en esto, ciertamente serán liberados de la tentación rápidamente o recibirán gracia suficiente para que no sean vencidos completamente por ella.

Solo, como dije en parte anteriormente, no ocupen tanto sus pensamientos en las cosas que los tientan porque a menudo los incitan a otros enredos, sino ocúpenlos en contra de la tentación en sí. Oren contra la tentación para que se vaya. Y cuando sea quitada, las cosas en sí pueden volver a considerarse con calma.

2) Miren a Cristo

En segundo lugar, vayan a Cristo de manera particular, porque Él también fue tentado. Suplíquenle que les dé socorro en este tiempo de necesidad. El apóstol nos instruye en esto, diciendo: "Siendo tentado, es poderoso para socorrer a los que son tentados" (He. 2:18).

> **Hebreos 2.17–18** Por tanto, tenía que ser hecho semejante a Sus hermanos en todo, a fin de que llegara a ser un sumo sacerdote misericordioso y fiel en las cosas que a Dios atañen, para hacer propiciación por los pecados del pueblo. Pues por cuanto El mismo fue tentado en el sufrimiento, es poderoso para socorrer a los que son tentados.

Este es el significado de esto: "Cuando son tentados y están listos para desmayar o cuando necesitan ser socorridos o morirán, ejerzan la fe particularmente en Cristo como el que fue tentado". Es decir, consideren que Él mismo fue tentado, que sufrió por esto y que venció todas las tentaciones. Y esto fue no solamente por sí mismo, sino por nosotros (considerando que accedió a ser tentado para nuestro bien). Él venció en y por sí mismo, pero por nosotros. De modo que pueden acercarse y esperar socorro de Él (*cf.* He. 4:15-16). Acuéstense a Sus pies, déjele saber sus clamores, rueguen por Su ayuda y no será en vano.

3) Confíen en las promesas

En tercer lugar, miren a Aquel que ha prometido liberación. Consideren que Él es fiel y que no permitirá que sean tentados más allá de lo que pueden resistir (*cf.* 1 Co. 10:13). Consideren que Él ha prometido un resultado agradable en estas pruebas y tentaciones. Recuerden todas las promesas de ayuda y liberación que ha hecho, y mediten en ellas en sus corazones. Y descansen en el hecho de que Dios tiene innumerables formas que no conocen que puede utilizar para liberarlos:

a. Él puede enviarles una aflicción que mortificará sus corazones en cuanto al objeto de cualquier tentación. Aquello que fue antes un dulce bocado bajo sus lenguas no tendrá gusto ni sabor en ello para ustedes. Este deseo a ese pecado en particular será asesinado, como fue el caso con David (*cf.* 2 S. 24:10-15).

2º Samuel 24.10–15 Después que David contó el pueblo le pesó en su corazón. Y David dijo al Señor: "He pecado en gran manera por lo que he hecho. Pero ahora, oh Señor, Te ruego que quites la iniquidad de Tu siervo, porque he obrado muy neciamente." Cuando David se levantó por la mañana, la palabra del Señor vino al profeta Gad, vidente de David, diciendo: "Ve y dile a David: 'Así dice el Señor: "Te ofrezco tres cosas; escoge para ti una de ellas, para que Yo la haga." ' " Así que Gad fue a David y se lo hizo saber, diciéndo*le:* "*¿Quieres que* te vengan siete años de hambre en tu tierra, o que huyas por tres meses delante de tus enemigos mientras te persiguen, o que haya tres días de pestilencia en tu tierra? Considera ahora, y mira qué respuesta he de dar al que me envió." David respondió a Gad: "Estoy muy angustiado. Te ruego que nos dejes caer en manos del Señor porque grandes son Sus misericordias, pero no caiga yo en manos de hombre." Y el Señor envió pestilencia sobre Israel desde la mañana hasta el tiempo señalado; y desde Dan hasta Beerseba murieron 70,000 hombres del pueblo.

b. Él puede también alterar por alguna providencia todo el estado de las cosas de donde provienen sus tentaciones. De esta manera aleja el combustible del fuego y hace que se apague por sí mismo, como lo fue con el mismo David en el día de la batalla (*cf.* 1 Cr. 12:17-18).

1º Crónicas 12.16–18 Entonces vinieron algunos de los hijos de Benjamín y Judá a David a la fortaleza. Y David salió a su encuentro, y les dijo: "Si vienen a mí en paz para ayudarme, mi corazón se unirá con ustedes; pero si *vienen* para entregarme a mis enemigos, ya que no hay maldad en mis manos, que el Dios de nuestros padres *lo* vea y decida." Entonces el Espíritu vino sobre Amasai, jefe de los treinta, *el cual dijo:* "Tuyos *somos,* oh David, Y contigo *estamos,* hijo de Isaí. Paz, paz a ti, Y paz al que te ayuda; Ciertamente tu Dios te ayuda." Entonces David los recibió y los hizo capitanes del grupo.

c. Él puede hollar a Satanás bajo sus pies, de modo que no se atreverá a sugerir nada más para su desventaja (el Dios de la paz lo hará) y de modo que ya no escucharán de Satanás (*cf.* Mal. 4:3; Ro. 16:20).

Malaquías 4.2–3 "Pero para ustedes que temen (reverencian) Mi nombre, se levantará el sol de justicia con la salud en sus alas; y saldrán y saltarán como terneros del establo. "Y ustedes pisotearán a los impíos, pues ellos serán ceniza bajo las plantas de sus pies el día en que Yo actúe," dice el Señor de los ejércitos.

d. Él puede proporcionarles tal provisión de gracia para que puedan ser libres, aunque no de la tentación en sí, sino de su tendencia y peligro, como fue en el caso de Pablo (*cf.* 2 Co. 12:8-9).

2 Corintios 12.8–10 Acerca de esto, tres veces he rogado al Señor para que *lo* quitara de mí. Y El me ha dicho: "Te basta Mi gracia, pues Mi poder se perfecciona en la debilidad." Por tanto, con muchísimo gusto me gloriaré más bien en mis debilidades, para que el poder de Cristo more en mí. Por eso me complazco en *las* debilidades, en insultos (maltratos), en privaciones, en persecuciones y en angustias por amor a Cristo, porque cuando soy débil, entonces soy fuerte.

e. Él puede darles tal convicción agradable de buen éxito en el resultado, que los hará descansar en sus pruebas y los mantendrá alejado de las turbaciones de la tentación, como fue el caso con el mismo Pablo (*cf.* Hch. 27:24).

Hechos de los Apóstoles 27.23–24 "Porque esta noche estuvo en mi presencia un ángel del Dios de quien soy y a quien sirvo, diciendo: 'No temas, Pablo; has de comparecer ante el César; pero ahora, Dios te ha concedido todos los que navegan contigo.'

f. Él puede eliminar totalmente la tentación y convertirlos en un completo conquistador (*cf.* Ro. 8:37).

Romanos 8.37–39 Pero en todas estas cosas somos más que vencedores por medio de Aquél que nos amó. Porque estoy convencido de que ni la muerte, ni la vida, ni ángeles, ni principados, ni lo presente, ni lo por venir, ni los poderes, ni lo alto, ni lo profundo, ni ninguna otra cosa creada nos podrá separar del amor de Dios que es en Cristo Jesús Señor nuestro.

g. Estas son solo algunas de las innumerables formas que tiene para evitar que entren en tentación y sean vencidos por ella.

4) Protejan las entradas

En cuarto lugar, consideren dónde la tentación con la que son sorprendidos ha hecho su entrada y consideren cuáles medios ha empleado. Y rápidamente reparen esa brecha, cerrando ese pasaje que las aguas han hecho para que entrara. Traten sus almas como un sabio médico. Pregunten cuándo, cómo y por cuales medios caen en esta enfermedad. Y si encuentran que la negligencia, el descuido y la falta de velar sobre ustedes yacen en el fondo de ello, entonces arreglen sus almas allí. Laméntense por ello delante del Señor, reparen esa brecha y luego continúen con la obra que tienen delante de ustedes.

CAPÍTULO 8: OTRA INSTRUCCIÓN GENERAL PARA PROTEGER EL ALMA DE ENTRAR EN TENTACIÓN

1. El significado de "guardar la palabra de la paciencia de cristo"
    a. La palabra de Cristo es la palabra del Evangelio
    b. Las cosas implicadas en guardar esta palabra
2. Cómo guardar la palabra de la paciencia de Cristo será un medio para preservarnos
    a. El que guarda la palabra de la paciencia de Cristo tiene la promesa de preservación
    b. Guardar de manera constante la palabra de la paciencia de Cristo hará que ninguna tentación prevalezca contra el alma
    c. Guardar la palabra de la paciencia de Cristo proporciona consideraciones y principios que preservan
3. Razones por las que los profesantes que se quedan cortos en guardar la palabra de Cristo
4. Precauciones que se deben tener para ser preservados de la tentación
    a. Tengan cuidado de apoyarse en ayudas engañosas
    b. Dedíquense a guardar la palabra de la paciencia de Cristo

Las instrucciones en las que se ha insistido en los capítulos previos son tales que se nos han dado en parte en diferentes lugares de las Escrituras en sus diversas particularidades, y en parte surgen de la naturaleza del asunto en sí. Hay una dirección general que permanece, que abarca todas las anteriores y que agrega muchas más particularidades a ellas. Esta contiene un antídoto comprobado contra el veneno de la tentación, un remedio que el mismo Cristo ha marcado con una nota de eficacia y éxito.

Esta instrucción se nos da en las palabras de nuestro Salvador a la iglesia de Filadelfia: "Por cuanto has guardado la palabra de mi paciencia, yo también te guardaré de la hora de la tentación que ha de venir sobre el mundo entero, para probar a los que moran sobre la tierra" (Ap. 3:10). Cristo es "es el mismo ayer, y hoy, y por los siglos" (He. 13:8). Así como Él trató con la iglesia de Filadelfia, así mismo Él tratará con nosotros. Si "guardamos la palabra de Su paciencia", Él "nos guardará de la hora de la tentación".

Debemos entonces prestarle la atención adecuada a esto, ya que es una manera de poner todo este asunto importante bajo el cuidado de Aquel que puede soportarlo.

Y, por lo tanto, explicaremos dos cosas:

1. Qué es "guardar la palabra de la paciencia de Cristo", para que podamos saber cómo cumplir nuestro deber.
2. Cómo esto será un medio para nuestra preservación, que nos establecerá en la fe de la promesa de Cristo

1. El significado de "guardar la palabra de la paciencia de Cristo"

a. La palabra de Cristo es la palabra del evangelio

La palabra de Cristo es la palabra del evangelio. Es la palabra que Él reveló desde el corazón del Padre —la palabra de la palabra. Es la palabra hablada en el tiempo de la palabra eterna. De ahí que sea llamada "la palabra de Cristo" (Col. 3:16), "el evangelio de Cristo" (Ro. 1:16; 1 Co. 9:12) y "la doctrina de Cristo" (He. 6: 1). Es "de Cristo", es decir, como su autor (*cf.* He. 1:1-2), y es "de Él" como su tema principal (*cf.* 2 Cor. 1:20).

> **Colosenses 3.16** Que la palabra de Cristo habite en abundancia en ustedes, con toda sabiduría enseñándose y amonestándose unos a otros con salmos, himnos *y* canciones espirituales, cantando a Dios con acción de gracias en sus corazones.
> **1 Corintios 9.12** Si otros tienen este derecho sobre ustedes, ¿no lo *tenemos* aún más nosotros? Sin embargo, no hemos usado este derecho, sino que sufrimos todo para no causar estorbo al evangelio de Cristo.
> **Hebreos 6.1** Por tanto, dejando las enseñanzas elementales acerca de Cristo (el Mesías), avancemos hacia la madurez (perfección), no echando otra vez el fundamento del arrepentimiento de obras muertas y de la fe en Dios.
> **Hebreos 1.1–2** Dios, habiendo hablado hace mucho tiempo, en muchas ocasiones y de muchas maneras a los padres por los profetas, en estos últimos días nos ha hablado por *Su* Hijo, a quien constituyó heredero de todas las cosas, por medio de quien hizo también el universo.
> **2 Corintios 1.20** Pues tantas como sean las promesas de Dios, en El *todas* son sí. Por eso también por medio de El, *es nuestro* Amén (así sea), para la gloria de Dios por medio de nosotros.

Ahora bien, esta palabra es llamada "la palabra de la paciencia de Cristo", o de Su tolerancia o contención, por esa paciencia y longanimidad que (en su dispensación) el Señor Jesucristo ejerció hacia el mundo o hacia todas las personas de este. Y hace esto tanto de forma activa como pasiva al tener paciencia con los hombres y al tolerarlos.

1) Él es paciente con Sus santos

Él tiene paciencia con ellos y los tolera. Él "es paciente para con nosotros" (2 P. 3: 9) —es decir, con los que creen. El evangelio es la palabra de la paciencia de Cristo incluso para los creyentes. Un alma familiarizada con el evangelio sabe que no hay un atributo de Cristo representado más gloriosamente en el evangelio que el de Su paciencia —que tenga paciencia con tantas iniquidades, tantas transgresiones por descuido, tantos desprecios de Su amor, tantas afrentas hechas a Su gracia y tantos incumplimientos del deber. Y así Él manifiesta que Su evangelio no es solo la palabra de Su gracia sino también la palabra de Su paciencia.

También sufre *de* ellos en todos los reproches que traen sobre Su nombre y Sus caminos; y sufre *en* ellos porque en todas sus angustias Él es angustiado (*cf.* Is. 63:9).

2) Él es paciente con los elegidos que aún no han sido llamados

Él es paciente con los elegidos que aún no han sido efectivamente llamados. Él está esperando en la puerta de sus corazones y toca para entrar (*cf.* Ap. 3:20). Él trata con ellos por todos los medios, y permanece de pie y espera hasta que Su cabeza esté "llena de rocío" y Sus cabellos "de las gotas de la noche" (Cnt. 5:2), aguantando el frío y los inconvenientes de la noche para que cuando llegue la mañana pueda entrar.

A menudo durante un largo tiempo, Él es despreciado en Su persona por ellos, perseguido en Sus santos y caminos, insultado en Su palabra, mientras permanece a la puerta en la palabra de Su paciencia con Su corazón lleno de amor hacia sus pobres almas rebeldes.

3) Él es paciente con el mundo que perece

De ahí que el tiempo de Su reino en este mundo se llame el tiempo de Su "paciencia" (Ap. 1:9). Él soporta los vasos de ira con mucha paciencia (*cf.* Ro. 9:22). Mientras el evangelio sea predicado en el mundo, Él es paciente con los hombres hasta el punto de que los santos en el cielo y la tierra se asombran y claman: "¿Hasta cuándo?" (Sal. 13:1-2; Ap. 6:10).

> **Salmo 13.1–2** ¿Hasta cuándo, oh Señor? ¿Me olvidarás para siempre? ¿Hasta cuándo esconderás de mí Tu rostro? ¿Hasta cuándo he de tomar

consejo en mi alma, *Teniendo* pesar en mi corazón todo el día? ¿Hasta cuándo mi enemigo se enaltecerá sobre mí?

Apocalipsis 6.9–11 Cuando el Cordero abrió el quinto sello, vi debajo del altar las almas de los que habían sido muertos a causa de la palabra de Dios y del testimonio que habían mantenido. Clamaban a gran voz: "¿Hasta cuándo, oh Señor santo y verdadero, esperarás para juzgar y vengar nuestra sangre de los que moran en la tierra?" Y se les dio a cada uno de ellos una vestidura blanca, y se les dijo que descansaran un poco más de tiempo, hasta que se completara también *el número de* sus consiervos y *de* sus hermanos que habrían de ser muertos como ellos lo habían sido.

Por otra parte, hay quienes se burlan de Él como si fuera un ídolo (*cf.* 2 P. 3:4). Él soporta de ellos cosas amargas contra Su nombre, caminos, adoración, santos, promesas, advertencias, y todo Su interés de honra y amor. Y, sin embargo, los pasa por alto, los deja tranquilos y les hace bien. No interrumpirá esta forma de proceder hasta que termine de predicarse el evangelio. La paciencia debe acompañar al evangelio.

b. Las cosas implicadas en guardar esta palabra

Ahora bien, esta es la palabra que debe ser guardada para que podamos ser guardados de "la hora de la tentación". Tres cosas están implícitas en guardar esta palabra: a. Conocimiento. b. Valoración. c. Obediencia.

1) Conocimiento

Quien quiera guardar esta palabra debe conocerla y familiarizarse con ella de cuatro formas:

a. Como la palabra de gracia y misericordia que puede salvar.
b. Como la palabra de santidad y pureza que puede santificar.
c. Como la palabra de libertad y poder que puede ennoblecer y liberar.
d. Como la palabra de consuelo que puede sostener en toda condición.

a) *Como la palabra de gracia y misericordia que puede salvar*

En primer lugar, como la palabra de gracia y misericordia capaz de salvarnos: Es el "poder de Dios para salvación" (Ro. 1:16). Es la gracia de Dios que trae salvación (*cf.* Tit. 2:11). Es la palabra de gracia que tiene poder para edificarnos y darnos herencia con todos los santificados (*cf.* Hch. 20:32). Es la palabra que "puede salvar vuestras almas" (Stg. 1:21). Cuando el alma conoce la palabra del evangelio como la palabra de misericordia, gracia y perdón, como la única evidencia para la vida y como la promesa de la herencia eterna, entonces se esforzará por guardarla.

b) *Como la palabra de santidad y pureza que puede santificar*

En segundo lugar, como la palabra de santidad y pureza capaz de santificarnos. Dice nuestro Salvador: "Vosotros estáis limpios por la palabra que os he hablado" (Jn. 15:3). Él ora con este propósito (*cf.* Jn. 17:17).

> **Juan 17.15–17** "No Te ruego que los saques del mundo, sino que los guardes del (poder del) maligno (del mal). "Ellos no son del mundo, como tampoco Yo soy del mundo. "Santifícalos en la verdad; Tu palabra es verdad.

El que no conoce la palabra de la paciencia de Cristo como la palabra santificadora y purificadora (en el poder que tiene sobre su propia alma), no la conoce ni la guarda. La profesión vacía de nuestros días no conoce ni un paso hacia este deber. De ahí que la mayoría esté tan abrumada bajo el poder de las tentaciones. Hombres llenos de sí mismos, del mundo, de furia, de ambición y de casi todas las impuras concupiscencias. Y, sin embargo, hablan todavía de guardar la palabra de Cristo (*cf.* 1 P. 1:2; 2 Ti. 2:19).

c) *Como la palabra de libertad y poder que puede ennoblecer y liberar*

En tercer lugar, como la palabra de libertad y poder capaz de ennoblecernos y hacernos libres. Y esta libertad no es solo de la culpa del pecado y de la ira (porque lo hace como la palabra de gracia y misericordia), y no solo del poder del pecado (porque lo hace como la palabra de santidad), sino también de todas las influencias externas de los hombres o del mundo que podrían enredarnos o esclavizarnos.

Nos declara como hombres libres en Cristo y en esclavitud de nadie (*cf.* Jn. 8:32; 1 Co. 7:23).

> **Juan 8.31–32** Entonces Jesús decía a los Judíos que habían creído en El: "Si ustedes permanecen en Mi palabra, verdaderamente son Mis discípulos; y conocerán la verdad, y la verdad los hará libres."
> **1 Corintios 7.22–23** Porque el que fue llamado por el Señor siendo esclavo, hombre libre es del Señor. De la misma manera, el que fue llamado siendo libre, esclavo es de Cristo. Ustedes fueron comprados por precio. No se hagan esclavos de los hombres.

No somos liberados por ella del debido sometimiento a los superiores, ni de algún deber, ni para algún pecado (*cf.* 1 P. 2:16). Pero en dos aspectos es la palabra de libertad, liberación, magnanimidad de mente, poder y rescate de la esclavitud:

(1) Con respecto a la conciencia en cuanto a la adoración a Dios: "Estad, pues, firmes en la libertad con que Cristo nos hizo libres, y no estéis otra vez sujetos al yugo de esclavitud" (Gá. 5:1).

(2) Con respecto a los innobles y serviles sometimientos hacia los hombres o las cosas del mundo en el curso de nuestra peregrinación. El evangelio da un espíritu libre, prominente y noble en sujeción a Dios y a nadie más. Promete un espíritu no de cobardía, "sino de poder, de amor y de dominio propio" (2 Ti. 1:7).

También promete un espíritu "en nada intimidado" (Fil. 1:28) y no influenciado por algún interés personal cualquiera. No hay nada más indigno del evangelio que un espíritu en esclavitud a personas o cosas, prostituyéndose a sí mismo a los deseos de los hombres o a los temores del mundo. Y el que así conoce realmente el poder de la palabra de la paciencia de Cristo, es liberado de innumerables e indecibles tentaciones.

d) *Como la palabra de consuelo que puede sostener en toda condición*

En cuarto lugar, como la palabra de consuelo capaz de sostenernos en cada condición y de ser una porción completa en la carencia de todo. Es la palabra que es acompañada "con gozo inefable y lleno de gloria" (1 P. 1:8). Da apoyo, alivio, refrigerio, satisfacción, paz, consuelo, alegría, alarde y gloria en cualquier condición. Por lo tanto, conocer la palabra de la paciencia de Cristo o conocer el evangelio es la primera parte y es la gran parte de esta condición de nuestra preservación de la hora y del poder de la tentación.

2) Valoración

La valoración de lo que es así conocido pertenece a guardar esta palabra. Debe ser guardado como un tesoro. Dice el apóstol: Ese excelente "depósito[3] (es decir, la palabra del evangelio) guárdalo por el Espíritu Santo" (2 Ti. 1:14)[4] o retén "la palabra fiel" (Tit. 1:9).

> **2 Timoteo 1.13–14** Retén la norma de las sanas palabras que has oído de mí, en la fe y el amor en Cristo Jesús. Guarda, mediante el Espíritu Santo que habita en nosotros, el tesoro que *te* ha sido encomendado.

Es el buen tesoro o la palabra fiel, retenla. Es la palabra que abarca todo el interés/parte de Cristo en el mundo. Valorarla como nuestro principal tesoro es guardar la palabra de la paciencia de Cristo. Aquellos que quieren ser considerados por Cristo en el tiempo de la tentación, no deben despreciar su valor.

3) Obediencia

---

[3] Latín: *Depositum.*

[4] Griego: Tὴν καλὴν παρακαταθήκην (El tesoro que te fue encomendado).

La obediencia personal en la observación universal de todos los mandamientos de Cristo es guardar Su palabra (*cf.* Jn. 14:15). La estrecha adhesión a Cristo en santidad y obediencia universal es la vida y el alma del deber requerido. Entonces la oposición, con la que se encuentra el Evangelio de Cristo en el mundo, lo representa particularmente como la palabra de Su paciencia.

Ahora bien, todo esto debe ser manejado con la intención de la mente y el espíritu, el cuidado del corazón y la diligencia de la persona entera, de tal manera que constituya la observancia de esta palabra, lo cual evidentemente incluye todas estas consideraciones.

Hemos llegado, pues, a la suma de este deber de preservación, de esta condición de libertad del poder de la tentación.

Aquel que tiene un conocimiento apropiado del evangelio en sus excelencias como la palabra de misericordia, santidad, libertad y consuelo; que lo valora en todos sus aspectos como su mayor y único tesoro; que lo hace su cometido y la obra de su vida entregándose a él en obediencia universal (especialmente cuando la oposición y la apostasía ponen la paciencia de Cristo al extremo), será preservado de la hora de la tentación.

2. Cómo guardar la palabra de la paciencia de Cristo será un medio para preservarnos

Esto es lo que comprende todo lo anterior y es exclusivo de todas las otras formas para la obtención del fin propuesto. Que nadie piense que sin esto será guardado durante una hora de entrar en tentación. Dondequiera que fracase, allí entra la tentación. Las siguientes consideraciones pueden mostrar cómo esto es un medio seguro de preservación:

a. El que guarda la palabra de la paciencia de Cristo tiene la promesa de preservación

Únicamente esto tiene esta promesa. Está solemnemente prometido, como se mencionó previamente, a la iglesia de Filadelfia por este motivo. Cuando una gran prueba y tentación está próximo a venir sobre el mundo en la apertura del séptimo sello (*cf.* Ap. 7:3), se da una advertencia para la preservación de los sellados de Dios, que se describen como aquellos que guardan la palabra de Cristo. Por tanto, la promesa es dada a los que guardan la palabra.

Ahora bien, en cada promesa hay tres cosas a considerar:

1) La fidelidad del Padre que da la promesa.
2) La gracia del Hijo que es la esencia de la promesa.
3) El poder y la eficacia del Espíritu Santo que pone la promesa en acción. Y todo esto está comprometido en la preservación de tales personas de la hora de la tentación.

1) La fidelidad del Padre que da la promesa

La fidelidad de Dios acompaña a la promesa. La liberación está establecida a este respecto (*cf.* 1 Co. 10:13). Aunque seamos tentados, seremos guardados de la hora de la tentación —no se volverá demasiado fuerte para nosotros.

Lo que venga sobre nosotros, lo podremos soportar. Y lo que sea demasiado arduo para nosotros, escaparemos. ¿Pero qué seguridad tenemos de esto? ¡No menos que la fidelidad de Dios! “Fiel es Dios, que no os dejará” ¿Y en dónde se ve y se ejerce la fidelidad de Dios? “Fiel es el que prometió” (He. 10:23).

> **Hebreos 10.22–23** acerquémonos con corazón sincero (verdadero), en plena certidumbre de fe, teniendo nuestro corazón purificado de mala conciencia y nuestro cuerpo lavado con agua pura. Mantengamos firme la profesión de nuestra esperanza sin vacilar, porque fiel es Aquél que prometió.

Su fidelidad consiste en el cumplimiento de Sus promesas. "Él permanece fiel; Él no puede negarse a sí mismo" (2 Ti. 2:13). Así que, al estar bajo la promesa, tenemos la fidelidad de Dios comprometida para nuestra preservación.

2) La gracia del Hijo que es la esencia de la promesa

En toda promesa del pacto, existe la gracia del Hijo. Esta es la esencia de todas las promesas: "Te guardaré" ¿Cómo? "Con mi gracia en ti". Toda la ayuda que la gracia de Cristo pueda dar al alma, la disfrutará en la hora de la tentación por tener derecho a esta promesa.

La tentación de Pablo se volvió muy elevada —era probable que la tentación hubiera llegado a su hora más apremiante. Pidió ayuda al Señor —es decir, al Señor Jesucristo— (*cf.* 2 Co. 12:8) y recibió esta respuesta de Él: "Bástate mi gracia" (v. 9). Es evidente en el final de este versículo que fue el Señor Cristo y Su gracia con quien tuvo que tratar particularmente: "De buena gana me gloriaré más bien en mis debilidades, para que repose sobre mí el poder de Cristo". Es como si Pablo dijera: "Que la eficacia de la gracia de Cristo en mi preservación se haga evidente". Así Hebreos 2:18.

3) El poder y la eficacia del Espíritu Santo que pone la promesa en acción

La eficacia del Espíritu acompaña a las promesas. Se le llama el "Espíritu Santo de la promesa" (Ef. 1:13), no solo porque Él es prometido por Cristo, sino también porque cumple eficazmente la promesa y la cumple en nuestras almas. Él también entonces está comprometido a preservar al alma para que camine de acuerdo a la regla establecida (*cf.* Is. 59:21).

> **Isaías 59.21–60.1** "En cuanto a Mí," dice el Señor, "éste es Mi pacto con ellos": "Mi Espíritu que está sobre ti, y Mis palabras que he puesto en tu boca, no se apartarán de tu boca, ni de la boca de tu descendencia, ni de la boca de la descendencia de tu descendencia," dice el Señor, "desde ahora y

para siempre." Levántate, resplandece, porque ha llegado tu luz Y la gloria del Señor ha amanecido sobre ti.

Por lo tanto, donde está la promesa, está toda esta asistencia: La fidelidad del Padre, la gracia del Hijo y el poder del Espíritu. Todos están comprometidos en nuestra preservación.

b. Guardar de manera constante la palabra de la paciencia de Cristo hará que ninguna tentación prevalezca contra el alma

Guardar de manera constante y universal la palabra de paciencia de Cristo guardará el corazón y el alma en tal condición, que ninguna tentación prevalente, en virtud de ventajas de cualquier tipo, pueda conquistarlo para prevalecer totalmente contra él. De ahí que David orara: "Integridad y rectitud me guarden" (Sal. 25:21).

Esta "integridad y rectitud" es guardar la palabra de Cristo en el Antiguo Testamento —es un caminar universal y cercano con Dios. Ahora bien, ¿cómo puede esto preservar al hombre? Guarda su corazón en tal condición, tan defendido por todos lados, que ningún mal puede acercarse o aferrarse a él. Si un hombre fracasa en su integridad, tiene un lugar abierto para que la tentación entre (*cf.* Is. 57:21).

Guardar la palabra de Cristo es hacer esto universalmente, como se ha demostrado. Esto ejerce la gracia en todas las facultades del alma, cubriéndola con toda la armadura de Dios. El entendimiento es lleno de luz, y los afectos son llenos de amor y de santidad. Que el viento sople desde donde quiera, el alma está vallada y fortificada. Que el enemigo ataque cuando quiera o por el medio que quiera, todas las cosas en el alma de tal persona están en guardia. "¿Cómo puedo hacer esto y pecar contra Dios?" (*cf.* Gn. 39:9) está a mano. Especialmente, sobre una doble consideración, la liberación y la seguridad surgen de esta mano:

1) Por la mortificación del corazón al objeto de las tentaciones

La prevalencia de cualquier tentación surge de esto: El corazón está listo para perseguir el objeto de la tentación. Hay concupiscencias dentro que se adecuan a las propuestas del mundo o de Satanás fuera. De ahí que Santiago proponga todas las tentaciones en nuestras "propias concupiscencias" (Stg. 1:14) porque o bien proceden de ellas o se hacen efectivas por ellas, como se ha declarado anteriormente. ¿Por qué el terror o las amenazas nos apartan de la debida constancia en el cumplimiento de nuestro deber? ¿Acaso no es porque hay un miedo carnal no mortificado que habita en nosotros, que inquieta en un tiempo así? ¿Por qué nos enredan los encantos del mundo y la aceptación de los hombres? ¿Acaso no es porque nuestros afectos están enredados con las cosas y consideraciones que se nos proponen?

Ahora bien, guardar la palabra de la paciencia de Cristo, de la manera declarada, guarda el corazón mortificado de estas cosas, de modo que no es fácilmente enredado por ellas. Dice el apóstol: "Con Cristo estoy juntamente crucificado" (Gá. 2:20).

Aquel que se mantiene cerca de Cristo es crucificado con Él y está muerto a todos los deseos de la carne y del mundo.[5] Aquí se rompe la unión y se disuelve todo el amor —el amor enredado. El corazón es crucificado al mundo y a todas las cosas en él. El objeto entonces de todas las tentaciones —las personas y las cosas del mundo que las inventan— casi ha sido quitado del mundo. En cuanto a estas cosas, es como si dijera el apóstol:

> Yo estoy crucificado a ellas (y así sucede con todos los que guardan la palabra de Cristo). Mi corazón está mortificado a ellas. No tengo ningún deseo por ellas o afecto por ellas o deleite por ellas —me son crucificadas. Las coronas, las glorias, los tronos, los placeres, los beneficios del mundo, no veo nada deseable en estas cosas. Las concupiscencias, los deseos carnales, el amor, respeto y honor de los hombres, y la reputación entre ellos, son todos como nada. No tienen ningún valor ni estimación para mí.

[5] Para más plenamente, véase Gálatas 6:14.

Esta alma es protegida de los asaltos de las diversas tentaciones. Cuando Acán vio el buen manto babilónico, los doscientos siclos de plata y el lingote de oro, primero los codició, y luego los tomó (*cf.* Jos. 7:21).

> **Josué 7.19–22** Entonces Josué dijo a Acán: "Hijo mío, te ruego, da gloria al Señor, Dios de Israel, y dale alabanza. Declárame ahora lo que has hecho. No me lo ocultes." Y Acán respondió a Josué: "En verdad he pecado contra el Señor, Dios de Israel, y esto es lo que he hecho. Cuando vi entre el botín un hermoso manto de Sinar y 200 siclos (2.28 kilos) de plata y una barra de oro de cincuenta siclos de peso, los codicié y los tomé; todo eso está escondido en la tierra dentro de mi tienda con la plata debajo." Josué envió emisarios, que fueron corriendo a la tienda y hallaron *el manto* escondido en su tienda con la plata debajo.

La tentación esparce sutilmente ante los ojos de los hombres el manto babilónico de favor, alabanza y paz, y la plata del placer o de la ganancia, con los placeres dorados de la carne. Si ahora hay en ellos algo vivo y no mortificado que pronto caerá en la codicia, entonces —además del temor al castigo— el corazón o la mano se expondrá a la iniquidad.

En esto consiste, pues, la seguridad de la condición como el descrito: Siempre va acompañada de un corazón mortificado y crucificado a las cosas que son el objeto de nuestras tentaciones, sin lo cual es absolutamente imposible que seamos preservados por un momento cuando nos sobreviene alguna tentación. Si el gusto y el amor por las cosas propuestas, insinuadas y recomendadas en la tentación están vivas y activas en nosotros, no seremos capaces de resistir y permanecer de pie.

2) Por llenar el corazón con cosas mejores

En esta condición, el corazón está lleno de cosas mejores y más excelentes, hasta el punto de ser fortalecido contra el objeto de cualquier tentación. Observen en qué resolución esto puso a Pablo al hacerlo estimar todo como pérdida y basura (*cf.* Fil. 3:8). ¿Quién se desviaría de su camino para tener los brazos llenos de pérdida y basura? ¿Y de dónde es que él obtiene esta estimación de las cosas más deseables del mundo? Es a partir de esa querida estimación que tenía de la excelencia de Cristo (*cf.* v. 10).

> **Filipenses 3.8–11** Y aún más, yo estimo como pérdida todas las cosas en vista del incomparable valor de conocer a Cristo Jesús, mi Señor. Por El lo he perdido todo, y lo considero como basura a fin de ganar a Cristo, y ser hallado en El, no teniendo mi propia justicia derivada de *la* Ley, sino la que es por la fe en Cristo (el Mesías), la justicia que *procede* de Dios sobre la base de la fe, *y* conocerlo a El, el poder de Su resurrección y la participación en Sus padecimientos, llegando a ser como El en Su muerte, a fin de llegar a la resurrección de entre los muertos.

Así que, cuando el alma se entrega a la comunión con Cristo y a caminar con Él, bebe vino nuevo y no puede desear las cosas viejas del mundo, porque dice: "Lo nuevo es mejor". Él experimenta cada día cuán misericordioso es el Señor, y por eso no anhela la dulzura de las cosas prohibidas, que en realidad no tienen nada de dulzura.

El que se dedica a comer diariamente del árbol de la vida, no tendrá apetito de otros frutos, aunque el árbol que los produce parezca estar en medio del paraíso. La esposa[6] hace de esto el medio de su preservación: Ella encuentra que la excelencia de la comunión diaria en Cristo y en Sus gracias supera todas las otras cosas deseables. Si el alma se entrega en comunión con Cristo en las buenas cosas del evangelio —perdón de pecado, frutos de santidad, esperanza de gloria, paz con Dios, gozo en el Espíritu Santo y dominio sobre el pecado—, tendrá un poderoso preservador contra todas las tentaciones.

Así como el estómago lleno rechaza hasta la miel, así mismo el alma llena de placeres carnales, terrenales y sensuales no encuentra deleite ni sabor en las cosas espirituales más dulces. Por lo tanto, el que está saciado con la bondad de Dios como con el meollo y la grosura (*cf.* Sal. 63:5) —es decir, que todos los días se complace en el banquete de vinos refinados y de vinos purificados (*cf.* Is 25:6), tiene un santo desprecio por los cebos

[6] Owen se está refiriendo a la esposa del libro de Cantares. La esposa a la que Owen se refiere es a la Iglesia, que es descrita en las Escrituras como la esposa o novia de Cristo. En este sentido la referencia de Owen es a la labor de todos los creyentes.

y las seducciones que se encuentra en las tentaciones prevalecientes, manteniéndolo a salvo de ellas.

c. Guardar la palabra de la paciencia de Cristo proporciona consideraciones y principios que preservan

Aquel que guarda así la palabra de la paciencia de Cristo, siempre está provisto de consideraciones y principios que preservan —ventajas morales y reales de preservación.

1) Consideraciones que preservan

El que guarda la palabra de la paciencia de Cristo está provisto de consideraciones que preservan y que influyen poderosamente en su alma para que camine diligentemente con Cristo. Además del sentido del deber que siempre está sobre él, considera:
a) *El amor de Cristo*

Considera la preocupación y el amor que Cristo tiene por su alma en cuanto a su caminar cuidadoso. Considera que la presencia de Cristo está con él y que Su ojo está sobre él. Cristo considera su corazón y sus caminos como alguien muy preocupado por su comportamiento en el tiempo de prueba. Cristo manifiesta que hace esto en Apocalipsis 2:19-23.

> **Apocalipsis 2.19–23** "Yo conozco tus obras, tu amor, tu fe, tu servicio y tu perseverancia, y que tus obras recientes (postreras) son mayores que las primeras. "Pero tengo *esto* contra ti: que toleras a esa mujer Jezabel, que se dice ser profetisa, y enseña y seduce a Mis siervos a que cometan actos inmorales y coman cosas sacrificadas a los ídolos. "Le he dado tiempo para arrepentirse, y no quiere arrepentirse de su inmoralidad. "Por eso, la postraré en cama, y a los que cometen adulterio con ella *los arrojaré* en gran tribulación, si no se arrepienten de las obras de ella. "A sus hijos mataré con pestilencia, y todas las iglesias sabrán que Yo soy el que escudriña las mentes y los corazones, y les daré a cada uno según sus obras.

Él considera todo —lo que debe ser aceptado y lo que debe ser rechazado. Sabe que Cristo se preocupa por Su honor —que Su nombre no sea maldecido por causa de él. Sabe que también se preocupa en amor por su alma, teniendo este designio en él: "Presentaros santos y sin mancha e irreprensibles delante de Él" (Col. 1:22).

Cuando Él es interrumpido en esta obra, Su Espíritu se aflige. Él se preocupa por Su evangelio —su progreso y aceptación en el mundo. Si la tentación prevaleciera contra uno, la belleza de Su evangelio se difuminaría, sus cosas buenas serían vilipendiadas y su progreso sería paralizado. Se preocupa en Su amor por los demás que se escandalizan gravemente y tal vez se arruinan por los extravíos de los tales. Cuando Himeneo y Fileto cayeron, afectaron la fe de algunos (*cf.* 2 Ti. 2:17-18).

> **2 Timoteo 2.16–18** Evita las palabrerías vacías *y* profanas, porque *los dados a ellas,* conducirán más y más a la impiedad, y su palabra (conversación) se extenderá como gangrena. Entre ellos están Himeneo y Fileto, que se han desviado de la verdad diciendo que la resurrección ya tuvo lugar, trastornando así la fe de algunos.

Por lo tanto, tal alma que se dedica a guardar la palabra de la paciencia de Cristo dice:

> Cuando se levanten tentaciones intrincadas, perplejas, enredadoras, públicas, privadas y personales, ¿seré ahora descuidado? ¿Seré negligente? ¿Complaceré al mundo y sus caminos? ¡Oh, qué pensamientos del corazón tiene Él respecto a mí, cuyo ojo está sobre mí! ¿Despreciaré Su honor y Su amor, pisoteando Su evangelio en el fango bajo los pies de los hombres y apartando a otros de Sus caminos? ¿Cederé y dejaré de resistir a la tentación? ¡No puede ser!

No hay ningún hombre que guarde la palabra de la paciencia de Cristo, sino aquel que está lleno de esta consideración que presiona al alma. Esta consideración habita en su corazón y espíritu. Y el amor de Cristo lo constriñe a guardar su corazón y sus caminos (*cf.* 2 Co. 5:14).

b) *Las tentaciones de Cristo*

La gran consideración de las tentaciones de Cristo en su favor y la conquista que hizo contra todos los asaltos por su bien y el de su Dios, moran también en su espíritu. El príncipe de este mundo vino sobre Él, mostrándole la gloria de este mundo, cada cosa en la tierra o en el infierno que tenía seducción o angustia en ella.

Estas cosas le fueron propuestas para desviarlo de la obra de mediación, que había emprendido para nosotros. Toda esta vida Él la llama el tiempo de Sus "tentaciones" (Lc. 22:28).[7]

> **Lucas 22.27–30** "Porque, ¿cuál es mayor, el que se sienta *a la mesa,* o el que sirve? ¿No lo es el que se sienta *a la mesa?* Sin embargo, entre ustedes Yo soy como el que sirve. "Ustedes son los que han permanecido junto a Mí en Mis pruebas; y así como Mi Padre Me ha otorgado un reino, Yo les otorgo que coman y beban a Mi mesa en Mi reino.

Pero lo resistió todo, lo conquistó todo y se convirtió en el autor de la salvación para los que le obedecen (*cf.* He. 2:10). Un alma con esta consideración diría:

> ¿Esta tentación, estos argumentos, esta pretensión plausible, esta pereza, este amor propio, esta sensualidad o esta carnada del mundo me desviarán o prevalecerán sobre mí para abandonar a Aquel que para mi bien me precedió en los caminos de todas las tentaciones a las que Su naturaleza santa era odiosa?

c) *La pérdida potencial de la cercana comunión*

También tal alma frecuentemente se entrega a los pensamientos tristes de la pérdida del amor y de las sonrisas del semblante de Cristo. Sabe lo que

---

[7] La palabra para pruebas y tentaciones es la misma en griego. La traducción de "prueba" o "tentación" depende del criterio del autor. En este caso, Owen esta usando la traducción "tentación", mientras que la NBLH, que es la versión usada para las citas en español usa la palabra "prueba".

es gozar del favor de Cristo, tener un sentido de Su amor, ser aceptado en sus acercamientos hacia Él y conversar con Él. Y quizás ha experimentado cierta pérdida en esto. Sabe también lo que es estar en la oscuridad y distanciado de Él. Vean el comportamiento de la esposa en tal caso (*cf.* Cnt. 3:4). Una vez que ella lo volvió a encontrar, se asió de Él y no lo dejo ir para no perderlo más.

2) Principios que preservan

El que guarda la palabra de la paciencia de Cristo tiene principios que preservan por los cuales actúa. Algunos de ellos pueden ser mencionados:

a) *Vivir por fe*
En todas las cosas, él vive por fe y se conduce por ella en todos sus caminos (*cf.* Gá. 2:20). Ahora bien, sobre una doble consideración, cuando es aumentada, la fe tiene anexada a ella el poder para preservar de la tentación:

(1) La fe vacía el alma de nuestra propia sabiduría

Vacía el alma de su propia sabiduría, entendimiento y plenitud, para que pueda actuar en la sabiduría y plenitud de Cristo. El único consejo para la preservación en las pruebas y tentaciones proviene del sabio: "Fíate de Jehová de todo tu corazón, y no te apoyes en tu propia prudencia" (Pr. 3:5).

Esta es la obra de la fe: Es la fe —es vivir por la fe. La gran caída de los hombres en las pruebas se debe a que se apoyan en su propio entendimiento y consejo. ¿Cuál es el resultado de ello? "Sus pasos vigorosos serán acortados, y su mismo consejo lo precipitará" (Job 18:7). Primero, será enredado y luego derribado, todo por su propio consejo hasta que venga a avergonzarse de ello, como lo fue Efraín (*cf.* Os. 10:6).

> **Oseas 10.5–6** Por el becerro de Bet Avén Temerán los habitantes de Samaria. En verdad, por él hará duelo su pueblo, Y sus sacerdotes idólatras

> se lamentarán a causa de él, Porque de él se ha alejado su gloria. También el becerro será llevado a Asiria Como tributo al rey Jareb (al gran rey); Efraín se cubrirá de vergüenza, E Israel se avergonzará de su consejo.

Siempre que en nuestras pruebas consultamos nuestros propios entendimientos y escuchamos nuestros propios razonamientos, aunque parezcan buenos y que tienden a nuestra preservación, el principio de vivir por la fe se ve sofocado y al final seremos derribados por nuestros propios consejos. Ahora bien, nada puede vaciar el corazón de la autoconfianza sino la fe —vivir por ella y no vivir para nosotros mismos. Al tener a Cristo viviendo en nosotros, vivimos por la fe en Él.

(2) La fe compromete a Cristo para que nos socorra

La fe, que hace al alma pobre, vacía, indefensa e indigente en sí misma, compromete el corazón, la voluntad y el poder de Jesucristo para que la ayude, de lo cual he hablado más ampliamente en otras partes.

b) *El amor a los demás*

El amor a los santos con el cuidado de que no sufran por nosotros es un gran principio que preserva en el tiempo de tentaciones y pruebas. Cuán poderoso fue esto en David cuando declara en esa ferviente oración lo siguiente: "No sean avergonzados por causa mía los que en ti confían, oh Señor Jehová de los ejércitos; no sean confundidos por mí los que te buscan, oh Dios de Israel" (Sal. 69:6). Es como si hubiera dicho: "Oh, no permitas que peque para que aquellos por los que pongo mi vida no sean avergonzados, maldecidos, deshonrados, injuriados, ultrajados y despreciados por mis faltas". Un alma egoísta, cuyo amor se vuelve totalmente hacia adentro, nunca resistirá en el tiempo de la prueba.

Muchas otras consideraciones y principios podrían ser enumerados para los que guardan la palabra de la paciencia de Cristo en la forma y manera antes descrita. Pero me contentaré con haber señalado estos.

Y ahora será fácil determinar por qué es que tantos en nuestros días han caído en el tiempo de la prueba y por qué, cuando la hora de la tentación viene sobre ellos, más o menos los derrota ante ella. ¿Acaso no es porque, entre la gran multitud de profesantes que tenemos, hay pocos que guardan la palabra de la paciencia de Cristo? Si deliberadamente descuidamos o desechamos nuestro interés en la promesa de preservación, ¿acaso es de extrañar que no seamos preservados? Hay una hora de la tentación que ha de venir al mundo para probar a los que habitan en él. Ejerce su poder y eficacia de varias maneras.

No hay ninguna manera o cosa en la que no se pueda ver actuando y presentándose. Se muestra en la mundanalidad; en la sensualidad; en la conversación descuidada; en la negligencia de los deberes espirituales (privados y públicos); en las opiniones insensatas, libertinas y diabólicas; en la altivez y la ambición; en la envidia y la ira; en la contienda y la disputa; en la venganza y el egoísmo; en el ateísmo y el desprecio a Dios.

No son más que ramas de la misma raíz y arroyos amargos de la misma fuente, apreciados y conservados por la paz, la prosperidad, la seguridad y las apostasías de los profesantes y semejantes. ¡Ay! ¡Cuántos caen diariamente bajo el poder de esta tentación en general! ¡Cuán pocos mantienen sus vestiduras ceñidas alrededor de ellos y sin mancha! Y si alguna tentación particular y apremiante viene sobre alguien, ¿qué instancias casi tenemos de alguien que escape? ¿No podemos describir nuestra condición como la que el apóstol describió de los Corintios con respecto a su condición externa: "Hay muchos enfermos y debilitados entre vosotros, y muchos duermen" (1 Co. 11:3)? Algunos están heridos, otros profanados y muchos completamente perdidos. ¿Cuál es la fuente de esta triste condición de las cosas? ¿Acaso no es —como se ha dicho— que no guardamos la palabra de la paciencia de Cristo en un caminar universal y cercano con Él y, de esta manera, perdemos el beneficio de la promesa dada y anexada a ella?

3. Razones por las que los profesantes que se quedan cortos en guardar la palabra de Cristo

Si fuera a dar ejemplos por los que los profesantes que se quedan cortos en guardar la palabra de Cristo, sería una obra larga. Estos cuatro apartados serían la mayoría de ellos:

1) Conformidad con el mundo en casi en todas las cosas, del cual Cristo nos ha redimido, con gozo y deleite en la aceptación promiscua de los hombres del mundo.
2) La negligencia de los deberes que Cristo ha ordenado, desde la meditación personal hasta las ordenanzas públicas.
3) La contienda, el desacuerdo y el debate entre nosotros, juzgándonos y despreciándonos de manera deplorable entre sí a causa de las cosas ajenas al lazo de comunión que hay entre los santos.
4) La autoconfianza en cuanto a los principios y el egoísmo en cuanto a los fines.

Ahora bien, donde estas cosas existan, ¿no son mundanos los hombres? ¿Es eficaz en ellos la palabra de la paciencia de Cristo? ¿Serán preservados? No lo harán.

4. Precauciones que se deben tener para ser preservados de la tentación

¿Quieres, entonces, ser preservado y guardado de la hora de la tentación? ¿Vigilarías para no entrar en ella? Como deducciones de lo que se ha entregado en este capítulo, tome las siguientes precauciones:

a. Tengan cuidado de apoyarse en ayudas engañosas

1) Apoyarnos en nuestra propia sabiduría

No se apoyen en sus propios consejos, entendimientos y razonamientos. Sin importar cuán convincentemente aboguen en su propia defensa, ellos

los dejarán y los traicionarán. Cuando la tentación llegue a cualquier punto alto, todos ellos se volverán y se unirán al enemigo de ustedes, alegando tanto por el objeto de la tentación, cualquiera que sea, como lo habían hecho contra el fin y el resultado de la tentación antes.

2) Apoyarnos únicamente en ciertos deberes

Apoyarse en los actos más vigorosos de la oración, el ayuno y otros medios semejantes, contra la concupiscencia, la corrupción y la tentación particulares con los que son inquietados y tienen que tratar. Esto no le servirá sí, mientras tanto, hay negligencias en otros asuntos. Escuchar a un hombre luchar, clamar y contender en cuanto a cualquier particular de tentación, y luego verlo caer en los caminos y las complacencias mundanas, en la ligereza y en la negligencia en otras cosas —es justo que Jesucristo deje a tal persona a la hora de la tentación.

3) Apoyarse en la seguridad general de la preservación de la apostasía

Apoyarse en la seguridad general de la perseverancia y preservación de los santos de la apostasía total. Toda seguridad que Dios nos da es buena en su tipo y para el propósito para el cual nos ha sido dada. Pero cuando es dada para un fin, y se usa para otro, eso no es bueno ni provechoso. Hacer uso de la seguridad general de la preservación de la apostasía total para apoyar el espíritu con respecto a una tentación particular, no beneficiará al alma al final. Porque, a pesar de esto, puede prevalecer una u otra tentación. Muchos se alivian con este razonamiento hasta que se encuentran en la profundidad de las perplejidades.

b. Dedíquense a guardar la palabra de la paciencia de Cristo

Dedíquense a sí mismos a esta gran [obra que preserva] de guardar fielmente la palabra de la paciencia de Cristo en medio de todas las pruebas y tentaciones:

1) En particular, consideren sabiamente de qué manera es más probable que la palabra de la paciencia de Cristo sufra en los días en que vivimos y en los tiempos que pasan sobre nosotros.

Entonces pónganse de manera muy vigorosa a guardarla particularmente en ese caso. Ustedes dirán: "¿Cómo sabremos de qué manera es probable que sufra la palabra de la paciencia de Cristo en algún tiempo?" Respondo: Considera qué obras Él realiza particularmente en algún tiempo, y la negligencia de Su palabra en referencia a estas obras es aquello en lo que es probable que Su palabra sufra. Las obras de Cristo en las que Él ha estado particularmente involucrado en nuestros días y tiempos parecen ser estas:

a) Derramando menosprecio sobre los grandes hombres y las grandes cosas del mundo con todos sus placeres. Él ha descubierto la desnudez de todas las cosas terrenales, derrumbando una y otra vez tanto a los hombres como a las cosas para dar paso a las cosas que no pueden ser sacudidas (*cf.* Job 12:21; Sal. 107:40; He. 12:27).

Job 12.17–21 El hace que los consejeros anden descalzos, Y hace necios a los jueces. Rompe las cadenas de los reyes Y ata sus cinturas con cuerda. Hace que los sacerdotes anden descalzos Y derriba a los que están seguros. Priva del habla a los hombres de confianza Y quita a los ancianos el discernimiento. Vierte desprecio sobre los nobles Y afloja el cinto de los fuertes.

b) Reconociendo la porción [Su pueblo] de Su propia herencia de una manera distintiva, poniendo una diferencia entre lo precioso y lo vil, y haciendo que Su pueblo habite confiado, no siendo contado entre las naciones (*cf.* Nm. 23:9)
c) Estando cerca en la fe y la oración, honrándolos por encima de toda la fuerza y los consejos de los hijos de los hombres.

d) Recuperando Sus ordenanzas e instituciones de las administraciones carnales que estaban esclavizadas por las concupiscencias de los hombres, presentándolas en la belleza y el poder del Espíritu.

¿En qué consiste, entonces, la particular negligencia de la palabra de la paciencia de Cristo en tal época? ¿Acaso no está en poner un valor al mundo y a sus cosas, que Él ha despreciado y pisoteado bajos Sus pies? ¿Acaso no es por el menosprecio de Su especial porción (Su pueblo) y por arrojarlos a las mismas consideraciones que los hombres del mundo? ¿Acaso no está en apoyarnos en nuestros propios consejos y entendimientos? ¿Acaso no está en la profanación de Sus ordenanzas al dar el patio exterior del templo para que sea hollado por personas no santificadas? Por tanto, seamos vigilantes y en estas cosas guardemos la palabra de la paciencia de Cristo, si amamos nuestra propia preservación.

2) En esta condición, rueguen al Señor Jesucristo.

Con Sus benditas promesas y con todas las consideraciones que puedan ser aptas para tomar y retener al Rey en sus galerías, de modo que pueda obrar en el corazón de nuestro bendito y misericordioso Sumo Sacerdote— que les dé el socorro en el tiempo de necesidad (*cf.* He. 4:16).

CAPÍTULO 9: EXHORTACIONES GENERALES RELACIONADAS CON EL DEBER PRESCRITO

1. Consideren que, si descuidan este deber, entrarán en tentación y caerán en pecado
2. Consideren que Cristo los observa
3. Consideren que, si descuidan este deber, es posible que Dios traiga alguna aflicción o juicio grave sobre ustedes

Habiendo pasado así por las consideraciones del deber de velar para que no entremos en tentación, supongo que no necesito añadir motivos para su observancia. Aquellos que no se conmueven por sus propias experiencias tristes ni por la importancia del deber (como se estableció al principio de este discurso), deben ser dejados por mí a la paciencia ulterior de Dios. Solo concluiré todo con una exhortación general para aquellos que están preparados en cierta medida para esto al considerar lo que se ha dicho.

Si van a un hospital y ven a muchas personas enfermas y débiles, adoloridas y heridas, con muchas enfermedades y malestares malignos, y les preguntan cómo cayeron en esta condición, todos ellos acordarían en decirles que tal o cual cosa fue la ocasión de ello: "Por esto recibí mi herida" —dice uno. "Y por esto otro obtuve mi enfermedad" —dice otro. ¿Acaso no tendrían un poco de cuidado en cómo o en qué tener que ver con esa cosa o lugar? Seguro que lo tendrían.

Si fueran a un calabozo y vieran a muchas criaturas miserables encadenadas para el día de ejecución que se aproxima, y les preguntaran la manera y los medios por los cuales fueron llevadas a esa condición, todas ellas se fijarán en una y la misma cosa. ¿Y acaso no tendrían cuidado de evitarlo? ¡Este es el mismo caso con entrar en tentación! ¡Cuántas almas pobres, miserables y heridas espiritualmente tenemos en todas partes! ¡Un alma herida por un pecado, otra por otro, una cayendo en la inmundicia de la carne, otra del espíritu! Pregúntales ahora cómo llegaron a este estado y condición, y todos responderán: "¡Ay, entramos en tentación y caímos en trampas y enredos malditos, y esto nos ha llevado a la lamentable condición que ven!" Más aún, si un hombre pudiera mirar en las mazmorras del infierno y ver a las pobres almas condenadas que yacen encadenadas en las cadenas de la oscuridad, escuchando sus gritos, ¿qué aprendería? ¿Qué estarían diciendo ellos? ¿Acaso no estarían maldiciendo a sus tentadores y las tentaciones en las que entraron? ¡Y seremos negligentes en esto!

Salomón nos dice (y lo repite tres veces) que el sencillo que sigue a la mujer extraña no sabe que los muertos están allí, que su casa se inclina a la muerte y que sus veredas hacia los muertos (*cf.* Pr. 2:16-18).

> **Proverbios 2.16–19** *La discreción* te librará de la mujer extraña, De la desconocida que lisonjea con sus palabras, La cual deja al compañero de su juventud, Y olvida el pacto de su Dios; Porque su casa se inclina hacia la muerte, Y sus senderos hacia los muertos. Todos los que van a ella, no vuelven, Ni alcanzan las sendas de la vida.

Y esta es la razón por la que se aventura en sus lazos. Si supieran lo que se ha hecho/las consecuencias al caer en la tentación, quizás estarían más atentos y serían cuidadosos.

Sin embargo, los hombres pueden pensar que proceden lo suficientemente bien, pero "¿tomará el hombre fuego en su seno sin que sus vestidos ardan? ¿Andará el hombre sobre brasas sin que sus pies se quemen?" (Pr. 6:27-28).

> **Proverbios 6.25–28** No codicies su hermosura en tu corazón, Ni dejes que te cautive con sus párpados. Porque por causa de una ramera uno es reducido a un pedazo de pan, Pero la adúltera anda a la caza de la vida preciosa. ¿Puede un hombre poner fuego en su seno Sin que arda su ropa? ¿O puede caminar un hombre sobre carbones encendidos Sin que se quemen sus pies?

No existe tal cosa. Los hombres no salen de su tentación sin heridas, quemaduras y cicatrices. No conozco ningún lugar en el mundo donde haya más necesidad de insistir en esta exhortación que en este lugar.

Vayan a nuestros diversos colegios y pregunten por tales o cuales jóvenes. ¿Cuál es la respuesta con respecto a muchos? "¡Ah! Tal joven fue muy esperanzador durante un tiempo, pero cayó en mala compañía, y ahora está bastante perdido. Tal joven tuvo un buen comienzo en la religión y esperábamos mucho de él, pero cayó en la tentación". Y así en otros lugares: "Tal persona fue útil, humilde y adornaba el evangelio, pero ahora está tan tristemente enredado con el mundo que se ha vuelto todo egoísta, no tiene savia ni olor. El tal era humilde y celoso, pero como siguió, ha perdido su primer amor y sus caminos" (*cf.* Ap. 2:4). ¡Oh, cuán lleno está el mundo y este lugar de estos lamentables ejemplos, por no hablar de esas innumerables y pobres criaturas que han caído en la tentación de los engaños de la religión! ¿Y no es hora de que nos despertemos antes de que sea demasiado tarde para estar en guardia contra el primer levantamiento del pecado, los primeros intentos de Satanás y todas las formas por las cuales él se ha acercado a nosotros, aunque nunca sean tan inofensivas en sí mismas?

¿Acaso no hemos experimentado nuestra debilidad, nuestra insensatez, el poder invencible de la tentación, cuando ya está dentro de nosotros? En cuanto a este deber en el que he insistido, tengan en cuenta estas consideraciones:

1. Consideren que, si descuidan este deber, entrarán en tentación y caerán en pecado

Si lo descuidan, siendo el único medio prescrito por nuestro Salvador, entonces ciertamente entrarán en tentación y así mismo caerán en pecado. No confíen en que son "viejos discípulos" y que tienen un gran aborrecimiento hacia el pecado, pensando que es imposible que sean seducidos.

> **1 Corintios 10.12–13** Por tanto, el que cree que está firme, tenga cuidado, no sea que caiga. No les ha sobrevenido ninguna tentación que no sea común a los hombres. Fiel es Dios, que no permitirá que ustedes sean tentados más allá de lo que pueden *soportar,* sino que con la tentación proveerá también la vía de escape, a fin de que puedan resistir*la.*

No es ninguna gracia recibida, no es ninguna experiencia obtenida y no es ninguna resolución desarrollada lo que los preservará de cualquier mal —a menos que permanezcan velando. Lo que Cristo dijo a Sus discípulos, Él lo dice a todos nosotros: "Velad". Tal vez pueden haber tenido algún buen éxito durante un tiempo en su estado descuidado, pero despierten y admiren la ternura y la paciencia de Dios, o el mal yace a la puerta (*cf.* Gn. 4:7).

Si no cumplen este deber, quienesquiera que sean, serán tentados y contaminados de una manera u otra, en una cosa u otra, en la maldad espiritual o carnal. ¿Y cuál será su fin? ¡Recuerden a Pedro! (*cf.* Lc. 22:31-34).

> **Lucas 22.31–34** "Simón, Simón (Pedro), mira que Satanás los ha reclamado a ustedes para zarandearlos como a trigo; pero Yo he rogado por ti para que tu fe no falle; y tú, una vez que hayas regresado, fortalece a tus hermanos." Y *Pedro* Le dijo: "Señor, estoy dispuesto a ir adonde vayas, tanto a la cárcel como a la muerte." Pero Jesús le dijo: "Te digo, Pedro, que el gallo no cantará hoy hasta que tú hayas negado tres veces que Me conoces."

2. Consideren que Cristo los observa

Consideren que siempre están bajo el ojo de Cristo, el gran autor de nuestra salvación, que nos ha ordenado que velemos y oremos para que no entremos en tentación. ¿Cuáles creen que son los pensamientos y el corazón de Cristo cuando ve que una tentación se apresura hacia nosotros —una tormenta se levanta a nuestro alrededor— y estamos profundamente dormidos? ¿Acaso no le entristece vernos expuestos al peligro después de que nos ha dado advertencias sobre advertencias? Mientras estaba en los días de Su carne, consideró Su tentación cuando aún se avecinaba, y se armó contra ella. Dice Él: "Viene el príncipe de este mundo, y él nada tiene en mí" (Jn. 14:30). ¿Y seremos negligentes bajo Sus ojos?

Consideren como que Él viene a ustedes como lo hizo con Pedro cuando dormía en el jardín, con la misma reprensión: "¡Qué! ¿No has podido velar una hora?" (*cf.* Mt. 26:40) ¿No sería una pena para ustedes ser reprendidos de esta manera o escucharlo vociferando contra sus negligencias desde el cielo, como hizo contra la iglesia de Sardis? (*cf.* Ap. 3:2).

3. Consideren que, si descuidan este deber, es posible que Dios traiga alguna aflicción o juicio grave sobre ustedes

Consideren que, si descuidan este deber y caen en tentación (lo cual ciertamente harán), que cuando estén enredados, es posible que Dios traiga alguna aflicción o juicio grave sobre ustedes. Y, a causa de sus enredos, no podrán considerar esto de ninguna otra manera que como una evidencia de Su enojo y odio. Y entonces, ¿qué harán con sus tentaciones y aflicciones juntos? Todos sus huesos estarán rotos (*cf.* Sal. 51:8), y la paz y fuerza de ustedes se habrán ido en un momento.

Salmo 51.7–10 Purifícame con hisopo, y seré limpio; Lávame, y seré más blanco que la nieve. Hazme oír gozo y alegría, Haz que se regocijen los huesos que has quebrantado. Esconde Tu rostro de mis pecados, Y borra

> todas mis iniquidades. Crea en mí, oh Dios, un corazón limpio, Y renueva un espíritu recto dentro de mí.

Esto puede parecer solo como un ruido de palabras para el presente, pero si alguna vez es su condición, lo encontrarán lleno de aflicción y amargura. ¡Oh, entonces, esforcémonos por mantener nuestros espíritus desenredados, evitando toda apariencia de maldad y todas las formas que nos lleven a ella —especialmente todos los caminos, negocios, sociedades y maneras de usar nuestro tiempo que ya hemos visto que son perjudiciales para nosotros!

Made in United States
Orlando, FL
16 February 2025

58600881R00225